선행학습 · 보충학습의 강자!

자신감

고등수학 I

구성과 특징

Construction & Feature

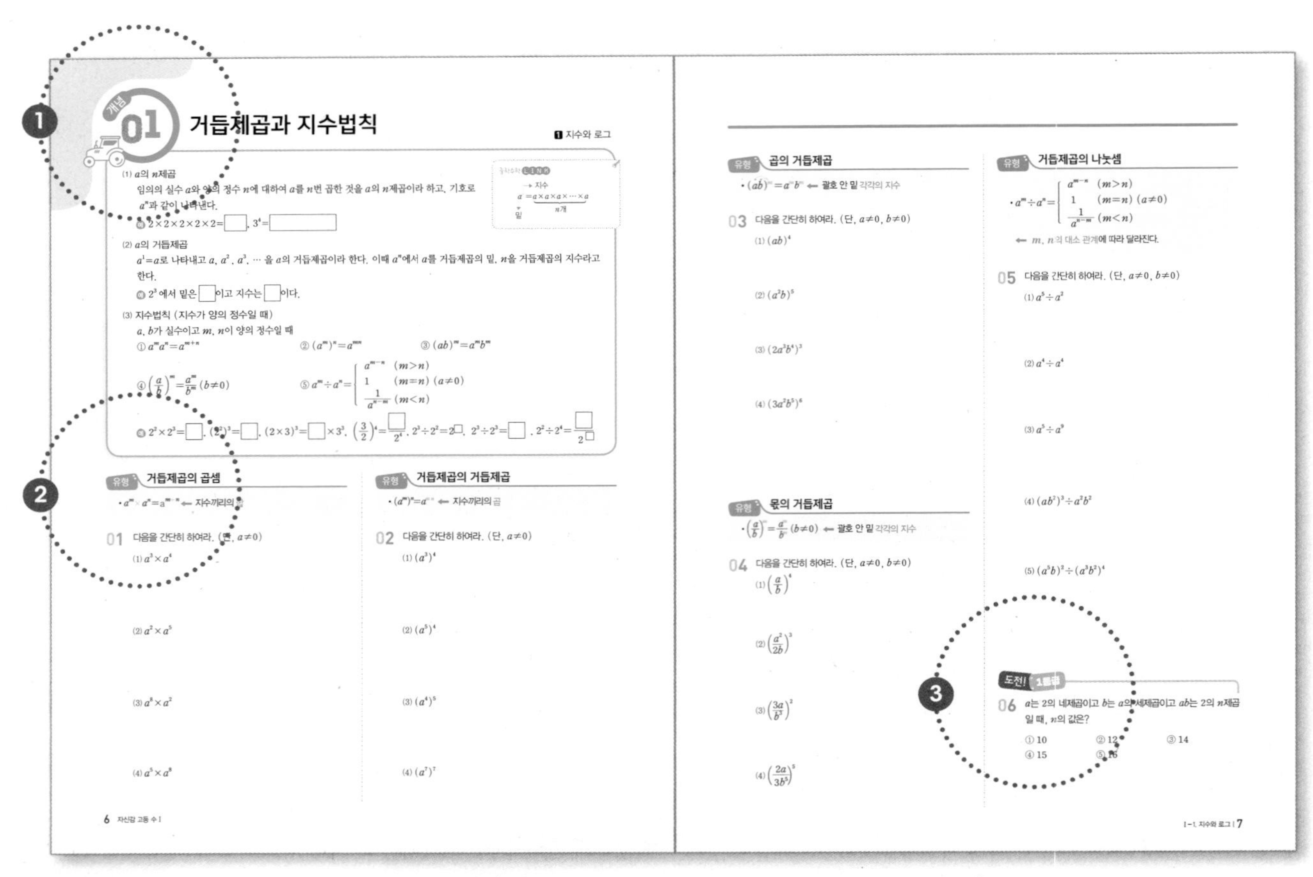

개념 01 거듭제곱과 지수법칙

1 지수와 로그

(1) a의 n제곱

임의의 실수 a와 양의 정수 n에 대하여 a를 n번 곱한 것을 a의 n제곱이라 하고, 기호로 a^n과 같이 나타낸다.

예 $2\times2\times2\times2\times2=$ □, $3^4=$ □

(2) a의 거듭제곱

$a^1=a$로 나타내고 a, a^2, a^3, … 을 a의 거듭제곱이라 한다. 이때 a^n에서 a를 거듭제곱의 밑, n을 거듭제곱의 지수라고 한다.

예 2^3 에서 밑은 □이고 지수는 □이다.

(3) 지수법칙 (지수가 양의 정수일 때)

a, b가 실수이고 m, n이 양의 정수일 때

① $a^ma^n=a^{m+n}$　② $(a^m)^n=a^{mn}$　③ $(ab)^m=a^mb^m$

④ $\left(\frac{a}{b}\right)^m=\frac{a^m}{b^m}\ (b\neq0)$　⑤ $a^m\div a^n=\begin{cases}a^{m-n} & (m>n)\\ 1 & (m=n)\\ \frac{1}{a^{n-m}} & (m<n)\end{cases}\ (a\neq0)$

예 $2^2\times2^3=$ □, $(2^2)^3=$ □, $(2\times3)^3=$ □ $\times3^3$, $\left(\frac{3}{2}\right)^4=\frac{□}{2^4}$, $2^3\div2^2=2^□$, $2^3\div2^3=$ □, $2^2\div2^4=\frac{□}{2^□}$

유형 거듭제곱의 곱셈

• $a^m\times a^n=a^{m+n}$ ← 지수끼리의 합

01 다음을 간단히 하여라. (단, $a\neq0$)

(1) $a^3\times a^4$

(2) $a^2\times a^5$

(3) $a^8\times a^2$

(4) $a^5\times a^8$

유형 거듭제곱의 거듭제곱

• $(a^m)^n=a^{mn}$ ← 지수끼리의 곱

02 다음을 간단히 하여라. (단, $a\neq0$)

(1) $(a^3)^4$

(2) $(a^5)^4$

(3) $(a^4)^5$

(4) $(a^7)^7$

6 자신감 고등 수 I

유형 곱의 거듭제곱

• $(ab)^m=a^mb^m$ ← 괄호 안 밑 각각의 지수

03 다음을 간단히 하여라. (단, $a\neq0$, $b\neq0$)

(1) $(ab)^4$

(2) $(a^2b)^5$

(3) $(2a^3b^4)^3$

(4) $(3a^2b^5)^6$

유형 몫의 거듭제곱

• $\left(\frac{a}{b}\right)^m=\frac{a^m}{b^m}\ (b\neq0)$ ← 괄호 안 밑 각각의 지수

04 다음을 간단히 하여라. (단, $a\neq0$, $b\neq0$)

(1) $\left(\frac{a}{b}\right)^4$

(2) $\left(\frac{a^2}{2b}\right)^3$

(3) $\left(\frac{3a}{b^3}\right)^2$

(4) $\left(\frac{2a}{3b^5}\right)^5$

유형 거듭제곱의 나눗셈

• $a^m\div a^n=\begin{cases}a^{m-n} & (m>n)\\ 1 & (m=n)\\ \frac{1}{a^{n-m}} & (m<n)\end{cases}\ (a\neq0)$

← m, n의 대소 관계에 따라 달라진다.

05 다음을 간단히 하여라. (단, $a\neq0$, $b\neq0$)

(1) $a^5\div a^2$

(2) $a^4\div a^4$

(3) $a^5\div a^9$

(4) $(ab^2)^3\div a^2b^2$

(5) $(a^5b)^2\div(a^3b^2)^4$

도전! 1등급

06 a는 2의 네제곱이고 b는 a의 세제곱이고 ab는 2의 n제곱일 때, n의 값은?

① 10　② 12　③ 14
④ 15　⑤ 16

I-1. 지수와 로그 | 7

❶ 단원별로 꼭 알아야 하는 기본 개념을 알기 쉽게 정리한 예를 통하여 다시 한 번 확인할 수 있도록 하였습니다.

❷ 개념을 유형별로 세분화하여 단계별 학습을 할 수 있도록 설계 하였습니다.
또한, 유형별 기초 연산 문제를 반복적으로 풀어 보면서 개념을 확실히 익힐 수 있도록 하였습니다.

❸ 유형별로 개념을 익힌 후 시험에 나오는 형태의 문제를 풀어 볼 수 있도록 하였습니다.

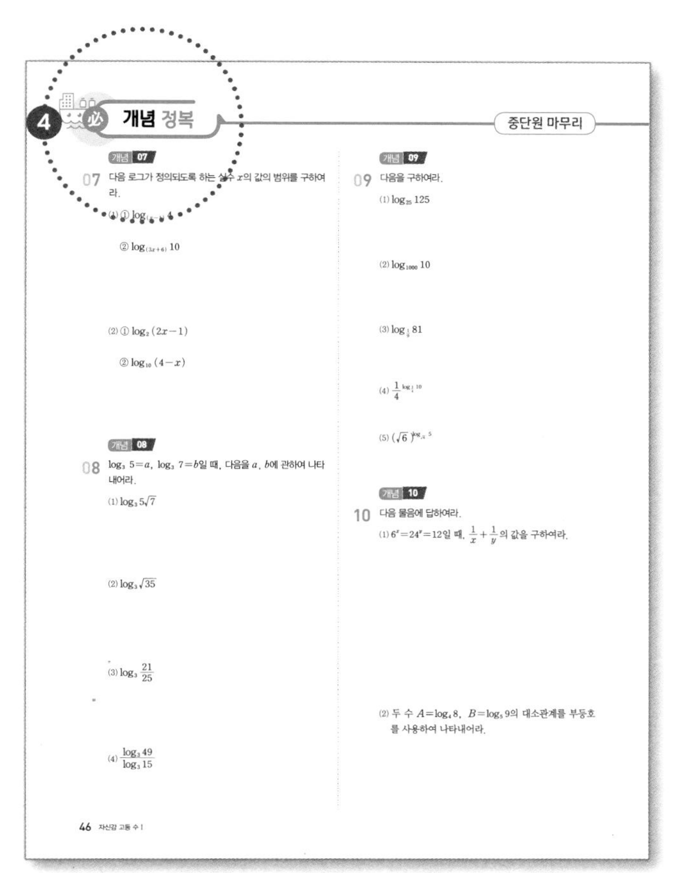

4 必 개념 정복

중단원 마무리

개념 07

07 다음 로그가 정의되도록 하는 실수 x의 값의 범위를 구하여라.

(1) ① $\log_{[illegible]} 4$

② $\log_{(3x+6)} 10$

(2) ① $\log_2 (2x-1)$

② $\log_{10} (4-x)$

개념 08

08 $\log_3 5=a$, $\log_3 7=b$일 때, 다음을 a, b에 관하여 나타내어라.

(1) $\log_3 5\sqrt{7}$

(2) $\log_3 \sqrt{35}$

(3) $\log_3 \frac{21}{25}$

(4) $\frac{\log_3 49}{\log_3 15}$

개념 09

09 다음을 구하여라.

(1) $\log_{25} 125$

(2) $\log_{1000} 10$

(3) $\log_{\frac{1}{9}} 81$

(4) $\frac{1}{4}^{\log_{\frac{1}{2}} 10}$

(5) $(\sqrt{6})^{\log_{\sqrt{6}} 5}$

개념 10

10 다음 물음에 답하여라.

(1) $6^x=24^y=12$일 때, $\frac{1}{x}+\frac{1}{y}$의 값을 구하여라.

(2) 두 수 $A=\log_4 8$, $B=\log_5 9$의 대소관계를 부등호를 사용하여 나타내어라.

46 자신감 고등 수 I

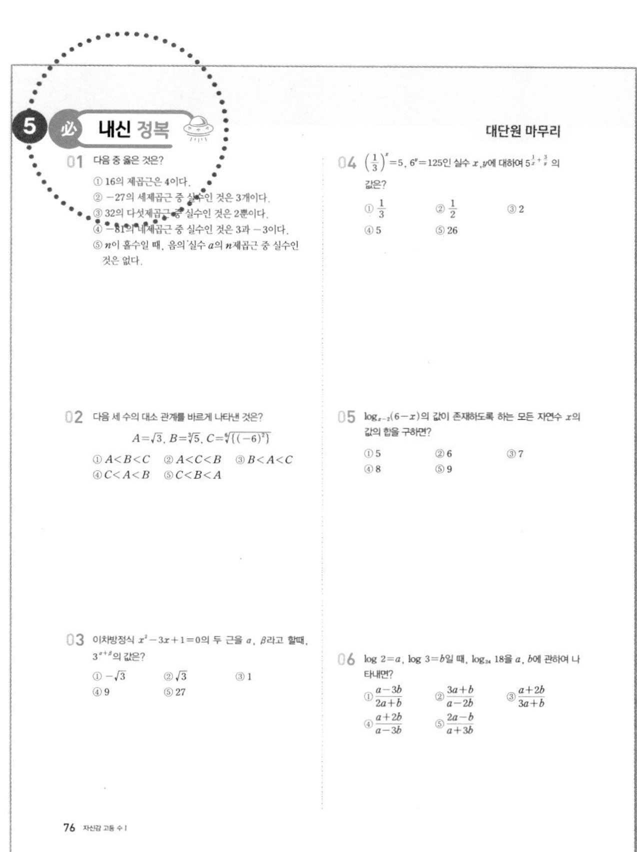

5 必 내신 정복

대단원 마무리

01 다음 중 옳은 것은?

① 16의 제곱근은 4이다.
② -27의 세제곱근 중 실수인 것은 3개이다.
③ 32의 다섯제곱근 중 실수인 것은 2뿐이다.
④ -81의 네제곱근 중 실수인 것은 3과 -3이다.
⑤ n이 홀수일 때, 음의 실수 a의 n제곱근 중 실수인 것은 없다.

02 다음 세 수의 대소 관계를 바르게 나타낸 것은?

$$A=\sqrt{3},\ B=\sqrt[3]{5},\ C=\sqrt[6]{\{(-6)^2\}}$$

① $A<B<C$ ② $A<C<B$ ③ $B<A<C$
④ $C<A<B$ ⑤ $C<B<A$

03 이차방정식 $x^2-3x+1=0$의 두 근을 α, β라고 할때, $3^{\alpha+\beta}$의 값은?

① $-\sqrt{3}$ ② $\sqrt{3}$ ③ 1
④ 9 ⑤ 27

04 $\left(\frac{1}{3}\right)^x=5$, $6^y=125$인 실수 x, y에 대하여 $5^{\frac{1}{x}+\frac{3}{y}}$의 값은?

① $\frac{1}{3}$ ② $\frac{1}{2}$ ③ 2
④ 5 ⑤ 26

05 $\log_{x-2}(6-x)$의 값이 존재하도록 하는 모든 자연수 x의 값의 합을 구하면?

① 5 ② 6 ③ 7
④ 8 ⑤ 9

06 $\log 2=a$, $\log 3=b$일 때, $\log_{24} 18$을 a, b에 관하여 나타내면?

① $\frac{a-3b}{2a+b}$ ② $\frac{3a+b}{a-2b}$ ③ $\frac{a+2b}{3a+b}$
④ $\frac{a+2b}{a-3b}$ ⑤ $\frac{2a-b}{a+3b}$

76 자신감 고등 수 I

개념 정복

❹ 앞에서 배운 내용을 중단원별로 다시 한 번 학습함으로써 개념을 확실히 정복할 수 있도록 하였습니다.

내신 정복

❺ 실전 예상 문제를 풀어봄으로써 학교 시험을 완벽 대비할 수 있도록 하였습니다.

차 례

Contents

Ⅰ

지수함수와 로그함수

이 단원에서 공부해야 할 **필수** 개념

개념 01 거듭제곱과 지수법칙

(1) a의 n제곱

임의의 실수 a와 양의 정수 n에 대하여 a를 n번 곱한 것을 a의 n제곱이라 하고, 기호로 a^n과 같이 나타낸다.

예 $2\times2\times2\times2\times2=\square$, $3^4=\square$

중학수학 LINK

$a^n=\underbrace{a\times a\times a\times\cdots\times a}_{n\text{개}}$ (지수: n, 밑: a)

(2) a의 거듭제곱

$a^1=a$로 나타내고 a, a^2, a^3, … 을 a의 거듭제곱이라 한다. 이때 a^n에서 a를 거듭제곱의 밑, n을 거듭제곱의 지수라고 한다.

예 2^3 에서 밑은 $\square$이고 지수는 $\square$이다.

(3) 지수법칙 (지수가 양의 정수일 때)

a, b가 실수이고 m, n이 양의 정수일 때

① $a^m a^n=a^{m+n}$　② $(a^m)^n=a^{mn}$　③ $(ab)^m=a^m b^m$

④ $\left(\frac{a}{b}\right)^m=\frac{a^m}{b^m}$ $(b\neq0)$　⑤ $a^m\div a^n=\begin{cases} a^{m-n} & (m>n) \\ 1 & (m=n) \\ \frac{1}{a^{n-m}} & (m<n) \end{cases}$ $(a\neq0)$

예 $2^2\times2^3=\square$, $(2^2)^3=\square$, $(2\times3)^3=\square\times3^3$, $\left(\frac{3}{2}\right)^4=\frac{\square}{2^4}$, $2^3\div2^2=2^{\square}$, $2^3\div2^3=\square$, $2^2\div2^4=\frac{\square}{2^{\square}}$

유형 거듭제곱의 곱셈

• $a^m\times a^n=a^{m+n}$ ← 지수끼리의 합

01 다음을 간단히 하여라. (단, $a\neq0$)

(1) $a^3\times a^4$

(2) $a^2\times a^5$

(3) $a^8\times a^2$

(4) $a^5\times a^8$

유형 거듭제곱의 거듭제곱

• $(a^m)^n=a^{mn}$ ← 지수끼리의 곱

02 다음을 간단히 하여라. (단, $a\neq0$)

(1) $(a^3)^4$

(2) $(a^5)^4$

(3) $(a^4)^5$

(4) $(a^7)^7$

유형 곱의 거듭제곱

• $(ab)^m = a^m b^m$ ← 괄호 안 밑 각각의 지수

03 다음을 간단히 하여라. (단, $a \neq 0$, $b \neq 0$)

(1) $(ab)^4$

(2) $(a^2b)^5$

(3) $(2a^3b^4)^3$

(4) $(3a^2b^5)^6$

유형 몫의 거듭제곱

• $\left(\frac{a}{b}\right)^m = \frac{a^m}{b^m}$ $(b \neq 0)$ ← 괄호 안 밑 각각의 지수

04 다음을 간단히 하여라. (단, $a \neq 0$, $b \neq 0$)

(1) $\left(\frac{a}{b}\right)^4$

(2) $\left(\frac{a^2}{2b}\right)^3$

(3) $\left(\frac{3a}{b^3}\right)^2$

(4) $\left(\frac{2a}{3b^5}\right)^5$

유형 거듭제곱의 나눗셈

• $a^m \div a^n = \begin{cases} a^{m-n} & (m>n) \\ 1 & (m=n) \\ \frac{1}{a^{n-m}} & (m<n) \end{cases}$ $(a \neq 0)$

← m, n의 대소 관계에 따라 달라진다.

05 다음을 간단히 하여라. (단, $a \neq 0$, $b \neq 0$)

(1) $a^5 \div a^2$

(2) $a^4 \div a^4$

(3) $a^5 \div a^9$

(4) $(ab^2)^3 \div a^2b^2$

(5) $(a^5b)^2 \div (a^3b^2)^4$

도전! 1등급

06 a는 2의 네제곱이고 b는 a의 세제곱이고 ab는 2의 n제곱일 때, n의 값은?

① 10　② 12　③ 14
④ 15　⑤ 16

개념 02

거듭제곱근

(1) a의 n제곱근

a가 실수이고 n이 2 이상의 정수일 때, n제곱하여 a가 되는 수, 즉 방정식 $x^n=a$의 해 x를 a의 n제곱근이라고 한다. 이때 a의 제곱근, a의 세제곱근, a의 네제곱근, …을 통틀어 a의 거듭제곱근이라고 한다.

예 1의 제곱근은 방정식 ☐ 의 해이므로 $x=$☐ 이고 1의 세제곱근은 ☐ 의 해이므로 $x=$☐, $x=$☐ 이다.

(2) 실수인 거듭제곱근 : 실수 a의 n제곱근 중 실수인 것은 다음과 같다.

	$a>0$	$a=0$	$a<0$
n이 짝수	$\sqrt[n]{a}$, $-\sqrt[n]{a}$	0	없다.
n이 홀수	$\sqrt[n]{a}$	0	$\sqrt[n]{a}$

예 2의 제곱근 중 실수인 것은 ☐ 개이고 2의 세제곱근 중 실수인 것은 ☐ 개이다.

유형 실수의 제곱근

• 실수 a $(a>0)$의 제곱근
→ $x^2=a$의 해 → $\sqrt{a}$, $-\sqrt{a}$

01 다음 실수의 제곱근을 모두 구하여라.

(1) 2

(2) 3

(3) 4

(4) 8

(5) 9

(6) 12

유형 실수의 세제곱근

• 실수 a의 세제곱근 → $x^3=a$의 해
→ $\sqrt[3]{a}$ (← 실수인 해 1개), 허수인 해 2개

• $x^3=1$ → $x^3-1=0$, $(x-1)(x^2+x+1)=0$
→ $x=1$, $x=\dfrac{-1\pm\sqrt{3}i}{2}$

• $x^3=a^3$ → $x^3-a^3=0$, $(x-a)(x^2+ax+a^2)=0$
→ $x=a$, $x=\dfrac{-a\pm\sqrt{3}ai}{2}=a\cdot\dfrac{-1\pm\sqrt{3}i}{2}$

02 다음 실수의 세제곱근을 모두 구하여라.

(1) 1

(2) -1

(3) 8

(4) -8

유형 짝수 거듭제곱근 중 실수

- n이 짝수일 때 $a(a>0)$의 n제곱근 중 실수
  ➡ $\sqrt[n]{a}$, $-\sqrt[n]{a}$

03 다음을 구하여라.

(1) 5의 네제곱근 중 실수인 것

(2) 16의 네제곱근 중 실수인 것

(3) 81의 네제곱근 중 실수인 것

(4) $(-5)^4$의 여섯제곱근 중 실수인 것

(5) 25의 여섯제곱근 중 실수인 것

(6) 729의 여섯제곱근 중 실수인 것

(7) $(-8)^2$의 여섯제곱근 중 실수인 것

유형 홀수 거듭제곱근 중 실수

- n이 홀수일 때 a(a는 실수)의 n제곱근 중 실수
  ➡ $\sqrt[n]{a}$

04 다음을 구하여라.

(1) -6의 세제곱근 중 실수인 것

(2) 8의 세제곱근 중 실수인 것

(3) -27의 세제곱근 중 실수인 것

(4) 10의 다섯제곱근 중 실수인 것

(5) 32의 다섯제곱근 중 실수인 것

(6) -243의 다섯제곱근 중 실수인 것

(7) $(-7)^3$의 다섯제곱근 중 실수인 것

05 다음 설명 중 옳은 것은 ( ) 안에 ○를, 옳지 않은 것은 ( ) 안에 ×를 써넣어라.

(1) -16의 제곱근은 -4이다. ( )

(2) -8의 세제곱근은 1개이다. ( )

(3) 16의 네제곱근은 4개이다. ( )

(4) 0의 네제곱근은 없다. ( )

(5) 5의 실수인 여섯제곱근은 2개이다. ( )

(6) 81의 네제곱근 중 실수인 것은 3뿐이다( )

(7) $\sqrt[4]{36}$은 36의 네제곱근 중 하나이다. ( )

06 다음 설명 중 옳은 것은 ( ) 안에 ○를, 옳지 않은 것은 ( ) 안에 ×를 써넣어라.

(1) 16의 제곱근은 4이다. ( )

(2) 4의 세제곱근은 1개이다. ( )

(3) -3의 네제곱근 중 실수인 것은 $\sqrt[4]{-3}$이다. ( )

(4) 0의 세제곱근은 0개이다. ( )

(5) -3의 세제곱근 중 실수인 것은 1개이다. ( )

(6) -8의 세제곱근 중 실수인 것은 2개이다. ( )

(7) 64의 네제곱근 중 실수인 것은 2개이다. ( )

07 다음 설명 중 옳은 것은 ( ) 안에 ○를, 옳지 않은 것은 ( ) 안에 ×를 써넣어라.

(1) 실수 a의 제곱근 중 실수인 것은 항상 존재한다. (　　)

(2) 실수 a의 세제곱근 중 실수인 것은 1개 뿐이다. (　　)

(3) n이 짝수일 때, $x^n=7$을 만족하는 실수 x는 n개이다. (　　)

(4) n이 홀수일 때, $x^n=-7$을 만족하는 실수 x는 1개이다. (　　)

(5) 자연수 n에 대하여, $\sqrt[n]{(-7)^n}=7$이면, n은 짝수이다. (　　)

(6) $a<0$일 때, $\sqrt[3]{a^3}=-a$이다. (　　)

(7) n이 짝수일 때 양의 실수 a의 n제곱근 중 실수인 것은 $\sqrt[n]{a}$, $-\sqrt[n]{a}$로 2개이다. (　　)

(8) n이 홀수일 때 0이 아닌 실수 a의 n제곱근 중 실수인 것은 없다. (　　)

08 실수 x의 n제곱근 중 실수인 것의 개수를 $R(x, n)$이라 할 때, 다음 값을 구하여라.

(1) $R(-3, 2)$

(2) $R(-4, 3)$

(3) $R(5, 4)$

(4) $R(0, 5)$

(5) $R(2016, 2017)$

(6) $R(-2017, 2018)$

도전! 1등급

09 실수 x와 자연수 n에 대하여 x의 n제곱근 중에서 실수인 것의 개수를 $f(x, n)$이라 할 때,

$$f(5, 5)+f(-3, 4)+f(0, 3)$$

의 값은?

① 1　② 2　③ 3　④ 4　⑤ 5

개념

03 거듭제곱근의 성질

(1) $a>0$, $b>0$이고 m, n이 2 이상의 정수일 때,

① $(\sqrt[n]{a})^n=a$ 예 $(\sqrt{2})^2=\square$, $(\sqrt[3]{2})^3=\square$, $(\sqrt[4]{2})^4=\square$

② $\sqrt[n]{a}\sqrt[n]{b}=\sqrt[n]{ab}$ 예 $\sqrt[3]{2}\sqrt[3]{3}=\square$, $\sqrt[4]{2}\sqrt[4]{4}=\square$

③ $\dfrac{\sqrt[n]{a}}{\sqrt[n]{b}}=\sqrt[n]{\dfrac{a}{b}}$ 예 $\dfrac{\sqrt[3]{8}}{\sqrt[3]{2}}=\square$, $\dfrac{\sqrt[4]{8}}{\sqrt[4]{2}}=\square$

④ $(\sqrt[n]{a})^m=\sqrt[n]{a^m}$ 예 $(\sqrt[3]{2})^2=\sqrt[3]{\square}$, $(\sqrt[4]{3})^3=\sqrt[4]{\square}$, $(\sqrt[5]{4})^3=\sqrt[5]{\square}$

⑤ $\sqrt[m]{\sqrt[n]{a}}=\sqrt[mn]{a}=\sqrt[n]{\sqrt[m]{a}}$ 예 $\sqrt[3]{\sqrt{3}}=\sqrt[\square]{3}=\sqrt[\square]{\sqrt[3]{3}}$

⑥ $\sqrt[np]{a^{mp}}=\sqrt[n]{a^m}$ (단, p는 자연수) 예 $\sqrt[4]{3^6}=\sqrt[2\times\square]{3^{3\times\square}}=\sqrt{3^{\square}}$

(2) a가 실수일 때, $\sqrt[n]{a^n}=\begin{cases} a & (n\text{이 홀수}) \\ |a| & (n\text{이 짝수}) \end{cases}$ 예 $\sqrt{2^2}=\square$, $\sqrt{(-2)^2}=\square$, $\sqrt[3]{2^3}=\square$, $\sqrt[3]{(-2)^3}=\square$

유형 $(\sqrt[n]{a})^n$ 의 계산

• $a>0$일 때, $(\sqrt[n]{a})^n=a$ ➡ a의 n제곱근의 n제곱

01 다음 식을 간단히 하여라.

(1) $(\sqrt[3]{3})^3$

(2) $(\sqrt[4]{5})^4$

(3) $(\sqrt[5]{7})^5$

(4) $(\sqrt[6]{9})^6$

(5) $(\sqrt[7]{10})^7$

(6) $(\sqrt[8]{11})^8$

유형 $\sqrt[n]{a}\sqrt[n]{b}$의 계산

• $a>0$, $b>0$일 때, $\sqrt[n]{a}\sqrt[n]{b}=\sqrt[n]{ab}$

02 다음 식을 간단히 하여라.

(1) $\sqrt[3]{3}\sqrt[3]{9}$

(2) $\sqrt[4]{2}\sqrt[4]{8}$

(3) $\sqrt[5]{100}\sqrt[5]{1000}$

(4) $\sqrt[6]{4}\sqrt[6]{16}$

유형 $\frac{\sqrt[n]{a}}{\sqrt[n]{b}}$의 계산

• $a>0$, $b>0$일 때, $\frac{\sqrt[n]{a}}{\sqrt[n]{b}}=\sqrt[n]{\frac{a}{b}}$

03 다음을 간단히 하여라.

(1) $\frac{\sqrt[3]{10000}}{\sqrt[3]{10}}$

(2) $\frac{\sqrt[3]{3}}{\sqrt[3]{81}}$

(3) $\frac{\sqrt[4]{3125}}{\sqrt[4]{5}}$

(4) $\frac{\sqrt[5]{3}}{\sqrt[5]{729}}$

(5) $\frac{\sqrt[6]{256}}{\sqrt[6]{4}}$

(6) $\frac{\sqrt[8]{4}}{\sqrt[8]{1024}}$

유형 $(\sqrt[n]{a})^m$의 계산

• $a>0$일 때, $(\sqrt[n]{a})^m=\sqrt[n]{a^m}$

04 다음을 간단히 하여라.

(1) $(\sqrt[4]{25})^2$

(2) $(\sqrt[6]{9})^3$

(3) $(\sqrt[8]{100})^4$

(4) $(\sqrt[9]{125})^3$

(5) $(\sqrt[9]{8})^6$

(6) $\left(\sqrt[10]{\frac{1}{243}}\right)^2$

유형 $\sqrt[m]{\sqrt[n]{a}}$ 의 계산

- $\sqrt[m]{\sqrt[n]{a}}=\sqrt[mn]{a}=\sqrt[n]{\sqrt[m]{a}}$ ← $\sqrt{a}=\sqrt[2]{a}$와 같다.
- $\sqrt[l]{\sqrt[m]{\sqrt[n]{a}}}=\sqrt[lmn]{a}$

05 다음 식을 간단히 하여라.

(1) $\sqrt{\sqrt[3]{64}}$

(2) $\sqrt{\sqrt{625}}$

(3) $\sqrt[3]{\sqrt{\dfrac{1}{729}}}$

(4) $\sqrt{\sqrt{\sqrt{2^8}}}$

(5) $\sqrt[3]{\sqrt[3]{\sqrt[3]{3^{27}}}}$

(6) $\sqrt[4]{\sqrt[3]{\sqrt{5^{24}}}}$

유형 $\sqrt[np]{a^{mp}}$의 계산

- $\sqrt[np]{a^{mp}}=\sqrt[n]{a^m}$

06 다음 식을 간단히 하여라.

(1) $\sqrt[4]{10^8}$

(2) $\sqrt[4]{\dfrac{1}{2^8}}$

(3) $\sqrt[6]{8^2}$

(4) $\sqrt[4]{25^6}$

(5) $\sqrt[12]{9^6}$

(6) $\sqrt[8]{81^4}$

유형 $\sqrt[n]{a^n}$의 계산

- $\sqrt[n]{a^n}=\begin{cases} a & (n\text{이 홀수}) \\ |a| & (n\text{이 짝수}) \end{cases}$ ← 양수, 0, 음수 / ← 0, 양수

→ a의 n제곱근의 n제곱

07 다음을 간단히 하여라.

(1) ① $\sqrt[3]{3^3}$

② $\sqrt[3]{(-3)^3}$

(2) ① $\sqrt[4]{5^4}$

② $\sqrt[4]{(-5)^4}$

(3) ① $\sqrt[5]{6^5}$

② $\sqrt[5]{(-6)^5}$

(4) ① $\sqrt[6]{4^6}$

② $\sqrt[6]{(-4)^6}$

(5) ① $\sqrt[7]{10^7}$

② $\sqrt[7]{(-10)^7}$

08 다음을 간단히 하여라.

(1) $\sqrt[12]{9^4}\times\sqrt[6]{3^2}$

(2) $\sqrt{\sqrt{256}}\times\sqrt[3]{\sqrt{729}}$

(3) $(\sqrt[3]{2})^6\times\sqrt[4]{16^2}-\sqrt[5]{32}$

(4) $\sqrt[3]{9}\times\sqrt[3]{3}-\sqrt{\sqrt[4]{81}}+\sqrt[4]{9}$

도전! 1등급

09 $(\sqrt[3]{4}-\sqrt[3]{3})(\sqrt[3]{16}+\sqrt[3]{12}+\sqrt[3]{9})$를 간단히 한 것은?

① 5 ② 4 ③ 3
④ 2 ⑤ 1

10 $a>0$, $b>0$일 때,

$\sqrt{ab^2}\div\sqrt[6]{a^3b^4}\div\sqrt[12]{a^4b^7}=\sqrt[n]{a^xb^y}$

이다. 이때 $n-x+y$의 값은?

① 19 ② 18 ③ 17
④ 16 ⑤ 15

지수의 확장

(1) 지수가 0 또는 음의 정수인 경우

$a\neq0$이고 n이 양의 정수일 때, $a^0=1$, $a^{-n}=\frac{1}{a^n}$

예 $2^0=\square$, $2^{-2}=\square=\square$

(2) 지수가 유리수인 경우

$a>0$이고 m은 정수, n은 2 이상의 정수일 때, $a^{\frac{m}{n}}=\sqrt[n]{a^m}$, $a^{\frac{1}{n}}=\sqrt[n]{a}$

예 $2^{\frac{2}{3}}=\sqrt[\square]{2^{\square}}$, $2^{\frac{1}{2}}=\square$, $2^{\frac{1}{3}}=\square$

(3) 지수법칙(지수가 실수일 때)

$a>0$, $b>0$이고 m, n이 실수일 때

① $a^ma^n=a^{m+n}$ ② $a^m\div a^n=a^{m-n}$ ③ $(a^m)^n=a^{mn}$ ④ $(ab)^m=a^mb^m$ ⑤ $\left(\frac{a}{b}\right)^m=\frac{a^m}{b^m}$ (단, $a\neq0$)

유형 지수가 0인 경우

• $a\neq0$일 때, $a^0=1$

01 다음을 간단히 하여라.

(1) 1^0

(2) $\sqrt{2}^0$

(3) $\left(\frac{1}{2}\right)^0$

(4) $(-4)^0$

(5) $(-\sqrt{3})^0$

유형 지수가 음의 정수인 경우

• $a\neq0$이고 n이 양의 정수일 때, $a^{-n}=\frac{1}{a^n}$

02 다음을 간단히 하여라.

(1) 3^{-2}

(2) 2^{-10}

(3) $(-5)^{-4}$

(4) $(-10)^{-3}$

유형 **지수가 유리수인 경우**

• $a>0$이고 m은 정수, n은 2 이상의 정수일 때,
$a^{\frac{1}{n}}=\sqrt[n]{a}$, $a^{\frac{m}{n}}=\sqrt[n]{a^m}$

03 다음을 $\sqrt[n]{a}$ 꼴로 나타내어라. (단, $a>0$)

(1) $2^{\frac{1}{5}}$

(2) $3^{\frac{1}{6}}$

(3) $8^{\frac{1}{4}}$

(4) $10^{\frac{1}{8}}$

04 다음을 a^r 꼴로 나타내어라. (단, $a>0$, r은 유리수)

(1) $\sqrt[5]{2^4}$

(2) $\sqrt[7]{3^2}$

(3) $\sqrt[8]{4^{-5}}$

(4) $\sqrt[9]{10^{-4}}$

유형 **$a^x=k$ 꼴**

• $a>0$, $k>0$이고 x는 0이 아닌 정수일 때,
$a^x=k \Leftrightarrow (a^x)^{\frac{1}{x}}=k^{\frac{1}{x}} \Leftrightarrow a=k^{\frac{1}{x}}$

05 다음을 구하여라.

(1) $2^x=5$일 때, 2의 값

(2) $3^x=4$일 때, 3의 값

(3) $4^x=8$일 때, 4의 값

(4) $5^x=12$일 때, 5의 값

(5) $6^x=7$일 때, 6의 값

(6) $10^x=11$일 때, 10의 값

(7) $25^x=28$일 때, 25의 값

유형 지수가 실수일 때, 지수법칙

• $a>0$, $b>0$이고 x, y가 실수일 때,

• $a^x a^y = a^{x+y}$ • $a^x \div a^y = a^{x-y}$

• $(a^x)^y = a^{xy}$ • $(ab)^x = a^x b^x$

06 다음을 간단히 하여라. (단, $a>0$)

(1) $a^{\frac{1}{2}} \times a^{\frac{1}{3}}$

(2) $a^{-\frac{3}{4}} \times a^{\frac{2}{3}}$

(3) $a^{\sqrt{2}} \times a^{2\sqrt{2}}$

07 다음을 간단히 하여라. (단, $a>0$)

(1) $a^{\frac{1}{4}} \div a^{\frac{1}{2}}$

(2) $a^{-\frac{3}{5}} \div a^{\frac{1}{2}}$

(3) $a^{3\sqrt{3}} \div a^{2\sqrt{3}}$

08 다음을 간단히 하여라. (단, $a>0$)

(1) $(a^{\frac{1}{3}})^3$

(2) $(a^{-\sqrt{2}})^{\sqrt{2}}$

(3) $(a^{\frac{1}{2}})^{\sqrt{2}}$

(4) $(a^{\sqrt{27}})^{\sqrt{3}}$

09 다음을 간단히 하여라. (단, $a>0$, $b>0$)

(1) $(a^{\sqrt{2}} b^{\sqrt{3}})^{\sqrt{2}}$

(2) $(a^{\frac{1}{3}} b^{-\frac{1}{2}})^6$

(3) $(a^{\frac{1}{\sqrt{2}}} b^{\frac{1}{2\sqrt{2}}})^{-4}$

(4) $(a^{-\frac{2}{5}} b^{\frac{3}{5}})^{10}$

10 다음을 간단히 하여라.

(1) $2^{\frac{1}{6}} \times 4^{-\frac{1}{3}}$

(2) $3\sqrt{3} \div \sqrt[6]{9}$

(3) $(8^{\frac{5}{3}})^{\frac{1}{\sqrt{5}}}$

(4) $\{3^2 \times (\sqrt{3})^4\}^{-\frac{1}{2}}$

(5) $\left\{\left(\frac{4}{25}\right)^{\frac{2}{3}}\right\}^{\frac{3}{4}} \times \left\{\left(\frac{1}{4}\right)^{\frac{2}{5}}\right\}^{-\frac{5}{4}}$

(6) $(3^{\frac{1}{2}})^{\frac{3}{2}} \div (3^{\frac{5}{4}})^{\frac{2}{3}} \times (3^{\frac{3}{4}})^{\frac{1}{6}}$

11 다음을 간단히 하여라.

(1) $\sqrt[3]{\sqrt{a}}$

(2) $\sqrt{a\sqrt{a\sqrt{a}}}$

(3) $\sqrt[3]{8a\sqrt{a\sqrt{a}}}$

도전! 1등급

12 $a>0$, $a \neq 1$일 때, $\sqrt{a\sqrt[3]{a^3\sqrt[5]{a^3}}}=a^k$을 만족하는 k의 값은?

① $\frac{2}{3}$ ② $\frac{3}{8}$ ③ $\frac{11}{10}$
④ $\frac{13}{18}$ ⑤ $\frac{20}{21}$

개념 05 거듭제곱근의 대소 비교

(1) 근호가 다른 거듭제곱근의 대소 비교는 $\sqrt[n]{a^m}=\sqrt[np]{a^{mp}}$을 이용하여 근호를 통일 시킨다.

(2) 거듭제곱근의 대소비교는 지수로 바꾸어 다음과 같은 순서로 한다.

① 거듭제곱근 꼴을 분수 지수 꼴로 고친다.

② 지수의 각 분모의 최소공배수를 이용하여 통분한 후 비교한다.

예 $\sqrt[3]{2}$, $\sqrt[4]{5}$ 의 대소비교하기

$\sqrt[3]{2}=2^{\frac{1}{3}}$, $\sqrt[4]{5}=5^{\frac{1}{4}}$에서 지수 $\frac{1}{3}$, $\frac{1}{4}$의 분모의 최소공배수는 $\square$이므로

$\sqrt[3]{2}=2^{\frac{1}{3}}=2^{\frac{4}{12}}=(2^{\square})^{\frac{1}{12}}=\square^{\frac{1}{12}}$

$\sqrt[4]{5}=5^{\frac{1}{4}}=5^{\frac{3}{12}}=(5^3)^{\frac{1}{12}}=\square^{\frac{1}{12}}$이다. $\therefore \sqrt[3]{2}<\sqrt[4]{5}$

유형 거듭제곱근의 대소 비교

• 거듭제곱근의 대소 비교는 근호를 통일시킨 후에 대소를 비교한다.

01 다음 수들의 대소를 비교하여라.

(1) $\sqrt{2}$, $\sqrt[3]{3}$

(2) $\sqrt[3]{4}$, $\sqrt[6]{10}$

(3) $\sqrt{\sqrt{3}}$, $\sqrt{\sqrt[5]{7}}$

(4) $\sqrt[3]{3\sqrt{2}}$, $\sqrt{2\sqrt{2}}$

02 지수를 이용하여 다음 수들의 대소를 비교하여라.

(1) $\sqrt[6]{5}$, $\sqrt[12]{15}$

(2) $\sqrt[3]{5}$, $\sqrt[4]{6}$

(3) $\sqrt[3]{3}$, $\sqrt[5]{4}$

(4) $\sqrt[4]{10}$, $\sqrt[3]{5}$

03 다음과 같은 세 수에 대하여 대소 관계를 바르게 나타내어라.

(1) $\sqrt[3]{2}$, $\sqrt[4]{3}$, $\sqrt[6]{5}$

(2) $\sqrt[3]{3}$, $\sqrt[6]{5}$, $\sqrt[12]{7}$

(3) $\sqrt[3]{4}$, $\sqrt{2}$, $\sqrt[6]{3}$

(4) $\sqrt[6]{6\sqrt{6}}$, $\sqrt{2\sqrt{2}}$, $\sqrt[3]{3\sqrt{3}}$

(5) $\sqrt[4]{\frac{1}{2}}$, $\sqrt[3]{\frac{1}{3}}$, $\sqrt[6]{\frac{1}{5}}$

유형 거듭제곱근의 대소 비교

- 두 수 a, b의 차를 통해 대소관계를 비교할 수 있다.
  ① $a-b<0$ 이면, $a<b$
  → $a=2$, $b=3$ 이면, $2-3<0$, $\therefore 2<3$
  ② $a-b=0$ 이면, $a=b$
  → $a=2\sqrt{2}$, $b=\sqrt{8}$ 이면, $2\sqrt{2}-\sqrt{8}=0$, $\therefore 2\sqrt{2}=\sqrt{8}$
  ③ $a-b>0$ 이면, $a>b$
  → $a=\sqrt[3]{4}$, $b=\sqrt[6]{5}$ 이면, $\sqrt[6]{4^2}-\sqrt[6]{5}>0$, $\therefore \sqrt[3]{4}>\sqrt[6]{5}$

04 다음 세 수 A, B, C를 비교하여, 가장 큰 수와 가장 작은 수의 합을 구하여라.

(1) $A=\sqrt{2}$, $B=\sqrt{8}$, $C=\sqrt[3]{9}$

(2) $A=\sqrt{2}$, $B=2\sqrt[4]{4}$, $C=\sqrt[6]{8}+1$

도전! 1등급

05 다음과 같은 세 수에 대하여 대소 관계를 바르게 나타낸 것은?

$A=2\sqrt[3]{3}-1$, $B=3\sqrt[3]{3}$, $C=3+\sqrt[3]{3}$

① $A<B<C$ ② $A<C<B$ ③ $B<C<A$
④ $B<A<C$ ⑤ $C<B<A$

06 지수법칙의 활용

(1) 지수법칙을 이용한 식의 값 계산 : 주어진 수의 밑을 대입하는 식에 맞도록 변형해 본다.

예 $a=\sqrt[3]{2}$, $b=\sqrt{3}$ 일 때, $\sqrt[6]{12}$의 값 구하기

$a=\sqrt[3]{2}=\square^{\frac{1}{3}}$, $b=\sqrt{3}=3^{\frac{1}{2}}$이므로

$\sqrt[6]{12}=12^{\frac{1}{6}}=(2^2\times\square)^{\frac{1}{6}}=2^{\frac{1}{3}}\times3^{\frac{1}{6}}=2^{\frac{1}{3}}\times\left(3^{\frac{1}{2}}\right)^{\square}=ab^{\frac{1}{3}}$

(2) 곱셈공식을 이용한 식의 값 계산 : 전개한 계산이 복잡해지는 경우에는 곱셈공식을 이용한다.

① $(a+b)(a-b)=a^2-b^2$(복호동순)

② $(a\pm b)^2=a^2\pm2ab+b^2$(복호동순)

③ $(a\pm b)(a^2\mp ab+b^2)=a^3\pm b^3$(복호동순)

(3) a^x+a^{-x}꼴의 식의 값 계산 : 곱셈공식의 변형을 이용하여 식의 값을 구한다.

① $a^2+b^2=(a+b)^2-2ab=(a-b)^2+2ab$

② $(a+b)^2=(a-b)^2+4ab$, $(a-b)^2=(a+b)^2-4ab$

③ $a^3+b^3=(a+b)^3-3ab(a+b)$, $a^3-b^3=(a-b)^3+3ab(a-b)$

(4) $\dfrac{a^{kx}+a^{kx}}{a^x+a^{-x}}$ 꼴의 식의 값 계산 : 분모와 분자에 a^x을 곱하여 간단히 나타낸 후 식의 값을 구한다.

유형 지수법칙을 이용한 식의 값

• 주어진 식을 대입하는 식에 맞도록 변형하여 식의 값을 구한다.

01 다음 수를 주어진 a, b를 이용하여 나타내어라.

(1) $a=\sqrt[4]{2}$, $b=\sqrt{3}$일 때, $\sqrt[8]{6}$의 값

(2) $a=\sqrt[4]{9}$, $b=\sqrt[3]{5}$일 때, $\sqrt[10]{45}$의 값

(3) $a=\sqrt[3]{3}$, $b=\sqrt[4]{4}$일 때, $\sqrt[6]{18}$의 값

02 다음을 간단히 하여라.

(1) $9^x=5$일 때, $\left(\frac{1}{27}\right)^{-2x}$의 값

(2) $8^{2x}=3$일 때, 16^{3x}의 값

(3) $\left(\frac{1}{27}\right)^x=2$일 때, $\left(\frac{1}{9}\right)^{3x}$의 값

유형 지수법칙과 곱셈공식을 이용한 식의 값

• 전개한 계산이 복잡해지는 경우에는 곱셈공식을 이용한다.

① $(a+b)(a-b)=a^2-b^2$(복호동순)

② $(a\pm b)^2=a^2\pm 2ab+b^2$(복호동순)

③ $(a\pm b)(a^2\mp ab+b^2)=a^3\pm b^3$(복호동순)

03 다음 식의 간단히 하여라.

(1) $(a^{\frac{1}{2}}-a^{\frac{1}{2}})(a^{\frac{1}{2}}+a^{-\frac{1}{2}})$

(2) $(a^{\frac{1}{2}}+a^{-\frac{1}{2}})^2+(a^{\frac{1}{2}}-a^{-\frac{1}{2}})^2$

(3) $(a^{\frac{1}{2}}+a^{-\frac{1}{2}})^2-(a^{\frac{1}{2}}-a^{-\frac{1}{2}})^2$

(4) $(a^{\frac{1}{3}}+b^{\frac{1}{3}})(a^{\frac{2}{3}}-a^{\frac{1}{3}}b^{\frac{1}{3}}+b^{\frac{2}{3}})$

(5) $(2^{\frac{1}{4}}-3^{-\frac{1}{4}})(2^{\frac{1}{4}}+3^{-\frac{1}{4}})(2^{\frac{1}{2}}+3^{-\frac{1}{2}})$

유형 a^x+a^{-x}꼴의 식의 값

• 곱셈공식의 변형을 이용하여 a^x+a^{-x}의 식의 값을 구한다.

① $a^2+b^2=(a+b)^2-2ab=(a-b)^2+2ab$

② $(a\pm b)^2=(a\mp b)^2\pm 4ab$

③ $a^3\pm b^3=(a\pm b)^3\mp 3ab(a\pm b)$

04 $a^{\frac{1}{2}}-a^{-\frac{1}{2}}=3$일 때, 다음 식의 값을 구하여라. (단, $a>1$)

(1) (1) $a+a^{-1}$

(2) $a-a^{-1}$

(3) $(a^{\frac{1}{2}}+a^{-\frac{1}{2}})^2$

(4) $a^{\frac{3}{2}}+a^{-\frac{3}{2}}$

(5) $a^{\frac{3}{2}}-a^{-\frac{3}{2}}$

05 다음을 구하여라.

(1) $x^{\frac{1}{2}}-x^{-\frac{1}{2}}=5$일 때, $\frac{1}{3}(x+x^{-1})$의 값을 구하여라. (단, $x>0$)

(2) $x^2+x^{-2}=18$일 때, $x-x^{-1}$의 값을 구하여라. (단, $x>0$)

(3) $a=2$일 때
$(a^{\frac{1}{4}}-a^{-\frac{1}{4}})(a^{\frac{1}{4}}+a^{-\frac{1}{4}})(a^{\frac{1}{2}}+a^{-\frac{1}{2}})(a+a^{-1})$
의 값을 구하여라.

(4) $a^{\frac{1}{2}}+a^{-\frac{1}{2}}=4$일 때, $a^{\frac{3}{2}}+a^{-\frac{3}{2}}$의 값을 구하여라. (단, $a>1$)

유형 분수꼴의 식의 값

- 분모와 분자에 a^{kx}을 곱하여 식의 값을 구한다.
- $a^{2x}=4$일 때, $\frac{a^x+a^{-x}}{a^x-a^{-x}}$의 값을 구하려면,
  $\frac{a^x(a^x+a^{-x})}{a^x(a^x-a^{-x})}=\frac{a^{2x}+1}{a^{2x}-1}=\frac{4+1}{4-1}=\frac{5}{3}$

06 $a^{2x}=3$일 때, 다음 식의 값을 구하여라. (단, $a>0$)

(1) $\frac{a^x-a^{-x}}{a^x+a^{-x}}$

(2) $\frac{a^{3x}-a^{-x}}{a^{3x}+a^{-x}}$

(3) $\frac{a^{2x}+a^{-2x}}{a^{4x}-a^{-4x}}$

(4) $\frac{a^x-a^{-5x}}{a^x+a^{-3x}}$

07 다음을 구하여라.

(1) $\dfrac{2^x+2^{-x}}{2^x-2^{-x}}=-2$일 때, 4^{-x}의 값

(2) $\dfrac{3^x-3^{-x}}{3^x+3^{-x}}=\dfrac{1}{3}$일 때, 9^{2x} 의 값

(3) $\dfrac{5^x-5^{-x}}{5^x+5^{-x}}=\dfrac{3}{4}$일 때, 25^x-25^{-x}의 값

(4) $\dfrac{6^x+6^{-x}}{6^x-6^{-x}}=-\dfrac{5}{3}$일 때, 36^x+36^{-x}의 값

유형 관계식이 주어질 때의 식의 값

• $2^x=3^y=6$일 때, $\dfrac{1}{x}+\dfrac{1}{y}$의 값을 구하면,

$2^x=3^y=6$에서 $2=6^{\frac{1}{x}}$, $3=6^{\frac{1}{y}}$이므로

$6^{\frac{1}{x}}\times 6^{\frac{1}{y}}=6^{\frac{1}{x}+\frac{1}{y}}=2\times 3=6$ $\quad\therefore\ \dfrac{1}{x}+\dfrac{1}{y}=1$

08 다음을 구하여라.

(1) $3^x=12$, $4^y=12$일 때, $\dfrac{1}{x}+\dfrac{1}{y}$의 값

(2) $4^x=25^y=10$일 때, $\dfrac{1}{x}+\dfrac{1}{y}$의 값

(3) $2^x=6$, $6^y=32$일 때, xy의 값

도전! 1등급

09 $3^x=25^y=15$일 때, $\dfrac{4}{x}+\dfrac{2}{y}$의 값을 a,
$5^x=12$, $12^y=\sqrt{125}$일 때, xy의 값을 b라 할 때,
a, b의 곱 ab의 값은?

① 12 ② 8 ③ 6
④ 4 ⑤ 1

로그의 뜻

(1) 로그

$a>0$, $a\neq1$, $b>0$일 때, $a^x=b$를 만족하는 실수 x는 오직 하나 존재한다. 이 수 x를 $\log_a b$로 나타내고 a를 밑으로 하는 b의 로그라고 한다.

$a^x=b \Longleftrightarrow x=\log_a b$

이때 b를 $\log_a b$의 진수라고 한다.

예 $2^3=8 \Longleftrightarrow 3=$ ☐, $3^2=9 \Longleftrightarrow 2=$ ☐

(2) 밑과 진수의 조건

$\log_a b$가 정의되려면 밑 a는 $a>0$, $a\neq1$이고, 진수 b는 $b>0$이어야 한다.

예 $\log_x 2$가 정의되려면 밑의 범위는 ☐, $\log_2(x-2)$가 정의되려면 진수의 범위는 ☐이다.

$\log_a b$ → 진수, a → 밑

유형 로그의 밑과 진수

• $\log_a b$ → 진수, a → 밑

01 다음 로그의 밑과 진수를 구하여라

(1) $\log_3 5$ ➡ 밑 (　　), 진수 (　　)

(2) $\log_{10} 46$ ➡ 밑 (　　), 진수 (　　)

(3) $\log_{25} 4$ ➡ 밑 (　　), 진수 (　　)

(4) $\log_a(a+2)$ ➡ 밑 (　　), 진수 (　　)

(5) $\log_{(x-3)}(5-x)$ ➡ 밑 (　　), 진수 (　　)

유형 로그로 나타내기

• $a^x=b \Longleftrightarrow x=\log_a b$

02 다음 등식을 $x=\log_a b$ 꼴로 나타내어라.

(1) $2^4=16$

(2) $3^3=27$

(3) $4^5=1024$

(4) $2^{-5}=\frac{1}{32}$

(5) $5^0=1$

(6) $10^0=1$

(7) $3^{\frac{1}{2}}=\sqrt{3}$

(8) $5^{\frac{1}{3}}=\sqrt[3]{5}$

(9) $7^{\frac{2}{3}}=\sqrt[3]{49}$

(10) $\left(\frac{1}{5}\right)^{-2}=25$

(11) $\left(\frac{1}{4}\right)^{-3}=64$

(12) $\left(\frac{1}{2}\right)^{-6}=64$

유형 지수로 나타내기

- $\log_a b=x \iff a^x=b$

03 다음 등식을 $a^x=b$ 꼴로 나타내어라

(1) $\log_2 64=6$

(2) $\log_3 81=4$

(3) $\log_5 \frac{1}{25}=-2$

(4) $\log_{10} 10\sqrt{10}=\frac{3}{2}$

(5) $\log_5 \sqrt{5}=\frac{1}{2}$

(6) $\log_{\frac{1}{2}} 16=-4$

(7) $\log_3 \sqrt[3]{3}=\frac{1}{3}$

04 다음 값을 구하여라.

(1) $\log_3 9$

(2) $\log_2 16$

(3) $\log_2 \frac{1}{8}$

(4) $\log_{10} 0.01$

(5) $\log_{0.5} 32$

(6) $\log_{\sqrt{0.25}} 16$

(7) $\log_9 \sqrt[3]{729}$

05 다음 등식을 만족시키는 실수 x의 값을 구하여라.

(1) $\log_2 x=5$

(2) $\log_5 x=\frac{1}{3}$

(3) $\log_{\frac{1}{4}} x=1$

(4) $\log_{\sqrt{5}} x=4$

(5) $\log_5 x=0$

(6) $\log_x 49=2$

(7) $\log_x \frac{1}{8}=3$

유형 로그가 정의되기 위한 조건

• $\log_a b$가 정의되려면

➡ 밑 : $a>0$, $a\neq1$ (1이 아닌 양수)　　진수 : $b>0$ (양수)

06 다음 로그가 정의되도록 하는 실수 x의 값의 범위를 구하여라.

(1) $\log_{(x-2)}6$

(2) $\log_{(2x+1)}10$

(3) $\log_{(3-x)}5$

(4) $\log_{(2x-3)}8$

(5) $\log_{(\frac{1}{3}x+4)}16$

(6) $\log_4(x-3)$

(7) $\log_5(5-x)$

(8) $\log_{10}(3x+1)$

(9) $\log_2(-x^2-3x-2)$

(10) $\log_{10}(-x^2-x+30)$

(11) $\log_{\sqrt{2}}(-2x^2+4x+6)$

도전! 1등급

07 $\log_{(x+3)}(8-2x)$가 정의되도록 하는 실수 x로 옳지 않은 것을 모두 고르면? (정답 2개)

① -3　② -2　③ -1
④ 0　⑤ 1

개념 08 로그의 성질 I

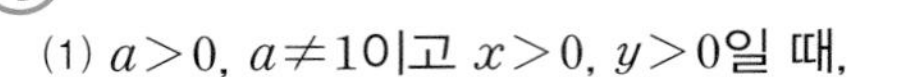
(1) $a>0$, $a\neq1$이고 $x>0$, $y>0$일 때,

① $\log_a 1=0$, $\log_a a=1$ 　　예 $\log_2 1=\square$, $\log_2 2=\square$

② $\log_a xy=\log_a x+\log_a y$ 　　예 $\log_2 6=\log_2 2+\square$

③ $\log_a \dfrac{x}{y}=\log_a x-\log_a y$ 　　예 $\log_2 \dfrac{2}{3}=\log_2 2-\square$

④ $\log_a x^k=k\log_a x$ (단, k는 실수) 　　예 $\log_2 3^4=\square\log_2 3$

(2) 로그의 성질에서 주의할 사항

① $\log_a(x+y)\neq\log_a x+\log_a y$ 　　② $\log_a(x-y)\neq\log_a x-\log_a y$

③ $\dfrac{\log_a x}{\log_a y}\neq\log_a x-\log_a y$ 　　④ $(\log_a x)^k\neq k\log_a x$

유형 $\log_a 1$

• $a>0$, $a\neq1$일 때, $\log_a 1=0$

01 다음 값을 구하여라

(1) $\log_3 1$

(2) $\log_{\sqrt{2}} 1$

(3) $\log_5 1$

(4) $\log_{\frac{1}{4}} 1$

(5) $\log_{10} 1$

유형 $\log_a a$

• $a>0$, $a\neq1$일 때, $\log_a a=1$

02 다음 값을 구하여라

(1) $\log_3 3$

(2) $\log_{\sqrt{2}} \sqrt{2}$

(3) $\log_5 5$

(4) $\log_{\frac{1}{4}} 0.25$

(5) $\log_{10} 10$

유형 $\log_a x^k$의 계산

• $\log_a x^k = k \log_a x$(단, k는 실수)

03 다음 값을 구하여라.

(1) $\log_2 8$

(2) $\log_3 81$

(3) $\log_5 \sqrt{5}$

(4) $\log_{10} \frac{1}{10}$

(5) $\log_{\sqrt{2}} 2\sqrt{2}$

(6) $\log_2 \frac{1}{\sqrt{8}}$

(7) $\frac{3}{2}\log_6 \sqrt[3]{6}$

유형 밑이 같은 로그의 덧셈

• $a>0$, $a\neq1$이고 $x>0$, $y>0$일 때,
➡ $\log_a x + \log_a y = \log_a xy$

04 다음을 간단히 하여라.

(1) $\log_6 2 + \log_6 3$

(2) $\log_9 3 + \log_9 27$

(3) $\log_2 64 + \log_2 \frac{1}{4}$

(4) $\log_3 \frac{3}{2} + \log_3 \frac{2}{27}$

(5) $\log_3 \frac{3}{4} + 2\log_3 \sqrt{12}$

(6) $\log_5 \frac{5}{9} + 4\log_5 \sqrt{15}$

(7) $\log_2 0.5 + \log_2 0.25$

유형 $\log_a xy$의 계산

• $a>0$, $a\neq1$이고 $x>0$, $y>0$일 때,
$\Rightarrow \log_a xy=\log_a x+\log_a y$

05 다음을 간단히 하여라.

(1) $\log_{10} 2=a$, $\log_{10} 3=b$일 때, 다음을 a, b에 관하여 나타내어라.

① $\log_{10} 6$

② $\log_{10} 30$

③ $\log_{10} 20$

④ $\log_{10} 90$

(2) $\log_3 2=a$, $\log_3 5=b$일 때, 다음을 a, b에 대한 식으로 나타내어라.

① $\log_3 12$

② $\log_3 30$

③ $\log_3 45$

④ $\log_3 50$

유형 밑이 같은 로그의 뺄셈

• $a>0$, $a\neq1$이고 $x>0$, $y>0$일 때,
$\Rightarrow \log_a x-\log_a y=\log_a \dfrac{x}{y}$

06 다음을 간단히 하여라.

(1) $\log_5 10-\log_5 2$

(2) $\log_2 3-\log_2 24$

(3) $\log_3 72-3\log_3 2$

(4) $\log_2 9-4\log_2 \sqrt{6}$

(5) $3\log_3 2-\log_3 \dfrac{8}{81}$

(6) $\log_3 \dfrac{1}{\sqrt{3}}-\log_3 \sqrt{27}$

유형 $\log_a \frac{x}{y}$의 계산

- $a>0$, $a\neq1$이고 $x>0$, $y>0$일 때,
  $\log_a \frac{x}{y}=\log_a x-\log_a y$

07 a, b가 아래의 조건일 때, 다음 식을 a, b에 관하여 나타내어라.

(1) $\log_{10} 2=a$, $\log_{10} 3=b$일 때,

① $\log_{10} \frac{2}{3}$

② $\log_{10} 5$

③ $\log_{10} \frac{3}{10}$

④ $\log_{10} \frac{2}{25}$

(2) $\log_2 3=a$, $\log_2 5=b$일 때,

① $\log_2 \frac{5}{8}$

② $\log_2 \frac{4}{9}$

③ $\log_2 0.3$

④ $\log_2 1.2$

08 다음을 간단히 하여라.

(1) $4^{\frac{3}{2}}+\log_3 27$

(2) $\frac{1}{2}\log_2 \frac{4}{5}+\log_2 \sqrt{5}$

(3) $\log_3 12-\log_3 8+2\log_3 \sqrt{6}$

(4) $4\log_2 \sqrt{2}+\frac{1}{2}\log_2 3-\log_2 \sqrt{6}$

(5) $\log_5 \sqrt{3}-\log_5 \frac{1}{5}-\log_5 \sqrt{15}$

도전! 1등급

09 $\log_2 3=a$, $\log_2 5=b$일 때, $\log_2 240$을 a, b에 대한 식으로 나타낸 것은?

① $a+3b$　② $3a+b+1$　③ $a+b+2$
④ $a+b+4$　⑤ $2a+b+2$

로그의 성질 II

$a>0,\ a\neq1,\ b>0,\ c>0,\ c\neq1$일 때,

(1) $\log_a b=\dfrac{\log_c b}{\log_c a}$ 　　 예 $\log_2 3=\dfrac{\square}{\log_5 2}$, $\log_3 5=\dfrac{\log_2 5}{\square}$

(2) $\log_a b=\dfrac{1}{\log_b a}$ (단, $b\neq1$) 　　 예 $\log_2 5=\dfrac{\square}{\log_5 2}$, $\log_4 3=\dfrac{1}{\square}$

(3) $\log_{a^m} b^n=\dfrac{n}{m}\log_a b$ (단, $m\neq0$) 　　 예 $\log_{2^3} 3^2=\square\log_2 3$

(4) $a^{\log_c b}=b^{\log_c a}$, $a^{\log_a b}=b$ (단, $c\neq1$) 　　 예 $2^{\log_3 4}=4^{\square}$, $2^{\log_2 5}=5^{\log_2 2}=\square$

(5) $\log_a b\times\log_b a=1$ (단, $b\neq1$) 　　 예 $\log_2 3\times\log_3 2=\log_2 3\times\dfrac{1}{\square}=1$

유형 $\log_a b$의 밑변환 공식

• $\log_a b=\dfrac{\log_c b}{\log_c a}$ ⟵ 밑을 c로 변환

01 다음 □ 안에 알맞은 것을 써넣어라.

$\log_a b=x$, $\log_c a=y$라 놓으면,

$b=a^{\square}$, $a=c^{\square}$이므로

$$b=a^{\square}=(c^y)^x=c^{xy}$$

이다.

따라서 로그의 정의에 의하여

$$\square=\log_c b$$

이므로

$$\log_a b\times\log_c a=\log_c b\cdots\cdots㉠$$

이 때 $a\neq1$에서 $\log_c a\neq1$이므로

㉠의 양변을 $\log_c a$로 나누면

$$\log_a b=\frac{\log_c b}{\log_c a}$$

02 다음 로그를 c를 밑으로 하는 로그로 나타내어라.

(1) $\log_3 5$ 　 $c=2$

(2) $\log_5 8$ 　 $c=3$

(3) $\log_4 3$ 　 $c=5$

(4) $\log_5 27$ 　 $c=2$

(5) $\log_{25} 75$ 　 $c=3$

03 $\log_5 2=a$, $\log_5 3=b$일 때, 다음을 a, b에 관하여 나타내어라.

(1) $\log_2 3$

(2) $\log_3 4$

(3) $\log_6 8$

(4) $\log_{10} 12$

(5) $\log_2 \sqrt{6}$

(6) $\log_{\sqrt{15}} 10$

유형 $\log_a b$의 역수 공식

- $\log_a b=\dfrac{1}{\log_b a}$ ⟵ 밑과 진수를 바꾸면 역수

⟶ $\log_a b\cdot\log_b a=1$ ⟵ $\log_a b$와 $\log_b a$는 역수

- $\log_a b\cdot\log_b c\cdot\log_c a=1$ ⟵ 밑과 진수가 $a\to b\to c\to a$로 바뀌면

04 다음 □ 안에 알맞은 것을 써넣어라.

$\log_a b=x$라 하면, $a^{\square}=b$ 이다.

이 때 양변에 밑이 b인 로그를 취하면,

$\log_b \square=\log_b b$이고,

로그의 성질에 의하여

$\square\log_b a=\square$

이므로

$\log_a b=x=\dfrac{1}{\square}$

05 다음 식의 값을 구하여라.

(1) $\log_2 3\cdot\log_3 2$

(2) $\log_{10} 5\cdot\log_5 10$

(3) $\log_2 3\cdot\log_3 8$

(4) $\log_3 5\cdot\log_5 6\cdot\log_6 3$

(5) $\log_5 9\cdot\log_3 49\cdot\log_7 25$

유형 $\log_{a^m} b^n$

• $\log_{a^m} b^n = \frac{n}{m}\log_a b$ (단, $m\neq0$)

← 밑의 지수는 분모로, 진수의 지수는 분자로

06 다음 □ 안에 알맞은 것을 써넣으시오.

> $a>0$, $b>0$, $a\neq1$, $b\neq1$일 때,
>
> $\log_{a^m} b^n$을 밑이 a인 로그로 변환하면,
>
> $\log_{a^m} b^n = \dfrac{\log_a b^n}{\log_a \square}$
>
> $= \dfrac{\square \log_a b}{\square \log_a a}$
>
> $= \square \log_a b$이므로
>
> $\therefore \log_{a^m} b^n = \dfrac{n}{m}\log_a b$

07 다음 값을 구하여라.

(1) $\log_8 32$

(2) $\log_{100} 1000$

(3) $\log_{\frac{1}{3}} 9$

(4) $\log_{\frac{1}{9}} 27$

(5) $\log_{\sqrt{5}} 25$

(6) $\log_{49} \sqrt{7}$

(7) $\log_{0.25} \sqrt{2}$

(8) $\log_{0.1} \sqrt[3]{10}$

(9) $\log_{\sqrt{8}} \frac{1}{2}$

(10) $\log_{\sqrt{5}} \frac{1}{125}$

유형 $a^{\log_c b}=b^{\log_c a}$

• $a^{\log_c b}=b^{\log_c a}$ ⬅ c를 기준으로 $a \leftrightarrow b$ 교환

08 1이 아닌 양수 a, b, c에 대하여 $a^{\log_c b}=b^{\log_c a}$임을 증명하려고 한다. 다음 □ 안에 알맞은 것을 써넣으시오.

> $a^{\log_c b}=t$로 놓고 양변에 c를 밑으로 하는 로그를 취하면,
> $\log_c a^{\log_c b}=\log_c t$이고,
> 로그의 성질에 의해서
> $\log_c b \cdot \log_c a=\log_c t$
> $\log_c a \cdot \square=\log_c t$
> 이 때, 좌변에서 $\log_c a \cdot \log_c b=\log_c b^{\log_c a}$이므로
> $\log_c \square=\log_c t$
> 따라서 $b^{\log_c a}=t$이므로 $a^{\log_c b}=b^{\log_c a}$

09 다음값을 구하여라.

(1) $9^{\log_3 4}$

(2) $8^{\log_2 5}$

(3) $100^{\log_{10} \sqrt{5}}$

(4) $4^{\log_2 10}$

(5) $27^{\log_3 5}$

유형 $a^{\log_a b}$의 계산

• $a^{\log_a b}=b$ ⬅ 밑과 지수인 로그의 밑이 같을 때

10 다음값을 구하여라.

(1) $3^{\log_3 10}$

(2) $5^{\log_5 8}$

(3) $10^{\log_{10} \sqrt{3}}$

(4) $\left(\frac{1}{5}\right)^{\log_{\frac{1}{5}} 4}$

(5) $(\sqrt{2})^{\log_{\sqrt{2}} \frac{1}{5}}$

(6) $2^{\log_2 10}-3^{\log_3 5}$

도전! 1등급

11 $8^x=25$, $5^y=4$일 때, xy의 값은?

① 1　② $\frac{1}{2}$　③ $\frac{2}{3}$

④ $\frac{4}{3}$　⑤ 2

개념 10

로그의 성질을 이용한 식의계산

(1) 주어진 조건이 지수 또는 로그일 때는 로그의 정의와 로그의 성질을 이용하여 주어진 조건을 변형한다.

① 조건이 지수일 때 : 지수를 로그로 변경한다. $a^x=N \Longleftrightarrow x=\log_a N$

② 조건이 로그일 때 : 로그의 성질을 이용하여 밑을 같게 만든다.

(2) 두 수 이상의 로그의 대소비교는 로그의 성질을 이용하여 밑 또는 진수를 같게 하여 비교한다.

예 $\log_{16} 9$, $\log_8 81$의 대소비교

$\log_{16} 9=\log_{2^4}3^2=\frac{2}{4}\log_2 3=\frac{1}{2}\log_2 3$, $\log_8 81=\log_{2^3}3^4=$ □ $\log_2 3$

$\frac{1}{2}\log_2 3<\frac{4}{3}\log_2 3$이므로 $\therefore \log_{16} 9<\log_8 81$

(3) 이차방정식의 근과 계수의 관계

x에 대한 이차방정식 $ax^2+bx+c=0$의 두 근이 α, β일 때

근과 계수와의 관계에 의하여, $\alpha+\beta=-\frac{b}{a}$, $\alpha\beta=\frac{c}{a}$ 이고, 로그의 성질을 이용하여 문제를 푼다.

예 $x^2+ax+b=0$의 두 근이 $\log_3 2$, 1일 때, 상수 a, b의 값 구하기

근과 계수와의 관계를 이용하여,

(두 근의 합)$=-a=1+\log_2 3=\log_2$ □ $+\log_2 3=\log_2$ □ $\quad \therefore a=$ □

(두 근의 곱)$=b=1\cdot\log_3 2=\log_3 2 \quad \therefore b=\log_3 2$

유형 로그의 정의와 로그의 성질이용

• $a^x=N \Leftrightarrow x=\log_a N$, $\log_a b=\frac{1}{\log_b a}=\frac{\log_c b}{\log_c a}$

01 다음을 구하여라.

(1) $16^x=25^y=20$일 때, $\frac{1}{x}+\frac{1}{y}$의 값

(2) 1이 아닌 서로 다른 양수 a, b, x에 대하여 $\log_a x=3$, $\log_b x=6$일 때, $\log_{ab} x$의 값

(3) $\log_x 27=3$, $\log_{\frac{1}{4}} y=2$일 때, $x+\frac{1}{y}$의 값

(4) 두 수 $A=\log_3 4$, $B=\log_4 8$의 대소관계를 부등호를 사용하여 나타내어라.

(5) 세 수 $A=\log_{\sqrt{2}} 3$, $B=\log_2 5$, $C=\log_4 10$의 대소관계를 부등호를 사용하여 나타내어라.

유형 이차방정식의 근과 계수의 관계 이용

• 이차방정식 $ax^2+bx+c=0$의 두 근이 일 때
근과 계수와의 관계에 의하여, $\alpha+\beta=-\frac{b}{a}$, $\alpha\beta=\frac{c}{a}$

02 다음을 구하여라.

(1) $x^2-4x+2=0$의 두 근이 α, β일 때

① $\log_2\frac{\alpha\beta}{\alpha+\beta}$

② $\log_2(\alpha^{-1}+\beta^{-1})$

③ $\log_2\left(\frac{\alpha^2+\beta^2}{3}\right)$

(2) 다음 이차방정식의 두 근이 $\log_2 a$, $\log_2 b$일 때, $\log_a b+\log_b a$의 값을 구하여라.

① $x^2+8x+2=0$

② $x^2-6x+3=0$

③ $x^2-3x+1=0$

(3) 이차방정식의 두 근이 $x^2+ax+b=0$일 때, $\log_3\sqrt{3}$, $\log_3 3\sqrt{3}$일 때, 상수 a, b의 값을 각각 구하여라.

도전! 1등급

03 삼각형 ABC의 세변의 길이 a, b, c사이의 관계가 다음과 같을 때, 삼각형 ABC는 어떤 삼각형인지 구하여라.
$\log_b(a+c)+\log_b(a-c)=2$ (단, $a>c$, $b\neq1$)

① $\angle A=90°$인 직각삼각형　② 예각삼각형
③ $\angle C=90°$인 직각삼각형　④ 둔각삼각형
⑤ 정삼각형

04 $x=4^{\frac{1}{3}}-4^{-\frac{1}{3}}$일 때, $4x^3+12x$의 값을 구한 것은?

① 3　② 6　③ 9
④ 12　⑤ 15

개념 11

상용로그

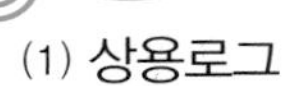

(1) 상용로그

양수 N에 대하여 $\log_{10} N$과 같이 10을 밑으로 하는 로그를 상용로그라 하고, 보통 10을 생략하여 $\log N$과 같이 나타낸다.

예 $\log_{10} 5=$ ☐, $\log_{10} 1000=$ ☐ $=$ ☐

(2) 상용로그표

상용로그표는 0.01의 간격으로 1.00에서 9.99까지의 수에 대한 상용로그의 값을 소수 다섯째 자리에서 반올림하여 소수 넷째 자리까지 나타낸 표이다

(3) 상용로그표를 보는 법

상용로그표에서 log 2.53의 값을 찾으려면 2.5의 행과 표의 맨 윗줄의 3의 열이 만나는 수 .4031을 찾으면된다. 즉, $\log 2.53=0.4031$이다.

수	0	1	2	3	4	5	6	7	8	9
1.0	.0000	.0043	.0086	.0128	.0170	.0212	.0253	.0294	.0334	.0374
⋮	⋮	⋮	⋮	⋮	⋮	⋮	⋮	⋮	⋮	⋮
2.5	.3979	.3997	.4014	.4031	.4048	.4065	.4082	.4099	.4116	.4133
⋮	⋮	⋮	⋮	⋮	⋮	⋮	⋮	⋮	⋮	⋮
9.9	.9956	.9961	.9965	.9969	.9974	.9978	.9983	.9987	.9991	.9996

예 $\log 1.01=$ ☐, $\log 2.57=$ ☐, $\log 9.95=$ ☐

유형 상용로그의계산

• $\log_{10} N=\log N$ ← 10을 밑으로 하는 로그

01 다음 값을 구하여라.

(1) $\log 10000$

(2) $\log \frac{1}{100}$

(3) $\log \sqrt{1000}$

(4) $\log \frac{1}{\sqrt[3]{100}}$

유형 상용로그표

• log 1.56 ← 1.00에서 9.99까지의 수의 상용로그의 값
(1.5: 행, 6: 열)

02 상용로그표를 이용하여 다음 값을 구하여라.

(1) $\log 4.21$

(2) $\log 1.98$

(3) $\log 5.35$

(4) $\log 8.20$

유형 $\log N_{10} \times 10^n$의 계산

• $\log_{10}(N \times 10^n) = \log N + \log\ 10^n = \log N + n$ ⟵ 정수

03 log 3.67=0.5647임을 이용하여 다음 값을 구하여라.

(1) log 36.7

(2) log 367

(3) log 3670

유형 $\log\left(N \times \frac{1}{10^n}\right)$의 계산

• $\log\left(N \times \frac{1}{10^n}\right) = \log N + \log 10^{-n} = \log N - n$ ⟵ 정수

04 log 7.19=0.8567임을 이용하여 다음 값을 구하여라.

(1) log 0.719

(2) log 0.0719

(3) log 0.00719

05 다음 □ 안에 알맞은 것을 써넣어라.

(1) $\log N = 0.0607$

(2) $\log N = 0.4487$

(3) $\log N = 0.6263$

(4) $\log N = 0.7528$

(5) $\log N = 0.9201$

(6) $\log N = 0.9854$

도전! 1등급

06 log 6.19=0.7917일 때, log 6190=x, log y=−1.2083이다. 이때, $x+y$의 값은?

① 3.7917 ② 3.8536 ③ 4.5536
④ 4.8536 ⑤ 4.7917

개념 12 상용로그의 정수 부분과 소수 부분

양수 N에 대하여 $\log N=n+\alpha$ (n은 정수, $0\leq\alpha<1$)로 나타낼 수 있으므로 이때 n의 값을 $\log N$의 정수 부분, α의 값을 $\log N$의 소수 부분이라고 한다.

(1) 숫자의 배열이 같고 소수점의 위치만 다른 양수의 상용로그는 α의 값, 즉 소수 부분이 모두 같다.

예 0.123, 1.23, 12.3은 숫자의 [ ]이 같고 소수점의 [ ]만 다르므로
$\log 0.123$, $\log 1.23$, $\log 12.3$의 소수 부분은 [ ]로 모두 같다.

(2) ① n의 값, 즉 정수 부분이 0 또는 양수이면 N은 정수 부분이 $n+1$자리인 수이다.

예 $\log N$의 정수 부분이 1이면 N은 정수 부분이 [ ]자리인 수이다.

② 정수 부분 n이 음수이면 $0<N<1$이고 N은 소수점 아래 n째 자리에서 처음으로 0이 아닌 숫자가 나타나는 수이다.

예 $\log N$의 정수 부분이 -3이면 N은 소수점 아래 [ ]째 자리에서 처음으로 0이 아닌 숫자가 나타나는 수이다.

유형 1 이상의 수에 대한 상용로그의 정수 부분과 소수 부분

• $N\geq1$일 때,
$\log N=n+\alpha=$(정수 부분)$+$(소수 부분)
→ 정수 부분은 n, 소수 부분은 α
→ $0\leq\alpha<1$ α는 양수이고 1 미만의 소수

01 $\log N$의 값이 다음과 같을 때, 다음 값의 정수 부분과 소수 부분을 각각 구하여라.

(1) 0.5490 → 정수 부분 (　　　)
소수 부분 (　　　)

(2) 1.7551 → 정수 부분 (　　　)
소수 부분 (　　　)

(3) 2.8993 → 정수 부분 (　　　)
소수 부분 (　　　)

(4) 3.9112 → 정수 부분 (　　　)
소수 부분 (　　　)

유형 1 미만의 양수에 대한 상용로그의 정수 부분과 소수 부분

• $0<N<1$일 때,
$\log N=-n-\alpha=-n-1+1-\alpha=(-n-1)+(1-\alpha)$
$=$(정수 부분)$+$(소수 부분)
→ 정수 부분은 $-n-1$, 소수 부분은 $1-\alpha$

02 $\log N$의 값이 다음과 같을 때, 다음 정수 부분과 소수 부분을 각각 구하여라.

(1) -0.8508 → 정수 부분 (　　　)
소수 부분 (　　　)

(2) -1.5638 → 정수 부분 (　　　)
소수 부분 (　　　)

(3) -3.1203 → 정수 부분 (　　　)
소수 부분 (　　　)

(4) -6.3054 → 정수 부분 (　　　)
소수 부분 (　　　)

유형 상용로그의 정수 부분과 자릿수

$N>0$이고 $\log N = n + \alpha$ (n은 정수, $0<\alpha<1$)일 때

정수 부분 ← n, α → 소수 부분

- $n=0$ ⟶ N의 정수 부분은 1자리
- $n>0$ ⟶ N의 정수 부분은 $n+1$자리
- $n<0$ ⟶ N의 소수점 아래 n째 자리에서 처음으로 0이 아닌 숫자가 나타남

03 다음에서 양수 A는 정수 부분이 몇 자리인 수인지 구하여라.

(1) $\log A = 3.7404$

(2) $\log A = 0.4683$

(3) $\log A = 6.9004$

(4) $\log A = 10.0607$

04 다음에서 양수 A는 소수점 아래 몇 째 자리에서 처음으로 0이 아닌 수가 나타나는지 구하여라.

(1) $\log A = -2.0798$

(2) $\log A = -0.8962$

(3) $\log A = -7.3893$

(4) $\log A = -12.1051$

유형 상용로그의 소수 부분이 같은 수

- $\log A$와 $\log B$의 소수 부분이 같으면
  ⟶ A와 B의 숫자의 배열이 같다.
  ⟶ 소수점의 위치가 다르다.
  ⟶ $\log A - \log B =$ (정수)

05 |보기|에서 $\log 0.567$과 소수 부분이 같은 수의 기호를 모두 써라.

보기	
ㄱ. $\log 5.67$	ㄴ. $\log 0.675$
ㄷ. $\log 567$	ㄹ. $\log 7650$
ㅁ. $\log 0.000567$	ㅂ. $\log 0.50607$

( )

06 $\log A - \log B$의 값이 정수가 되는 두 수 A, B의 ( ) 안에 ○를 써넣어라.

(1) $A=3140$, $B=341$ ( )

(2) $A=0.00681$, $B=6.81$ ( )

(3) $A=0.203$, $B=3020$ ( )

(4) $A=0.015$, $B=15000$ ( )

도전! 1등급

07 $\log 2 = 0.3010$일 때, 5^{10}은 몇 자리의 정수인가?

① 5자리 ② 6자리 ③ 7자리
④ 8자리 ⑤ 9자리

개념 01

01 다음을 간단히 하여라. (단, $a\neq0$, $b\neq0$)

(1) $(ab^2)^5$

(2) $(3a^2b^5)^3$

(3) $(a^3b^2)^2\div a^3b$

(4) $(ab^4)^2\div(a^2b^3)^2$

개념 02

02 다음을 간단히 하여라. (단, $a\neq0$, $b\neq0$)

(1) -27

(2) 64

(3) 729

(4) -1000

개념 03

03 다음 실수의 세제곱근을 모두 구하여라.

(1) $\sqrt[3]{100}\sqrt[3]{10}$

(2) $\frac{\sqrt[4]{4}}{\sqrt[4]{1024}}$

(3) $(\sqrt[6]{125})^2$

(4) $\sqrt[4]{\sqrt[3]{\frac{1}{4^6}}}$

개념 03

04 다음을 간단히 하여라.

(1) $\sqrt[3]{27}$

(2) $\sqrt[3]{-27}$

(3) $\sqrt[3]{0.064}$

(4) $\sqrt[5]{-32}$

개념 04

05 다음을 간단히 하여라.

(1) $(-10)^{-5}$

(2) $2^6 \times 2^{-8}$

(3) $(2^{-2} \times 3)^2$

(4) $3^{-2} \div 3^2 \times 3^4$

(5) $3^{\frac{1}{2}} \times 3^{-\frac{3}{2}}$

(6) $5^{\frac{7}{4}} \div 5^{-\frac{1}{4}}$

(7) $(5^9)^{-\frac{1}{3}}$

(8) $(3^{-\frac{1}{2}} \times 2)^2$

(9) $3^{\sqrt{5}} \times 5^{\sqrt{5}}$

(10) $3^{\sqrt{2}+1} \div 3^{\sqrt{2}-1}$

개념 06

06 다음을 구하여라.

(1) $4^x=3$일 때, $\left(\frac{1}{64}\right)^{-x}$의 값

(2) $a^{\frac{1}{2}}-a^{-\frac{1}{2}}=2$일 때, $a^{\frac{3}{2}}-a^{-\frac{2}{3}}$의 값

(3) $\frac{3^x+3^{-x}}{3^x-3^{-x}}=\frac{5}{3}$일 때, 3^{3x}의 값

(4) $3^x=8$, $8^y=\sqrt{243}$일 때, xy의 값

개념 07

07 다음 로그가 정의되도록 하는 실수 x의 값의 범위를 구하여라.

(1) ① $\log_{(x-1)} 4$

② $\log_{(3x+6)} 10$

(2) ① $\log_2 (2x-1)$

② $\log_{10} (4-x)$

개념 08

08 $\log_3 5=a$, $\log_3 7=b$일 때, 다음을 a, b에 관하여 나타내어라.

(1) $\log_3 5\sqrt{7}$

(2) $\log_3 \sqrt{35}$

(3) $\log_3 \frac{21}{25}$

(4) $\frac{\log_3 49}{\log_3 15}$

개념 09

09 다음을 구하여라.

(1) $\log_{25} 125$

(2) $\log_{1000} 10$

(3) $\log_{\frac{1}{9}} 81$

(4) $\frac{1}{4}^{\log_{\frac{1}{4}} 10}$

(5) $(\sqrt{6})^{\log_{\sqrt{6}} 5}$

개념 10

10 다음 물음에 답하여라.

(1) $6^x=24^y=12$일 때, $\frac{1}{x}+\frac{1}{y}$의 값을 구하여라.

(2) 두 수 $A=\log_4 8$, $B=\log_5 9$의 대소관계를 부등호를 사용하여 나타내어라.

(3) $2x^2-3x+1=0$의 두 근을 α, β라 할 때, 다음 값을 구하여라.

① $\log_2 \alpha\beta$의 값

② $\log_3 \frac{\alpha+\beta}{\alpha\beta}$의 값

③ $\log_2 \left(\frac{\alpha^2+\beta^2}{5}\right)$의 값

(4) 이차 방정식 $x^2+4x-5=0$의 두 근이 $\log_2 a$, $\log_2 b$일 때, $\log_a b+\log_b a$의 값을 구하여라.

개념 11

11

다음 값을 구하여라.

(1) $\log(2^2\times5^2)$

(2) $\log\frac{1}{10000}$

(3) $\log\sqrt{10}-\log\frac{1}{10}$

(4) $\log\frac{1}{\sqrt{10}}+\log\sqrt{1000}$

개념 11

12

$\log 1.74=0.2405$임을 이용하여 다음 값을 구하여라.

(1) $\log 0.174$

(2) $\log 17400$

(3) $\log 0.00174$

(4) $\log 174$

개념 12

13

$\log 3=0.4771$임을 이용하여 $\left(\frac{1}{3}\right)^{20}$이 소수점 아래 몇째 자리에서 처음으로 0이 아닌 숫자가 나타나는지 구하는 과정이다. □ 안에 알맞은 수를 써넣어라.

> $\log\left(\frac{1}{3}\right)^{20}=\log 3^{-20}=-20\cdot\log 3$로 놓으면
>
> $=\square\times0.4771=\square$
>
> $=\square+0.458$
>
> 따라서 $\left(\frac{1}{3}\right)^{20}$은 소수점 아래 □째 자리에서 처음으로 0이 아닌 숫자가 나타난다.

지수함수의 뜻과 그래프

(1) 지수함수의 뜻

실수 전체의 집합을 정의역으로 하는 함수

$$y=a^x \ (a>0, \ a\neq 1)$$

을 a를 밑으로 하는 지수함수라고 한다.

예 $y=2^x$, $y=\left(\frac{1}{3}\right)^x$

참고 함수 $y=a^x$에서 $a=1$이면 모든 실수 x에 대하여 $y=1^x=1$로 상수함수가 된다.

(2) 지수함수 $y=a^x$의 그래프

지수함수 $y=a^x$의 그래프는 a값의 범위에 따라 다음과 같다.

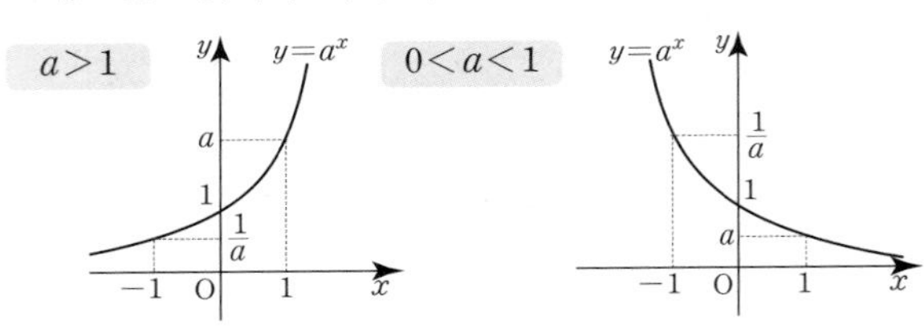

(3) 지수함수 $y=a^x(a>0, \ a\neq 1)$의 성질

① 정의역은 실수 전체의 집합이고, 치역은 양의 실수 전체의 집합이다.

② $a>1$일 때, x의 값이 증가하면 y의 값도 [   ]한다.

$0<a<1$일 때, x의 값이 증가하면 y의 값은 [   ]한다.

③ 함수의 그래프는 점(0, 1)을 지나고, x축 $(y=0)$을 점근선으로 한다.

참고 곡선이 어떤 직선과 만나지 않고 한없이 가까워질 때 이 직선을 그 곡선의 점근선이라 한다.

유형 지수함수의 뜻

• 실수 전체의 집합을 정의역으로 하는 함수

$$y=a^x \ (a>0, \ a\neq 1)$$

을 a를 밑으로 하는 **지수함수**라고 한다.

01 다음 중 지수함수인 것에는 ○표, 지수함수가 아닌 것에는 ×표를 하여라.

(1) $y=2^x$ (   )

(2) $y=4x^3$ (   )

(3) $y=\left(\frac{1}{10}\right)^x$ (   )

(4) $y=(-2)^x$ (   )

(5) $y=\left(\frac{2}{x}\right)^2$ (   )

02 지수함수 $f(x)=3^x$에 대하여 다음을 구하여라.

(1) $f(3)$

(2) $f(0)$

(3) $f(-1)$

(4) $f(1)f(2)$

(5) $\frac{f(5)}{f(3)}$

유형 지수함수 $y=a^x$ $(a>0,\ a\neq1)$의 성질

- 정의역은 실수 전체의 집합이고,
  치역은 양의 실수 전체의 집합이다.
- $a>1$일 때, x의 값이 증가하면 y의 값도 증가한다.
  $0<a<1$일 때, x의 값이 증가하면 y의 값은 감소한다.
- 함수의 그래프는 점$(0,\ 1)$을 지나고, x축$(y=0)$을 점근선으로 한다.

03 다음 지수함수의 그래프를 그려라.

(1) $y=2^x$

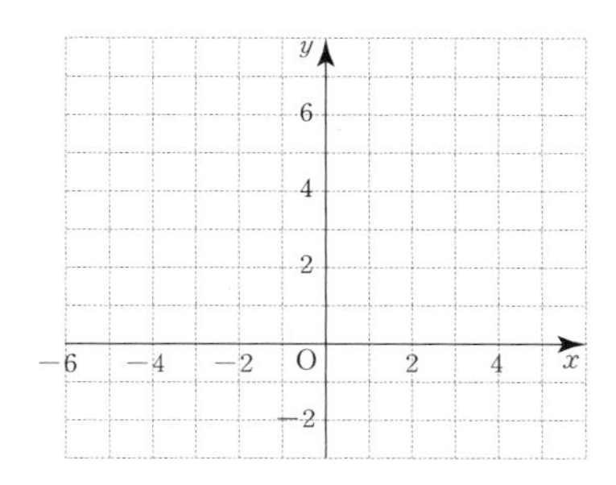

(2) $y=\left(\frac{1}{2}\right)^x$

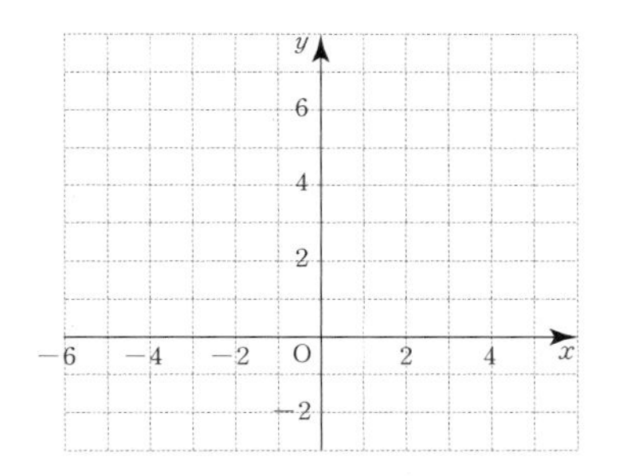

(3) $y=3^x$

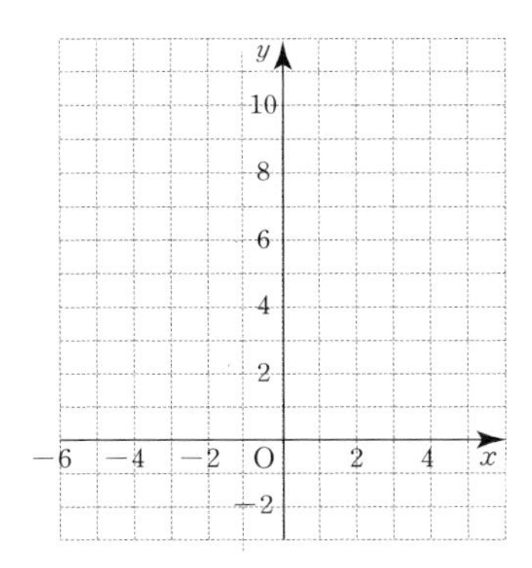

(4) $y=\left(\frac{1}{3}\right)^x$

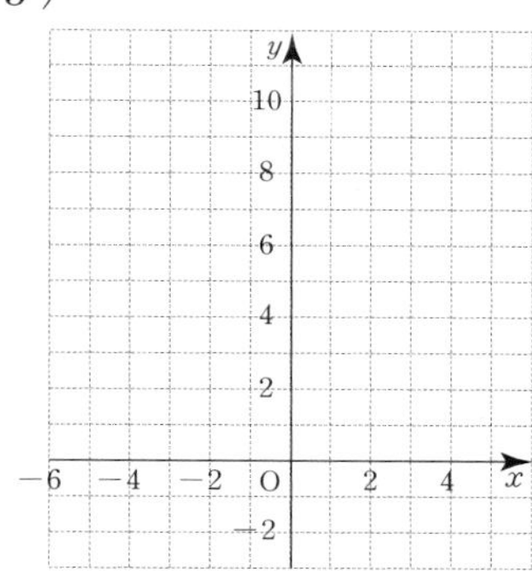

04 다음은 지수함수 $y=a^x$의 그래프에 대한 설명이다. 옳은 것은 ○표, 옳지 않은 것은 ×표하여라.

(1) 그래프는 항상 $(0,1)$을 지난다. (　　)

(2) 임의의 실수 x에 대하여 $f(x)\geq1$이다. (　　)

(3) $a>1$일 때, x의 값이 증가하면 y의 값은 감소한다. (　　)

(4) 임의의 실수 x_1, x_2에 대하여 $x_1\neq x_2$이면 $f(x_1)\neq f(x_2)$이다. (　　)

(5) 그래프의 점근선은 x축이다. (　　)

도전! 1등급

05 다음 그림은 함수 $f(x)=a^x(a>1)$의 그래프이다. $f(k)=\frac{f(4)}{f(1)}$을 만족하는 상수 k의 값을 구하여라.

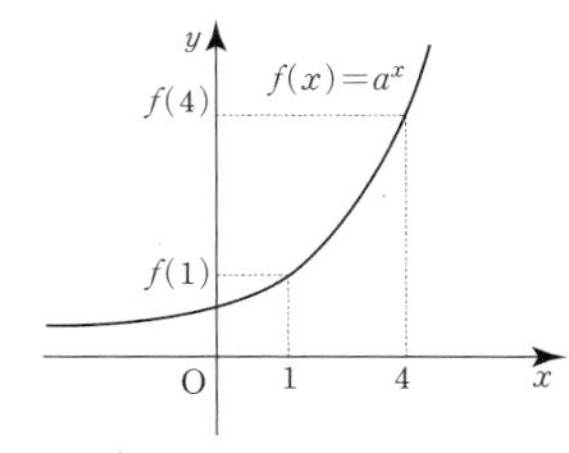

개념 14

지수함수 그래프의 평행이동과 대칭이동

지수함수 $y=a^x$의 그래프를 평행이동하거나 대칭이동한 그래프의 식은 다음과 같다.

(1) x축의 방향으로 m만큼, y축의 방향으로 n만큼 평행이동

→ x대신에 $x-m$, y 대신에 $y-n$을 대입 → $y=a^{x-m}+n$

(2) x축에 대하여 대칭이동 → y대신에 $-y$대입 → [ ]

(3) y축에 대하여 대칭이동 → x대신에 $-x$대입 → $y=a^{-x}$

(4) 원점에 대하여 대칭이동 → x대신에 $-x$, y대신에 $-y$을 대입 → $y=$[ ]

유형 지수함수 $y=a^x(a>0,\ a\neq1)$ 평행이동

- $y=2^x$그래프를 x축의 방향으로 3만큼, y축의 방향으로 -1만큼 평행이동한 그래프 식구하기

  → x대신에 $x-3$, y대신에 $y-(-1)$을 대입

  → $y=2^{x-3}-1$

01 다음 지수함수의 그래프를 x축의 방향으로 m만큼, y축의 방향으로 n만큼 평행이동한 그래프의 식을 구하고, 그래프를 그려라. 또, 평행이동한 그래프의 점근선의 방정식을 구하여라.

(1) $y=2^x$

① $m=1$, $n=2$일 때, 그래프의 식

② 그래프 그리기

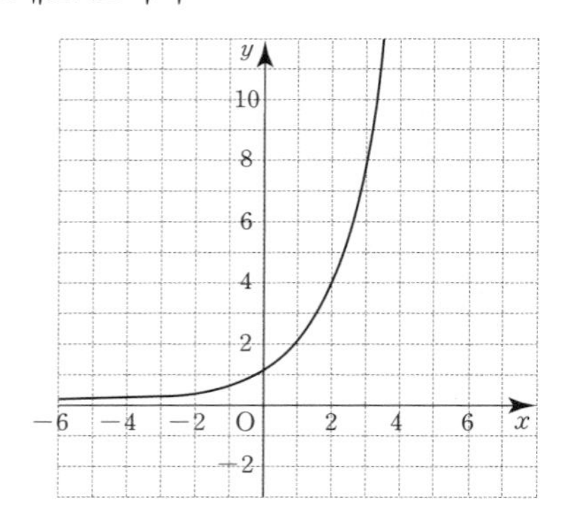

③ 점근선 방정식

(2) $y=\left(\frac{1}{2}\right)^x$

① $m=-1$, $n=-2$일 때, 그래프의 식

② 그래프 그리기

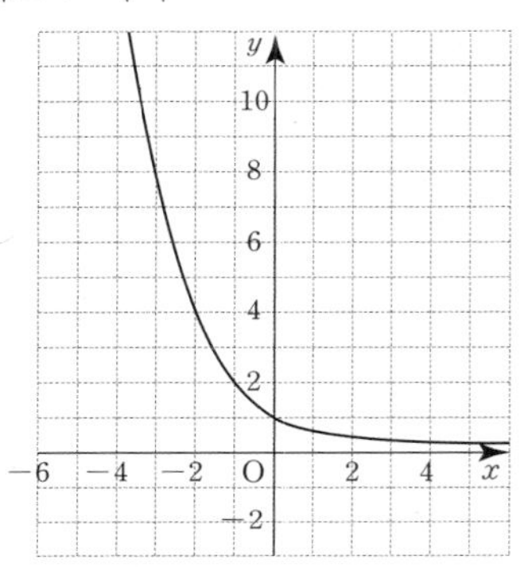

③ 점근선 방정식

(3) $y=3^x$

① $m=-1$, $n=3$일 때, 그래프의 식

② 그래프 그리기

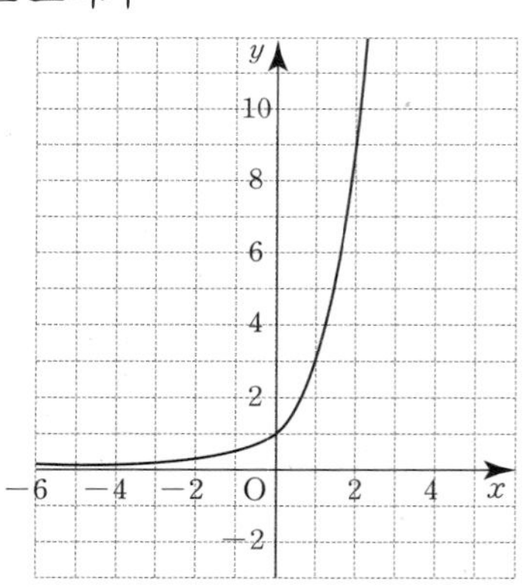

③ 점근선 방정식

유형 지수함수 $y=a^x(a>0,\ a\neq1)$ 대칭이동

- 지수함수 $y=5^x$그래프를
  x축에 대하여 대칭이동
  ➡ y 대신에 $-y$ 대입 ➡ $y=-5^x$
  y축에 대하여 대칭이동
  ➡ x 대신에 $-x$ 대입 ➡ $y=5^{-x}$
  원점에 대하여 대칭이동
  ➡ x 대신에 $-x$, y 대신 $-y$을 대입 ➡ $y=-5^{-x}$

02 지수함수 $y=2^x$의 그래프가 다음과 같을 때, 대칭이동한 그래프의 식을 구하고, 그 그래프의 치역을 구하여라.

(1) x축에 대하여 대칭이동한 그래프의 식

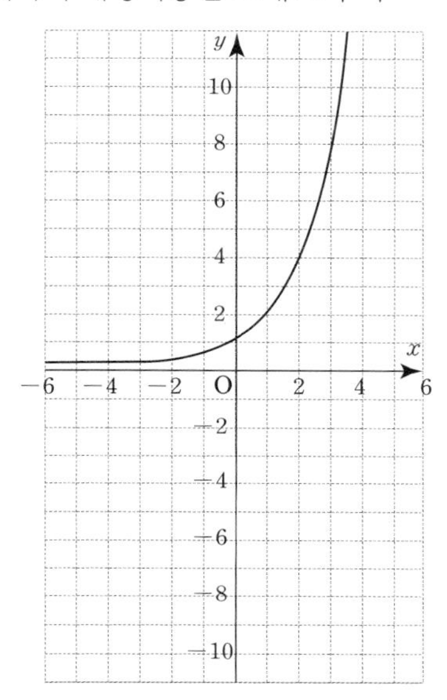

(2) y축에 대하여 대칭이동한 그래프의 식

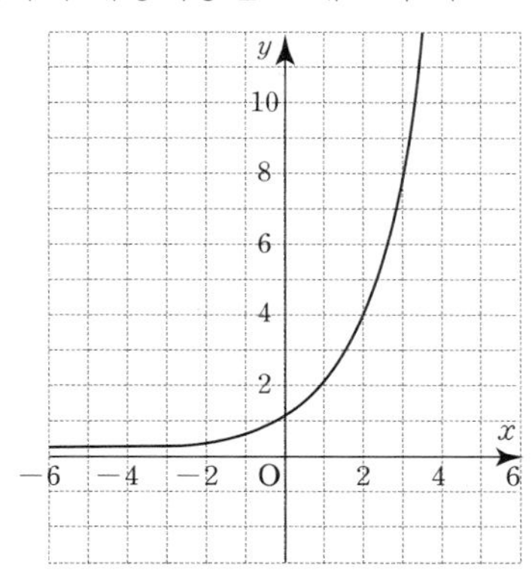

(3) 원점에 대하여 대칭이동한 그래프의 식

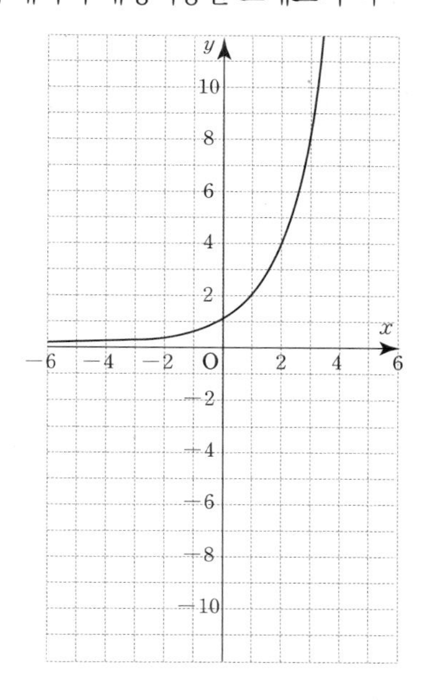

03 지수함수 $y=a^x$의 그래프를 x축의 방향으로 3만큼, y축의 방향으로 -1만큼 평행이동한 후 x축에 대하여 대칭이동한 그래프가 점 $(4,\ -2)$를 지날 때, 양수 a의 값을 구하여라.

도전! 1등급

04 $y=4^x$의 그래프를 x축의 방향으로 m만큼, y축의 방향으로 n만큼 평행이동하면 함수 $y=8(4^x-1)$의 그래프가 된다. 이 때 두 실수 m, n의 곱 $m\times n$은?

① 10　② 11　③ 12
④ 13　⑤ 14

지수함수의 최댓값과 최솟값

(1) 지수함수를 이용한 대소비교

지수함수 $y=a^x$에서

① 주어진 수의 밑을 같게 하여 거듭제곱의 꼴로 나타낸다.

② 주어진 수의 밑의 크기에 따라 대소를 비교한다.

(2) 지수함수의 최댓값과 최솟값

지수함수 $y=a^x$의 정의역이 $\{x|m\le x\le n\}$일 때,

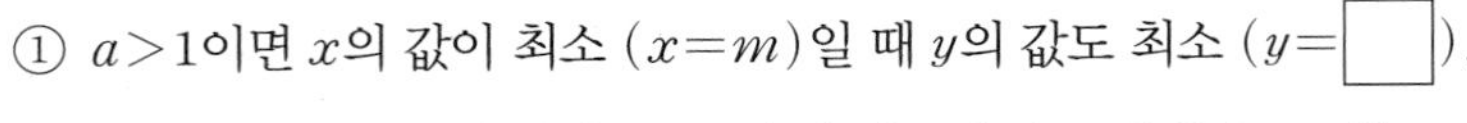

① $a>1$이면 x의 값이 최소 $(x=m)$일 때 y의 값도 최소 $(y=\square)$,

x의 값이 최대 $(x=n)$일 때 y의 값도 최대 $(y=a^n)$

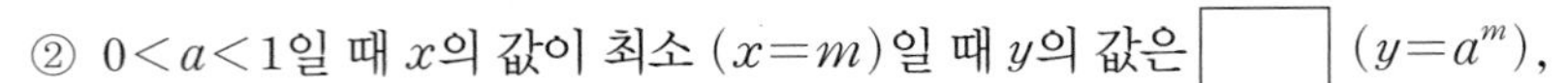

② $0<a<1$일 때 x의 값이 최소 $(x=m)$일 때 y의 값은 $\square$ $(y=a^m)$,

x의 값이 최대 $(x=n)$일 때 y의 값은 $\square$ $(y=a^n)$

(2) a^x꼴이 반복되는 함수의 최댓값과 최솟값

$a^x=t(t>0)$로 치환하여 t의 이차함수로 변형한 다음, t의 값 범위 내에서 최댓값과 최솟값을 구한다.

유형 지수함수를 이용한 대소비교

• 4^5, 8^2의 대소비교

$4^5=(2^2)^5=2^{10}$, $8^2=(2^3)^2=2^6$

함수 $y=2^x$는 x의 값이 증가하면 y의 값도 증가하는 증가함수

➡ $4^5>8^2$

01 다음 수의 대소를 비교하여라.

(1) $\sqrt{27}$, $\sqrt[3]{3^4}$

(2) $2^{0.3}$, $\sqrt[4]{8}$

(3) $\left(\frac{1}{9}\right)^{\frac{1}{4}}$, $\left(\sqrt{\frac{1}{3}}\right)^3$

유형 지수함수의 최댓값과 최솟값

• 정의역이 $\{x|1\le x\le 3\}$일 때,

$y=2^{x-1}+2$의 최댓값을 구하려면,

$y=2^{x-1}+2$은 x의 값이 증가할 때, y의 값이 증가하는 증가함수이므로

➡ $x=3$일 때 최댓값 $2^{3-1}+2=6$

02 정의역이 $\{x|-2\le x\le 2\}$일 때, 다음 함수의 최댓값 M과 최솟값 m을 각각 구하여라.

(1) $y=2^x$

(2) $y=3^{x+1}+1$

(3) $y=\left(\frac{1}{2}\right)^x+3$

03 주어진 범위에서 다음 함수의 최댓값을 M, 최솟값을 m이라 할 때, $M\times m$의 값을 구하여라.

(1) $y=2^{x^2-2x-1}$ $(-1\le x\le 4)$

(2) $y=3^{-x^2+4x-3}$ $(0\le x\le 3)$

(3) $y=\left(\frac{1}{5}\right)^{x^2-2x}$ $(-1\le x\le 2)$

(4) $y=10^{-x^2-3x-1}$ $(-1\le x\le 1)$

유형 a^x꼴이 반복되는 함수의 최댓값과 최솟값

• $0\le x\le 2$ 에서 $y=2^{2x}-2^{x+1}$의 최댓값과 최솟값

$y=2^{2x}-2^{x+1}$에서 $2^x=t(t>0)$로 치환하면,

➡ $y=t^2-2t=(t-1)^2-1$

$0\le x\le 2$에서 $2^0\le 2^x\le 2^2$, $1\le t\le 4$이므로

➡ $t=1$일 때 최솟값 -1, $t=4$일 때, 최댓값 8

04 주어진 범위에서 다음 함수의 최댓값과 최솟값을 각각 구하여라.

(1) $y=4^x-2^{x+2}+4$ $(-2\le x\le 3)$

(2) $y=6\cdot 3^x-9^x(1\le x\le 2)$

도전! 1등급

05 정의역이 $-1\le x\le 1$일 때, 함수 $y=2^x\cdot 5^{-x}+1$의 치역이 $\{y|a\le y\le b\}$라 한다. 이 때 $\frac{a}{b}$의 값은?

① $\frac{3}{2}$ ② $\frac{5}{3}$ ③ $\frac{7}{5}$

④ $\frac{2}{5}$ ⑤ 2

개념

16 로그함수의 뜻과 그래프

(1) 로그함수의 뜻

지수함수 $a^x(a>0,\ a\neq1)$은 실수 전체의 집합을 정의역으로 하고, 양의 실수전체의 집합을 치역으로 하는 일대일 대응이므로 역함수를 갖는다. 지수함수 $y=a^x$의 역함수를 구하면

$$\boldsymbol{y=\log_a x(a>0,\ a\neq1)}$$

이고, 이 함수를 a를 밑으로 하는 **로그함수**라고 한다.

예 지수함수 $y=2^x(y>0)$에서 로그의 정의에 의하여 ➡ $x=\log_2 y(y>0)\cdots(*)$

식(*)에서 x와 y를 바꾸면 $y=2^x$의 역함수 ➡ $y=$ ☐ $(x>0)$

(2) 로그함수 $y=a^x$의 그래프

로그함수 $y=a^x$의 그래프는 a값의 범위에 따라 다음과 같다.

$a>1$

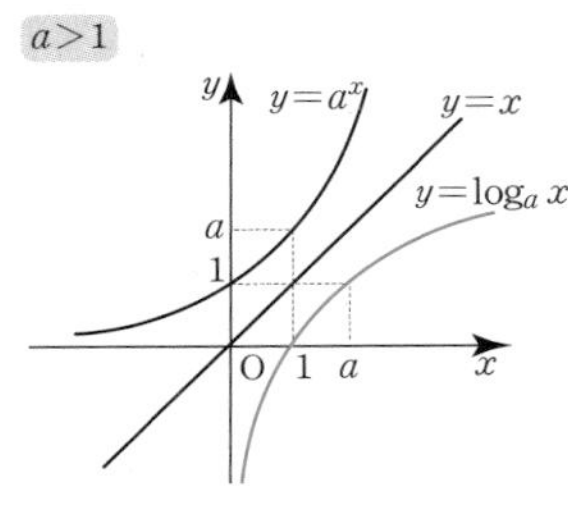

$0<a<1$

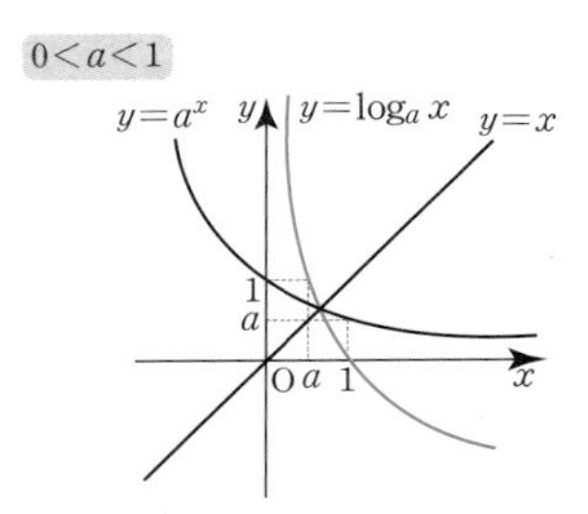

(3) 로그함수 $y=\log_a x\ (a>0,\ a\neq1)$의 성질

① 정의역은 양의 실수 전체의 집합이고, 치역은 실수 전체의 집합이다.

② $a>1$일 때, x의 값이 증가하면 y의 값도 ☐ 한다.

$0<a<1$일 때, x의 값이 증가하면 y의 값은 ☐ 한다.

③ 함수의 그래프는 점(1, 0)을 지나고, y축$(x=0)$을 점근선으로 한다.

유형 로그함수의 뜻

• 지수함수 $y=a^x(a>0,\ a\neq1)$의 역함수

$$\boldsymbol{y=\log_a x\ (a>0,\ a\neq1)}$$

를 a를 밑으로 하는 로그함수라고 한다.

01 다음 함수의 정의역을 구하여라.

(1) $y=\log_2(x+2)+3$

(2) $y=\log_{(3-x)}3$

(3) $y=\log_{(x-2)}(-x^2+9)$

02 다음 주어진 함수 $y=f(x)$의 역함수 $g(x)$를 구하고, $g(2)$의 값을 구하여라.

(1) $f(x)=\left(\dfrac{1}{2}\right)^x$

① 역함수 $g(x)$

② $g(2)$의 값

(2) $f(x)=4^{x+2}-2$

① 역함수 $g(x)$

② $g(2)$의 값

유형 로그함수 $y=\log_a x$ ($a>0$, $a\neq1$)의 성질

- 정의역은 양의 실수 전체의 집합이고, 치역은 실수 전체의 집합이다.
- $a>1$일 때, x의 값이 증가하면 y값도 증가.
  $0<a<1$일 때, x의 값이 증가하면 y의 값은 감소
- 함수의 그래프는 점$(1,\ 0)$을 지나고, y축$(x=0)$을 점근선으로 한다.

03 다음 로그함수의 그래프를 그려라.

(1) $y=\log_2 x$

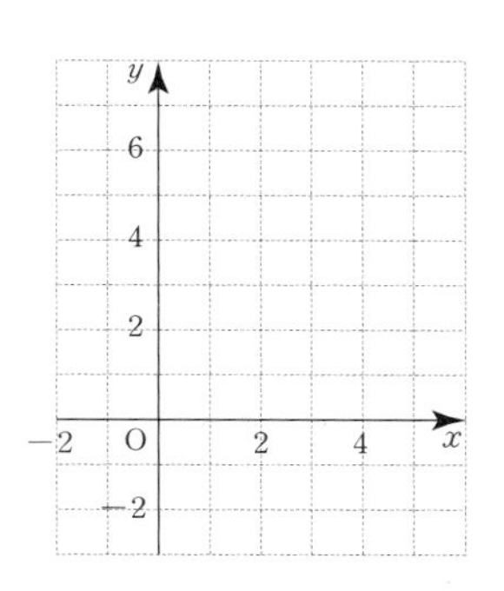

(2) $y=\log_{\frac{1}{2}} x$

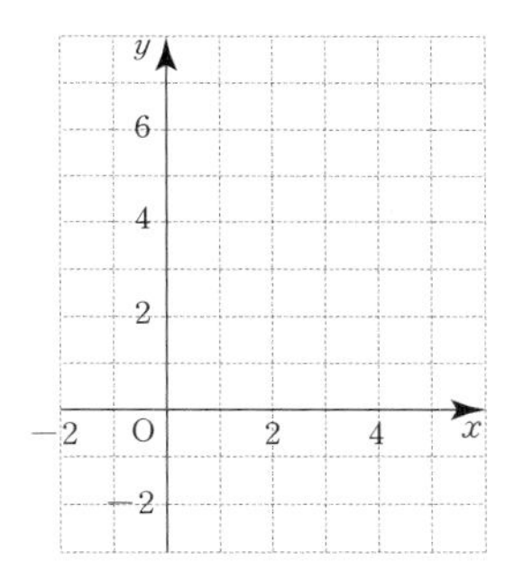

(3) $y=\log_3 x$

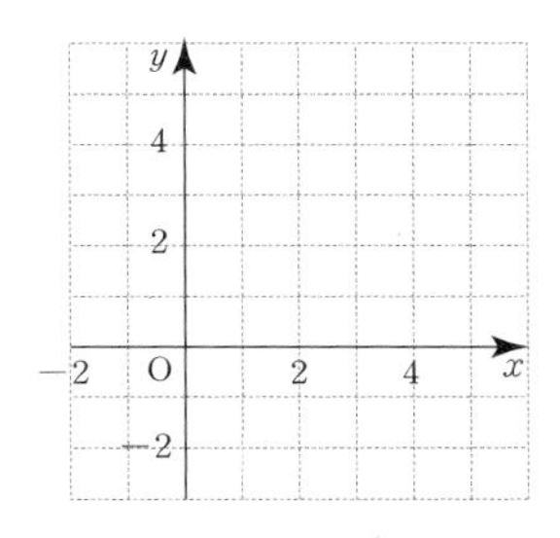

(4) $y=\log_{\frac{1}{3}} x$

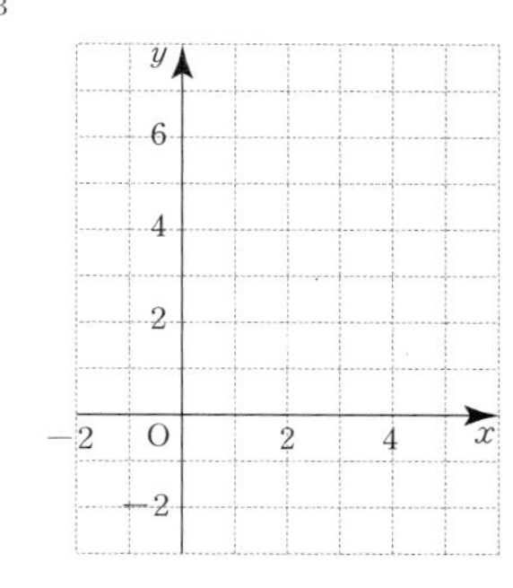

04 다음은 지수함수 $y=\log_3 x$의 그래프에 대한 설명이다. 옳은 것은 ○표, 옳지 않은 것은 ×표하여라.

(1) 점 $(3,\ 1)$을 지난다. ( )

(2) 정의역은 양수 전체의 집합이다. ( )

(3) 치역은 실수 전체의 집합이다 ( )

(4) 임의의 실수 x_1, x_2에 대하여 $x_1<x_2$이면 $f(x_1)>f(x_2)$이다. ( )

(5) 그래프의 점근선은 y축이다. ( )

도전! 1등급

05 다음 그림은 로그함수 $y=\log_3 x$의 그래프이다. $\overline{AB}=1$을 만족하는 상수 a의 값을 구하여라.

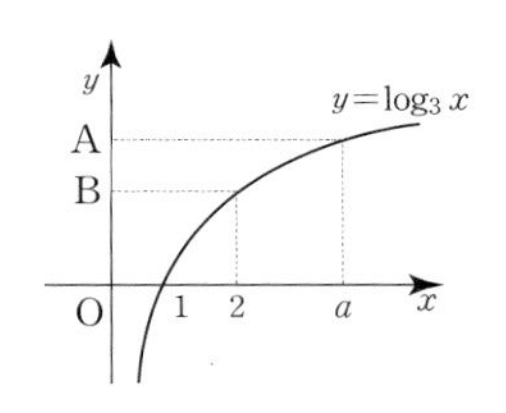

개념 17 로고함수 그래프의 평행이동과 대칭이동

로그함수 $y=\log_a x$의 그래프를 평행이동하거나 대칭이동한 그래프의 식은 다음과 같다.

(1) x축의 방향으로 $\boldsymbol{m}$만큼, y축의 방향으로 $\boldsymbol{n}$만큼 평행이동

→ x대신에 $x-m$, y 대신에 $y-n$을 대입 → $\boldsymbol{y=\log_a(x-m)+n}$

(2) x축에 대하여 대칭이동 → y대신에 $-y$를 대입 → ☐

(3) y축에 대하여 대칭이동 → x대신에 $-x$를 대입 → $\boldsymbol{y=\log_a(-x)}$

(4) 원점에 대하여 대칭이동 → x대신에 $-x$, y대신에 $-y$를 대입 → $\boldsymbol{y=}$ ☐

(5) 직선 $y=x$에 대하여 대칭이동 → x대신에 y, y 대신에 x를 대입 → $\boldsymbol{y=a^x}$

유형 로그함수 $y=\log_a x$의 평행이동과 대칭이동

• $y=\log_3 x$를 x축의 방향으로 2만큼, y축의 방향으로 1만큼 평행이동한 그래프 식 구하기
→ x대신에 $x-2$, y대신에 $y-1$을 대입
→ $y=\log_3(x-2)+1$

01 다음 주어진 로그함수의 그래프를 그리고, 정의역, 점근선의 방정식을 구하여라.

(1) $y=\log_2(x+3)$

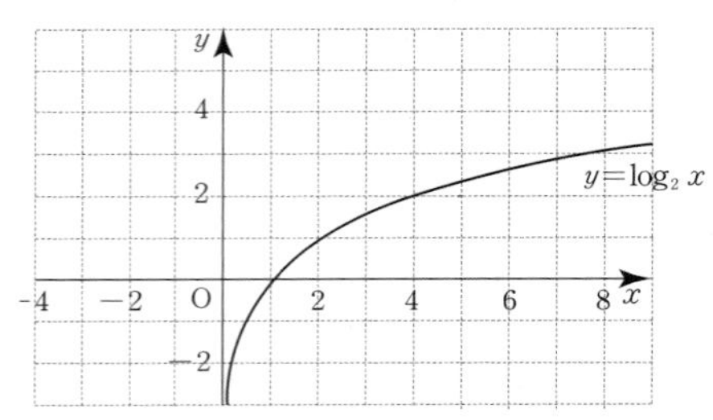

① 정의역 $\{x\,|\,x>$ ☐ $\}$

② 점근선 방정식

(2) $y=\log_2(-x)$

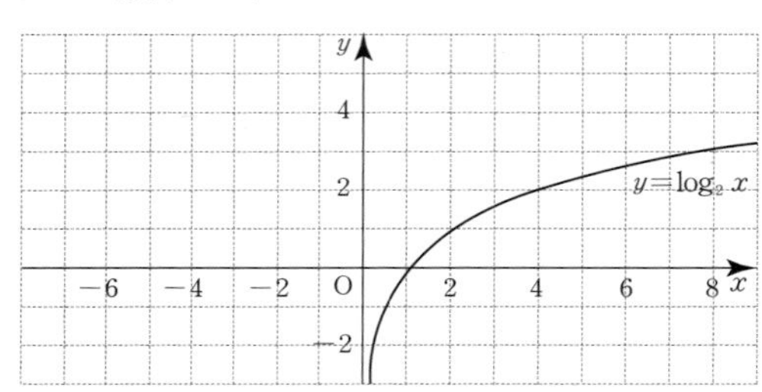

① 정의역 $\{x\,|\,x<$ ☐ $\}$

② 점근선 방정식

(3) $y=-\log_2 2x$

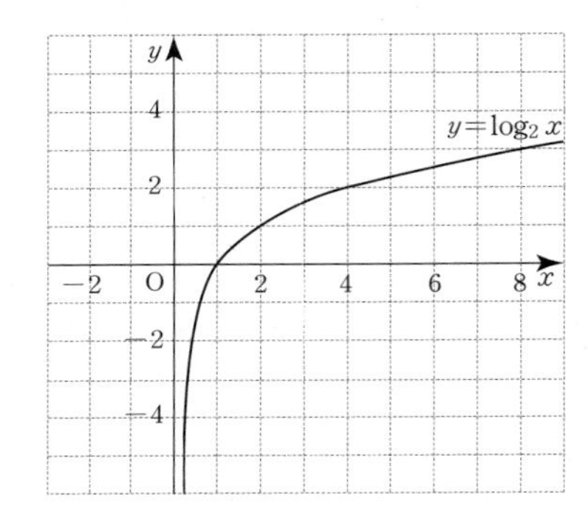

① 정의역 $\{x\,|$ ☐ $\}$

② 점근선 방정식

(4) $y=\log_2 4x$

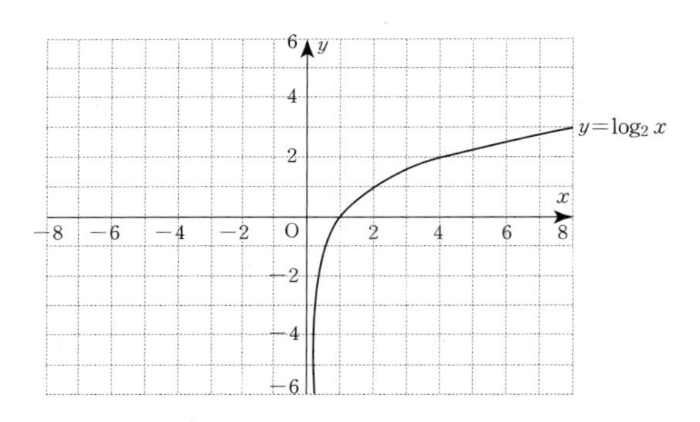

① 정의역 $\{x\,|$ ☐ $\}$

② 점근선 방정식

02 다음 물음에 답하여라.

(1) 로그함수 $y=\log_2 x$의 그래프를 x축에 대하여 대칭이동한 후 x축의 방향으로 -3만큼, y축의 방향으로 4만큼 평행이동한 그래프의 식을 구하여라.

(2) 로그함수 $y=\log_3(x-2)$를 y축으로 대칭이동한 그래프의 점근선이 직선 $x=k$라 할 때, k^2-4의 값을 구하여라.

(3) 로그함수 $y=\log_{\frac{1}{2}} 4x$의 그래프를 x축의 방향으로 5만큼, y축의 방향으로 -2만큼 평행이동하면 함수 $y=-\log_2(x-a)+b$의 그래프와 일치한다. 상수 a, b에 대하여 $a+b$의 값을 구하여라.

(4) 로그함수 $y=\log_5 x$의 그래프를 x축의 방향으로 2만큼 평행이동한 후 직선 $y=x$에 대하여 대칭이동하면 함수 $y=a^x+b$의 그래프와 일치한다. 상수 a, b에 대하여 ab값을 구하여라.

03 다음 로그함수 $f(x)=\log_a x$의 그래프의 평행이동, 대칭이동에 대한 설명이다. 옳은 것은 ○표, 옳지 않은 것은 × 를 써넣어라.

(1) 함수 $y=\log_a(x-5)-2$는 x축의 방향으로 5만큼, y축의 방향으로 -2만큼 평행이동한 그래프이다. (　　　)

(2) 함수 $y=\log_a 3x$의 그래프를 평행이동하면 겹쳐진다. (　　　)

(3) 함수 $y=3\log_a x$의 그래프를 평행이동하면 겹쳐진다. (　　　)

(4) 함수 $y=a^x$의 그래프와 직선 $y=x$에 대하여 대칭이다. (　　　)

(5) 함수 $y=\log_a \frac{1}{x}$의 그래프와 원점에 대하여 대칭이다. (　　　)

(6) 함수 $y=\log_{\frac{1}{a}}(-x)$그래프와는 원점에 대하여 대칭이다. (　　　)

도전! 1등급

04 함수 $f(x)=\log_5 x$의 그래프를 x축의 방향으로 m만큼 평행이동시킨 그래프와 함수 $y=\log_a x$의 그래프가 점$(9, 2)$에서 만날 때, $a-m$의 값은?

① 13　② 15　③ 17
④ 19　⑤ 21

개념 18

로그함수의 최댓값과 최솟값

(1) 로그함수를 이용한 대소비교

로그함수 $y=\log_a x$에서

① 주어진 수의 밑을 같게 하여 로그의 꼴로 나타낸다.

② $a>1$일 때, $x_1<x_2$이면 $\log_a x_1<\log_a x_2$

$0<a<1$일 때, $x_1<x_2$이면 $\log_a x_1>\log_a x_2$

(2) 지수함수의 최댓값과 최솟값

로그함수 $y=\log_a x$의 정의역이 $\{x|m\le x\le n\}$일 때,

① $a>1$이면 x의 값이 최소 $(x=m)$일 때 y의 값도 최소 $(y=\log_a m)$,

x의 값이 최대 $(x=n)$일 때 y의 값도 최대 $(y=$ ☐ $)$

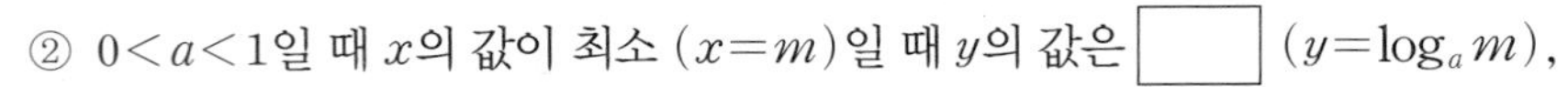

② $0<a<1$일 때 x의 값이 최소 $(x=m)$일 때 y의 값은 ☐ $(y=\log_a m)$,

x의 값이 최대 $(x=n)$일 때 y의 값은 ☐ $(y=\log_a n)$

(2) $\log_a x$꼴이 반복되는 함수의 최댓값과 최솟값

$\log_a x=t(t>0)$로 치환하여 t의 이차함수로 변형한 다음, t의 값 범위 내에서 최댓값과 최솟값을 구한다.

유형 로그함수를 이용한 대소비교

• $\log_2 10$, $\log_2 6$의 대소비교

함수 $y=\log_2 x$는 x의 값이 증가하면 y의 값도 증가하는 증가함수

➡ $\log_2 10>\log_2 6$

01 다음 수의 대소를 비교하여라.

(1) $\log_3 7$ ◯ $-\log_3 \frac{1}{6}$

(2) $\log_{\frac{1}{2}} 4$ ◯ $\log_{\frac{1}{2}} \frac{1}{5}$

(3) $3\log_2 5$ ◯ $2\log_2 10$

유형 로그함수의 최댓값과 최솟값

• 정의역이 $\{x|2\le x\le 5\}$일 때,

함수 $y=\log_2(x-1)+3$의 최솟값을 구하려면

주어진 함수의 밑이 2이므로

x의 값이 증가하면 y의 값도 증가하는 증가함수

➡ $x=2$일 때 최솟값 $y=\log_2(2-1)+3=3$

02 주어진 정의역 범위에서 다음 함수의 최댓값 M과 최솟값 m을 각각 구하여라.

(1) $y=\log_2(3x-1)$, $(1\le x\le 3)$

(2) $y=\log_{\frac{1}{2}}(x-3)+2$, $(5\le x\le 7)$

(3) $y=\log_3(2x+1)$, $(2\le x\le 4)$

03 주어진 범위에서 다음 함수의 최댓값을 M, 최솟값을 m이라 할 때, 다음을 구하여라.

(1) 함수 $y=\log_2(x^2-4x+5)$, $(1\le x\le 2)$일 때, $M+m$의 값

(2) 함수 $y=\log_3(-x^2-2x+8)$, $(-3\le x\le 0)$일 때, $M\times m$의 값

(3) 함수 $y=\log_{\frac{1}{3}}(2x^2+8x+6)$, $(2\le x\le 4)$일 때, $M-m$의 값

(4) 함수 $y=\log_6\{x(x-2)+6\}(-4\le x\le 3)$일 때, $2(M-m)^2$의 값

유형 $\log_a x$꼴이 반복되는 함수의 최댓값과 최솟값

- $1\le x\le 8$에서 $y=(\log_2 x)^2-2\log_2 x+3$의 최댓값과 최솟값을 구하려면
  ➔ $\log_2 x=t$로 치환 ➡ $y=t^2-2t+4=(t-1)^2+2$
  ➔ $\log_2 1\le \log_2 x\le \log_2 8$ ➡ $0\le t\le 3$
  ➡ $t=1$일 때 최솟값 2, $t=3$일 때, 최댓값 6

04 주어진 범위에서 다음 함수의 최댓값 M과 최솟값 m을 각각 구하여라.

(1) $y=(\log_2 x)^2-\log_2(4x)^2+10$, $(1\le x\le 16)$

(2) $y=(\log_3 x)^2+3\log_3 x^2-1$, $(3\le x\le 27)$

도전! 1등급

05 함수 $y=\log_2(x+4)$는 $-2\le x\le 4$에서 최솟값 a, 최댓값 b를 갖는다고 할 때, ab의 값은?

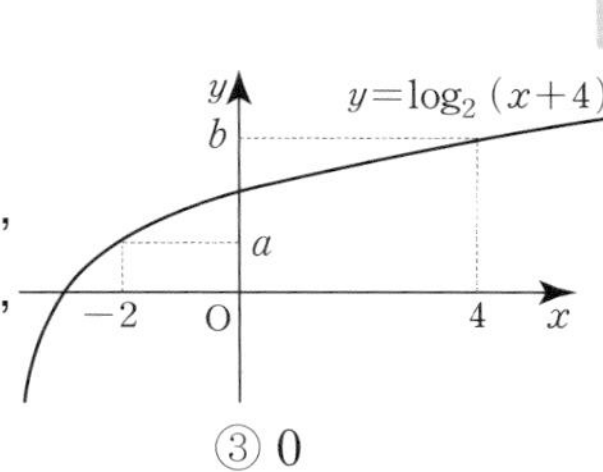

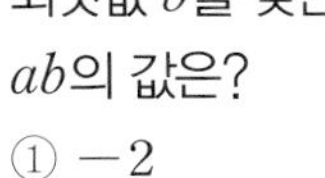

① -2 ② -1 ③ 0
④ 2 ⑤ 3

지수함수 활용 – 미지수를 포함한 지수방정식

(1) 지수방정식

지수에 미지수를 포함한 방정식 　예 $2^x=5$, $3^{-x+2}=6$

참고 지수함수 $y=a^x(a>0,\ a\neq1)$는 일대일함수이므로, $a^{x_1}=a^{x_2} \Leftrightarrow x_1=x_2$임을 이용하여 방정식을 푼다.

(2) 지수에 미지수가 있는 지수방정식의 풀이

① **밑을 같게 만들 경우 :**

주어진 방정식을 $a^{f(x)}=a^{g(x)}(a>0,\ a\neq1)$꼴로 고친 후, ➡ 예 $3^{x+1}=81 \Leftrightarrow 3^{x+1}=\square$

지수 $f(x)=g(x)$임을 이용하여 푼다. ➡ $x+1=4 \Leftrightarrow x=\square$

② **a^x꼴이 반복될 경우 :** $a^x=t(t>0)$으로 치환하여 t에 대한 방정식의 해를 이용하여 푼다.

(3) 밑과 지수에 미지수가 있는 지수방정식의 풀이

① **밑이 같을 때 :** 지수를 비교하는 경우와 밑이 1인 경우를 이용하여 방정식을 푼다.

예 $x^{2x-1}=x^{x+2}(x>0)$의 해 구하기

(ⅰ) 밑이 같으므로 $2x-1=x+2 \Leftrightarrow x=3$

(ⅱ) 밑이 1인 경우 즉, $x=1$일 때, $1^1=1^3$, 주어진 방정식 성립. $\therefore x=1$ 또는 $x=3$

② **지수가 같을 때 :** 밑을 비교하는 경우와 지수가 0인 경우를 이용하여 방정식을 푼다.

예 $(x+2)^x=3^{2x}(x>-2)$의 해 구하기

(ⅰ) 지수가 같으므로 $(x+2)^x=\square \Leftrightarrow x+2=9 \Leftrightarrow x=\square$

(ⅱ) 지수가 0인 경우 즉, $x=0$일 때, $2^0=3^0$, 주어진 방정식 성립. $\therefore x=0$ 또는 $x=7$

유형 지수에 미지수가 있는 지수방정식

• $a>0$, $a\neq1$이고 밑을 같게 할 수 있을 때
$a^{f(x)}=a^{g(x)} \Leftrightarrow f(x)=g(x)$임을 이용하여 해를 구한다.

01 다음 방정식을 풀어라.

(1) $16^x=64$

(2) $2^{2x+1}=\frac{1}{8}$

(3) $\left(\frac{1}{5}\right)^{-2-x}=5\sqrt{5}$

(4) $(\sqrt{3})^{x+1}=9$

(5) $4^{2x+1}=16\times2^{x+1}$

(6) $3^{x^2-3}=(\sqrt{3})^{2x-2}$

(7) $5^{4+x}=(0.04)^{x+1}$

(8) $\left(\frac{4}{3}\right)^{-4+x+x^2}=\left(\frac{9}{16}\right)^x$

유형 a^x꼴이 반복되는 지수방정식의 풀이

- **a^x꼴이 반복될 경우에는**
  $a^x=t(t>0)$으로 치환하여 t에 대한 방정식의 해를 이용하여 푼다.

02 다음 방정식을 풀어라.

(1) $2^x+2^{3-x}=6$

(2) $(\sqrt{3})^x+(\sqrt{3})^{4-x}=10$

(3) $9^x-2\times3^{x+2}+81=0$

(4) $5^{x+1}+4=\left(\frac{1}{5}\right)^x$

유형 지수와 밑에 미지수가 있는 지수방정식

- **밑이 같을 때는** 지수를 비교하는 경우와 밑이 1인 경우를 이용하여 푼다.
- **지수가 같은 경우**에는 밑을 비교하는 경우와 지수가 0인 경우를 이용하여 푼다.

03 다음 방정식을 풀어라.

(1) $x^{2x}=x^{3(x-1)}\ (x>0)$

(2) $(x+1)^{x^2}=(x+1)^{x+2}\ (x>-1)$

(3) $(x+5)^{3-x}=4^{3-x}\ (x>-5)$

(4) $(3x-2)^{x-2}=5^{x-2}\left(x>\frac{2}{3}\right)$

도전! 1등급

04 방정식 $36^x-6^{x+2}+64=0$의 두 실근을 α, β라 할 때, $(\sqrt{6})^{\alpha+\beta}$의 값을 구한 것은?

① 6 ② $6\sqrt{2}$ ③ 8
④ 36 ⑤ 64

개념 20

지수함수 활용– 미지수를 포함한 지수부등식

(1) 지수부등식

지수에 미지수를 포함한 부등식 예 $2^x<4$, $5^{-x+2}>10$

참고 지수함수 $y=a^x(a>0,\ a\neq1)$는 일대일함수이고,

$a>1$ 일 때, $a^{x_1}>a^{x_2} \Leftrightarrow x_1>x_2$, $0<a<1$일 때, $a^{x_1}>a^{x_2} \Leftrightarrow x_1<x_2$임을 이용하여 부등식을 푼다.

(2) 지수에 미지수가 있는 지수부등식의 풀이

① **밑을 같게 만들 경우 :**

주어진 방정식을 $a^{f(x)}>a^{g(x)}(a>0,\ a\neq1)$꼴로 고친 후, 밑의 크기에 따라 지수의 대소를 비교하여 해를 구한다.

$a>1$ 일 때, $a^{f(x)}>a^{g(x)} \Leftrightarrow f(x)>g(x)$,

$0<a<1$ 일 때, $a^{f(x)}>a^{g(x)} \Leftrightarrow f(x)<g(x)$

➡ 예 $3^{x+1}>27 \Leftrightarrow 3^{x+1}>\square$

➡ 밑이 $3>1$이므로

$x+1>3 \Leftrightarrow x>\square$

② **a^x꼴이 반복될 경우 :** $a^x=t(t>0)$으로 치환하여 t에 대한 부등식의 해를 이용하여 푼다.

(3) 밑과 지수에 미지수가 있는 지수부등식의 풀이

(밑)>1, 0<(밑)<1, (밑)=1인 경우 각각 나누어 부등식을 푼다.

예 $x^{x+2}\leq x^{3x-2}(x>0)$의 해 구하기

(i) $x>1$인 경우 ➡ $x+2\leq3x-2 \Leftrightarrow -2x\leq\square$ $\therefore x\geq\square$

(ii) $0<x<1$인 경우 ➡ $x+2\geq3x-2 \Leftrightarrow -2x\geq-4 \Leftrightarrow x\leq2$

이 때 $0<x<1$이므로 $\therefore \square<x<\square$

(iii) $x=1$인 경우 ➡ $1^{1+2}\leq1^{3\cdot1-1} \Leftrightarrow 1^3\leq1^2$ 주어진 부등식 성립. $\therefore x=1$

(i), (ii), (iii)에 의하여 $0<x\leq1$ 또는 $x\geq2$

유형 지수에 미지수가 있는 지수부등식

• $a>0$, $a\neq1$이고 밑을 같게 할 수 있을 때
$a>1$일 때, $a^{f(x)}>a^{g(x)} \Leftrightarrow f(x)>g(x)$
$0<a<1$일 때, $a^{f(x)}>a^{g(x)} \Leftrightarrow f(x)<g(x)$
임을 이용하여 부등식의 해를 구한다.

01 다음 부등식을 풀어라.

(1) $2^{2x}>64^2$

(2) $\left(\frac{1}{3}\right)^{x-1}\leq81$

(3) $4\cdot5^{-x}>10^2$

(4) $(\sqrt{6})^{2x-1}<6^{\frac{3}{2}}$

(5) $\left(\frac{1}{2}\right)^{x+1}\geq2^{-4x+2}$

(6) $\left(\frac{1}{9}\right)^{x+2}\geq(\sqrt{3})^{-2x-6}$

유형 a^x꼴이 반복되는 지수부등식의 풀이

• a^x꼴이 반복될 경우에는
$a^x=t(t>0)$으로 치환하여 t에 대한 부등식의 해를 이용하여 푼다.

02 다음 부등식을 풀어라.

(1) $25^x-2\cdot5^x-15\geq0$

(2) $\left(\frac{1}{16}\right)^x-\left(\frac{1}{4}\right)^{x-1}<\left(\frac{1}{4}\right)^x-4$

(3) $3^{x+2}+3^{-x+1}\leq28$

유형 지수와 밑에 미지수가 있는 지수방정식

• (밑)>1, 0<(밑)<1, (밑)=1인 경우 각각 나누어 부등식을 푼다.

03 다음 부등식을 풀어라.

(1) $x^{x+2}<x^{2x-1}$

(2) $x^{x+10}\geq x^{x^2-2x}$

(3) $x^{x(x-3)}>x^{2(x-3)}$

도전! 1등급

04 지수부등식 $4^x-2^{x+3}+12<0$의 해가 $\alpha<x<\beta$일 때, $\alpha+4^\beta$ 의 값은?

① 25 ② 27 ③ 30
④ 34 ⑤ 37

개념 21

지수방정식과 지수부등식의 활용

(1) 지수가 포함된 지수방정식의 활용

$2a^{2x}+3a^x+4=0$과 같이 반복되는 a^x꼴을 $a^x=t$로 치환한다.

t에 대한 이차방정식의 판별식과 근과 계수와의 관계를 이용한다.

참고 이차방정식 $ax^2+bx+c=0$의 판별식 D, 두 실근을 α, β라고 하면

$$D=b^2-4ac,\ \alpha+\beta=-\frac{b}{a},\quad \alpha\beta=\frac{c}{a}$$

(2) 지수가 포함된 지수부등식의 활용

$4^x-2^{x+2}+k-4>0$와 같은 부등식을 만족하는 상수 k의 범위, 정수해, 최솟값 등을 지수부등식 풀이와 같은 방법으로 구한다.

(3) 지수방정식과 부등식의 실생활에서의 활용

① 지수방정식은 처음의 양을 a라고 하면 일정한 비율 r로 x번 변화된 양은 ar^x임을 이용하여 푼다.

② 지수부등식은 지수함수로 식을 세우고 주어진 조건에 맞게 부등식을 세운다.

유형 지수방정식과 근과 계수의 관계

• $2^{2x}+2^{x+1}+3=0$의 두 근을 α, β라고 할 때, $2^{\alpha+\beta}$ 의 값 구하기

➡ $2^x=t(t>0)$로 치환

➡ $t^2+2t+3=0$의 두 실근은 $2^\alpha\cdot 2^\beta$

➡ 이차방정식의 근과 계수와의 관계를 이용하여 두 근의 곱 $2^\alpha\cdot 2^\beta=2^{\alpha+\beta}=3$

01 다음 물음에 답하여라.

(1) 지수방정식 $3\cdot 4^x-13\cdot 2^x+12=0$의 두 근을 α, β라 할 때, $\alpha+\beta$의 값을 구하여라.

(2) 지수방정식 $25^x-6\cdot 5^x-15=0$의 두 실근 α, β라 할 때, $5^\alpha+5^\beta$의 값을 구하여라.

유형 지수부등식의 응용

• 지수부등식을 만족하는 상수 k의 범위, 정수해, 최솟값 등 지수부등식 풀이와 같은 방법으로 구한다.

02 다음 물음에 답하여라.

(1) 부등식 $3^{2x}-3^{x+1}+k>0$의 해가 모든 실수 일 때, 정수 k의 최솟값을 구하여라.

(2) $a>1$일 때, $a^{2x+3}>\sqrt[3]{a}\cdot a^{3x}$을 만족하는 정수 x의 최댓값 구하여라.

(3) 부등식 $\left(5^x-\frac{1}{25}\right)(5^x-1)<0$을 만족시키는 정수 x의 값을 구하여라.

유형 지수 방정식의 실생활에서의 활용

- 규칙적으로 증가, 감소하는 문제
  처음의 양을 a라고 하면 일정한 비율 r로 x번 변화된 후 양은 ar^x임을 이용하여 방정식을 세운다.

03 다음 물음에 답하여라.

(1) 어떤 박테리아는 n시간에 2^n만큼 늘어난다. 처음에 50마리였던 박테리아가 1600마리가 되는 때는 처음으로부터 몇 시간 후인지 구하여라.

(2) 어느 은행에 a만원을 저축할 때 x년 후의 이자를 $M(x)$이라고 하면

$$M(x)=a\times(0.2)^{\frac{x}{2}}$$

이 성립한다. 처음 저축액이 2000만원이고 x년 후의 이자는 80만원이라 할 때, x값을 구하여라.

(3) 어떤 방사성 물질의 양은 30년마다 그 양이 반으로 줄어든다고 할 때, 이 방사성 물질의 양이 처음 방사성 물질의 양의 12.5%가 되는 것은 몇 년 후인지 구하여라.

유형 지수 부등식의 실생활에서의 활용(*n년후)

- 일정한 비율로 증가(감소)하는 양을 함수로 표현한다.
  즉, 지수함수로 식을 세우고 주어진 조건에 맞게 부등식을 세운다.

04 다음 물음에 답하여라.

(1) 어떤 제습기를 1시간 가동할 때마다 실내의 습기가 반으로 줄어든다고 한다. 남아 있는 습기의 양이 처음 습기의 양의 $\frac{1}{64}$이하가 되도록 하려면 공기 청정기를 최소 몇 시간을 가동시켜야 하는지 구하여라.

(2) 두께가 0.5mm인 종이를 반으로 접고, 다시 이것을 반으로 접는 것을 반복하여 k번 접었을 때, 전체의 두께를 $T(k)$라고 하면

$$T(k)=0.5\times2^k$$

이 성립한다. 이 종이의 전체의 두께가 16mm이상이 되려면 최소한 몇 번 접어야하는지 구하여라.

도전! 1등급

05 부등식 $4^x+2^{x+1}+2k-4>0$의 모든 실수 x에 대하여 성립하도록 하는 실수 k의 범위는?

① $k<2$　② $k<1$　③ $k\geq1$
④ $k\geq2$　⑤ $k\geq3$

로그함수 활용– 미지수를 포함한 로그방정식

(1) 로그방정식

로그의 진수 또는 밑에 미지수를 가진 방정식　　예 $\log_2 x=6$, $\log_x 5=4$

참고 $a>0$, $a\neq1$, $x_1>0$, $x_2>0$ 일 때 로그방정식은 다음과 같은 성질을 이용하여 푼다.

① $\log_a x=b \Leftrightarrow x=a^b$　② $\log_a x_1=\log_a x_2 \Leftrightarrow x_1=x_2$

(2) 밑 또는 진수에 미지수가 있는 로그방정식의 풀이

① 밑을 같게 만들 경우 :

(ⅰ) 밑이 같은 경우에는 진수가 같음을 이용하여 푼다.

$\log_a f(x)=\log_a g(x) \Leftrightarrow f(x)=g(x)$ (단, $f(x)>0$, $g(x)>0$)

(ⅱ) 밑이 같지 않은 경우에는 로그의 성질이나 밑의 변환공식을 이용하여 밑을 같게 한 후 푼다.

② 진수가 같은 경우 : 밑이 같거나 진수가 1임을 이용하여 푼다.

$\log_{f(x)}b=\log_{g(x)}b \Leftrightarrow f(x)=g(x)$ 또는 $b=1$

③ $\log_a x$꼴이 반복될 경우 : $\log_a x=t$로 치환하여 t에 대한 방정식의 해를 이용하여 푼다.

예 $\log_2(x-1)=\log_2(3-x)$

$x-1=3-x$

$\therefore x=$□

(3) 지수에 로그가 있는 로그방정식의 풀이

예 $x^{\log_2 x}=4x\,(x>0)$의 해 구하기

(ⅰ) 양변에 밑이 2인 로그를 취한다. ➡ $\log_2 x\cdot\log_2 x=\log_2 4+\log_2 x$

(ⅱ) 공통된 부분을 치환하여 방정식을 푼다. ➡ $\log_2 x=t$로 치환, t^2-t-□$=0 \Leftrightarrow (t+1)($□$)=0$

(ⅲ) 주어진 방정식의 해를 구한다. ➡ $\log_2 x=-1$ 또는 $\log_2 x=$□이므로 $\therefore x=\frac{1}{2}$ 또는 $x=$□

유형 미지수가 있는 로그방정식(밑이 같을 경우)

- $a>0$, $a\neq1$, $f(x)>0$, $g(x)>0$

① $\log_a f(x)=b \Leftrightarrow f(x)=a^b$

② $\log_a f(x)=\log_a g(x) \Leftrightarrow f(x)=g(x)$

01 다음 방정식을 풀어라.

(1) $\log_4 x=\frac{1}{2}$

(2) $\log_x 81=4$

(3) $\log_5(3x+1)=2$

(4) $\log_{\sqrt{2}}(2-x)=4$

(5) $\log_3 x+\log_3(x+2)=1$

(6) $2\log_{\frac{1}{2}}(x-2)=\log_{\frac{1}{2}}(2x-1)$

(7) $\log_{\sqrt{5}}(x+3)=\log_5(1-3x)$

유형 미지수가 있는 로그방정식(진수가 같을 경우)

- $f(x)>0$, $g(x)>0$, $f(x)\neq 1$, $g(x)\neq 1$, $b>0$일 때,
  $\log_{f(x)}b=\log_{g(x)}b \Leftrightarrow f(x)=g(x)$ 또는 $b=1$

02 $\log_{(x^2-4)}3=\log_{(x+2)}3$의 해를 구하여라.

(1) 로그의 밑의 범위를 구하여라.

(2) 방정식의 해를 구하여라.

유형 $\log_a x$꼴이 반복되는 로그방정식

- $\log_a x=t\,(t>0)$으로 치환하여 t에 대한 방정식의 해를 이용하여 푼다.

03 다음 방정식을 풀어라.

(1) $(\log_3 x)^2-\log_3 x^2-3=0$

(2) $(\log_2 x-2)^2+\log_2 x-14=0$

(3) $(\log 10x)^2-\log x^3-7=0$

유형 지수에 로그가 있는 로그방정식

- (ⅰ) 양변에 로그를 취한다.
  (ⅱ) 공통된 부분을 치환하여 방정식을 푼다.
  (ⅲ) 주어진 방정식의 해를 구한다.

04 다음 방정식을 풀어라.

(1) $x^{\log_2 x}=(16x)^2$

(2) $4^{\log 4x}=(5x)^{\log 5}$

도전! 1등급

05 다음 로그방정식 $(\log_{\sqrt{2}} 4x)(\log_4 2x)=20$의 두 근을 α, β라고 할 때, $\alpha\beta$의 값을 구한 것은?

① $\frac{1}{8}$　② $\frac{1}{4}$　③ $\frac{1}{2}$
④ 1　⑤ 2

개념 23

로그함수 활용 – 미지수를 포함한 로그부등식

2 지수함수와 로그함수

(1) 로그부등식

로그의 진수 또는 밑에 미지수를 가진 부등식

예 $\log_2 x<6$, $\log_x 3\geq 2$

(2) 진수에 미지수가 있는 지수부등식의 풀이

① **밑을 같게 만들 경우 :**

(ⅰ) (진수)>0일 조건을 구한다.

(ⅱ) 주어진 부등식의 밑을 같게 한 후 밑의 크기에 따라 진수의 대소를 비교하여 푼다.

$a>1$일 때, $\log_a x_1<\log_a x_2 \Leftrightarrow x_1<x_2$,

$0<a<1$일 때, $\log_a x_1<\log_a x_2 \Leftrightarrow x_1>x_2$

(ⅲ) (ⅰ)과 (ⅱ)의 공통범위로 주어진 부등식의 해를 구한다.

예 $\log_2(x+1)<3$

(ⅰ) □>0 즉, $x>$□ ··· ㉠

(ⅱ) $\log_2(x+1)<3 \Leftrightarrow \log_2(x+1)<\log_2$□

밑이 1보다 큰 2이므로

$x+1<8$, $x<7$ ··· ㉡

(ⅲ) ㉠, ㉡에 의하여 ∴ □$<x<7$

② **밑이 같지 않을 경우 :** 로그의 밑 변환 공식을 이용하여 밑을 같게 한 후 푼다.

③ **$\log_a x$꼴이 반복될 경우 :** $\log_a x=t$으로 치환하여 t에 대한 부등식의 해를 이용하여 푼다.

(3) 지수 또는 진수에 로그가 있는 지수부등식의 풀이

(ⅰ) (진수)>0일 조건을 구한다.

(ⅱ)–① 지수에 로그가 포함된 경우 :

양변에 로그를 취한 뒤, 반복되는 $\log_a x$를 t로 치환하여 부등식을 푼다.

(ⅱ)–② 진수에 로그가 포함된 경우 :

부등식의 밑을 같게 한 뒤, 밑의 크기에 따라 진수의 대소를 비교하여 푼다.

(ⅲ) (ⅰ)과 (ⅱ)의 공통범위로 주어진 부등식의 해를 구한다.

유형 진수에 미지수가 있는 로그부등식

• (ⅰ) (진수)>0일 조건을 구한다.

(ⅱ) 부등식의 밑이 같도록 ($\log_a x_1<\log_a x_2$꼴) 만든 후 부등식을 푼다.

(ⅲ) (ⅰ)과 (ⅱ)의 공통범위를 구한다.

01 다음 물음에 답하여라.

(1) $\log_2 4x>3$

(2) $\log_{\frac{1}{3}}(3x-1)>-1$

(3) $\log_3(2x-1)\leq\log_3(5-x)$

(4) $\log_{\frac{1}{5}}(x^2+2)\geq\log_{\frac{1}{5}}(x+4)$

(5) $\log_{\sqrt{2}}(x-3)>\log_2(x-1)$

유형 $\log_a x$꼴이 반복되는 로그부등식

• (i) (진수) > 0일 조건을 구한다.
(ii) $\log_a x = t$으로 치환하여 부등식을 푼다.
(iii) (i)과 (ii)의 공통범위를 구한다.

02 다음 부등식을 풀어라.

(1) $(\log_2 x)^2 - 3\log_2 x > 10$

(2) $(\log_3 x)^2 + 2\log_3 x - 3 \leq 0$

(3) $\log_{\frac{1}{4}} x - \log_{\frac{1}{2}} x^3 + 5 > 0$

유형 지수에 로그가 있는 지수부등식

• (i) (진수) > 0일 조건을 구한다.
(ii) 양변에 로그를 취한 뒤,
$\log_a x = t$으로 치환하여 부등식을 푼다.
(iii) (i)과 (ii)의 공통범위를 구한다.

03 다음 부등식을 풀어라.

(1) $x^{\log_2 x} < 8x^2$

(2) $x^{\log_{0.1} x} > 0.01x$

도전! 1등급

04 다음 로그방정식 $\log_{\frac{1}{2}}(\log_3 x) > -1$의 해가 $\alpha < x < \beta$일 때 두 실수 $\alpha + \beta$의 값을 구한 것은?

① 1 ② 4 ③ 6
④ 19 ⑤ 10

개념 24

로그방정식과 로그부등식의 활용

(1) 로그가 포함된 로그방정식의 활용

① $(\log_a x)^2 + b\log_a x + c = 0$과 같이 반복되는 $\log_a x$꼴을 $\log_a x = t$로 치환한다.
t에 대한 이차방정식의 판별식과 근과 계수와의 관계를 이용한다.

② 지수에 로그가 있는 경우에는 양변에 로그를 취한 뒤 ①의 방법으로 문제를 푼다.

(2) 로그가 포함된 지수부등식의 활용

$(\log_a x)^2 - b\log_a x + c > 0$ 와 같이 반복되는 $\log_a x$꼴을 $\log_a x = t$로 치환한다.

t에 대한 이차부등식이 항상 성립할 조건을 이용한다.

예 $(\log_2 x)^2 + 2\log_2 x + k \geq 0$이 항상 성립하기 위한 상수 k의 최솟값 구하기

➡ $\log_2 x = t$로 치환하면 $t^2 + 2t + k \geq 0 \cdots$㉠, ㉠이 항상 성립하려면, 판별식 D ☐ 0이어야한다.

즉, $D = 2^2 -$ ☐ ≤ 0 $\therefore k \geq$ ☐

(3) 지수방정식과 부등식의 실생활에서의 활용

① 주어진 조건을 이용하여 지수와 관련된 방정식(부등식)을 만든 후 양변에 상용로그를 취한다.

② 처음의 양 a, 증가율 r라고 할 때, n번 시행 후의 양은 처음 양의 k배와 같음을 이용한다.
즉, $a(1+r)^n = ka$

유형 로그가 포함된 로그방정식과 로그부등식

• (i) 반복되는 $\log_a x$꼴은 $\log_a x = t$로 치환
(iii) 판별식과 근과 계수와의 관계를 이용하여 문제를 푼다.

01 다음 물음에 답하여라.

(1) 방정식 $(\log_3 x)^2 + k\log_3 x = 3$의 두 근의 곱이 9일 때, 상수 k의 값을 구하여라.

(2) 방정식 $(\log x)^2 - \log\frac{x^3}{100} = 0$의 두 근을 α, β할 때, 두 근의 곱 $\alpha\beta$의 값을 구하여라.

(3) x에 대한 방정식 $x^2 + x \cdot 2\log_2 2a + 4\log_2 2a = 0$이 실근을 갖지 않도록 하는 a의 범위가 $\alpha < a < \beta$라고 한다. 이 때, 두 실수 α, β의 곱 $\alpha\beta$의 값을 구하여라.

(4) 부등식 $ax^{\log_3 x} \geq 9x^2$이 임의의 양수 x에 대하여 성립되도록 하는 양수 a의 범위를 구하여라.

유형 로그방정식의 실생활에서의 활용

- 주어진 조건을 이용하여 지수와 관련된 방정식을 세운 후 양변에 상용로그를 취한다.
- 처음의 양 a, 증가율 r라고 할 때, n번 시행 후의 양은 처음 양의 k배와 같음을 이용한다. 즉, $a(1+r)^n=ka$

02 다음 물음에 답하여라.

(1) A회사에서 매출이 매달 일정한 비율로 늘어나 15개월 후에 2배가 되었다. 15개월 동안 이 회사의 매출액이 매 달 몇 %씩 증가했는지 구하려고 할 때 다음 물음에 답하여라.
(단, $\log 2=0.30$, $\log 1.05=0.02$로 계산한다.)

① 처음 매출액을 a, 매 달 매출액 증가율을 r%라 할 때, 15개월 후 매출액

② A회사의 매달 매출액 증가율

(2) 유리에 어떤 특수한 필름 1장 붙일 때마다 외부에서 들어오는 빛의 양을 일정한 비율로 감소시킨다고 한다.
이 필름을 8장 붙여서 유리를 통과하는 빛의 양이 처음의 $\frac{1}{3}$이 되었다. 필름 1장을 통과할 때마다 빛의 양은 몇 %씩 줄어드는지 구하여라.
(단, $\log 3=0.48$, $\log 0.87=-0.06$로 계산한다.)

유형 로그부등식의 실생활에서의 활용

- 일정한 비율로 증가(감소)하는 양을 지수와 관련된 방정식을 세운 후 조건에 맞게 부등식을 세운다.

03 B회사에서 개발한 중금속 여과기는 한번 통과할 때마다 20%의 감소효과를 나타난다고 한다. 중금속의 양을 처음 양의 2%미만으로 줄이려고 할 때, 여과기를 최소 몇 번 통과시켜야 하는지 구하여라. (단, $\log 2=0.30$로 계산한다.)

① 처음 물에 녹아 있는 중금속의 농도를 a라 하면 여과기를 n번 통과한 후 남아있는 중금속의 농도

② 중금속의 양을 처음 양의 2% 미만이 되는 최소한의 횟수 n구하기

도전! 1등급

04 어느 마을 전체의 소의 수가 6개월마다 5%씩 증가한다고 한다. 이와 같은 증가 추세가 계속된다면 소의 수가 현재의 3배가 되는 것은 최소 몇 년 후부터인지 구하면? (단, $\log 3=0.48$, $\log 1.05=0.02$로 계산한다.)

① 12(년 후) ② 13(년 후) ③ 14(년 후) ④ 16(년 후) ⑤ 17(년 후)

개념 13

01 다음은 지수함수 $y=\left(\frac{1}{4}\right)^x$의 그래프에 대한 설명이다. 옳은 것은 ○표, 옳지 않은 것은 ×표하여라.

(1) 점$\left(2,\ \frac{1}{8}\right)$을 지난다. ( )

(2) 임의의 실수 $x_1>x_2$에 대하여 $f(x_1)<f(x_2)$이다. ( )

(3) 그래프의 치역은 실수 전체집합이다. ( )

(4) $y=4^x$그래프와 y축에 대하여 대칭이다. ( )

(5) 그래프의 점근선의 방정식은 $y=0$이다. ( )

개념 14

02 다음 함수의 그래프에서 x축으로 m만큼, y축으로 n만큼 평행이동한 그래프를 그리고, 정의역, 치역, 점근선의 방정식을 각각 구하여라.

(1) $y=2^x$

① $m=-1,\ n=-2$

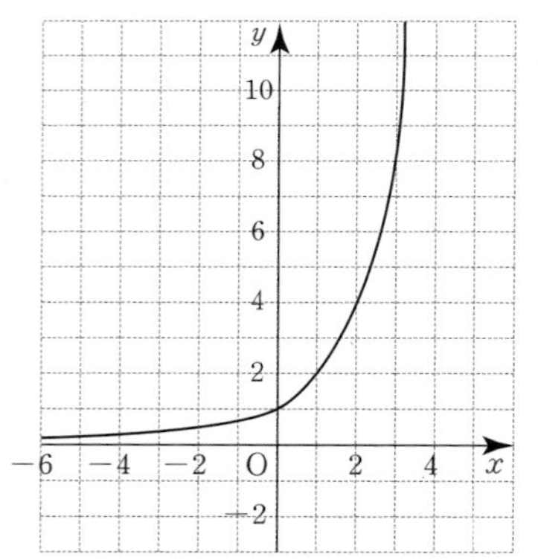

② 정의역

③ 치역

④점근선의 방정식

(2) $y=\left(\frac{1}{2}\right)^x$

① $m=2,\ n=3$

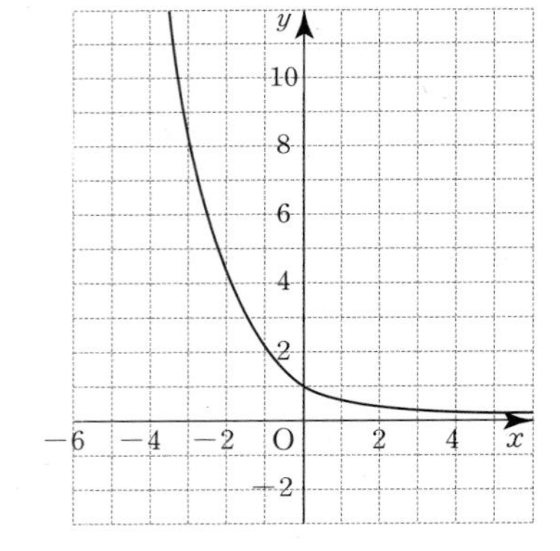

② 정의역

③ 치역

④점근석 방정식

개념 14

03 다음 물음에 답하여라.

(1) 지수함수 $y=a^x$의 그래프를 x축의 방향으로 -2만큼, y축의 방향으로 3만큼 평행이동한 후 y축에 대하여 대칭이동한 그래프가 점 $(1,\ 6)$을 지날 때, 양수 a의 값을 구하여라.

(2) $y=2^{x+m}-n$의 그래프를 x축에 대하여 대칭이동한 그래프가 $(2,\ -3)$, $(0,\ 3)$를 지난다. 이 때, 두 실수 m, n의 곱 mn의 값을 구하여라.

개념 15

04 주어진 범위에서 다음 함수의 최댓값을 M, 최솟값 m을 구하여라.

(1) $y=5^{x^2+4x+2}\ (-3\le x\le 0)$

(2) $y=\left(\frac{1}{2}\right)^{-x^2+6x-5}(1\le x\le 4)$

(3) $y=\frac{1}{9^x}-\frac{2}{3^{x-1}}+10(-2\le x\le -1)$

(4) $y=(4^x-1)(4^x-3)(1\le x\le 2)$

개념 16

05 다음은 로그함수 $y=\log_a ax(a>0,\ a\neq1)$의 그래프에 대한 설명이다. 옳은 것은 ○표, 옳지 않은 것은 ×표하여라.

(1) 정의역은 $\{x\,|\,x>0\}$이다. (　　)

(2) $0<a<1$이면 x의 값이 감소할 때, y의 값은 증가한다. (　　)

(3) 임의의 실수 x에 대하여 $y\ge1$이다. (　　)

(4) $y=-2\log_a ax$그래프를 평행이동하면 두 그래프는 겹친다. (　　)

(5) 그래프의 점근선의 방정식은 $x=1$이다. (　　)

개념 17

06 다음 물음에 답하여라.

(1) 로그함수 $y=\log_2(x-1)+2$의 그래프를 x축에 대하여 대칭이동한 후 x축의 방향으로 -2만큼, y축의 방향으로 3만큼 평행이동한 그래프의 식을 구하여라.

(2) 로그함수 $y=\log_3(x+2)$를 y축의 방향으로 -1만큼 평행이동한 후 직선 $y=x$에 대하여 대칭이동하면 함수 $y=3^{x+a}+b$의 그래프와 일치한다. 상수 a, b에 대하여 ab값을 구하여라.

개념 18

07 주어진 범위에서 다음 함수의 최댓값을 M, 최솟값을 m이라 할 때, 다음을 구하여라.

(1) 함수 $y=\log_2(x^2-6x+7)$, $(5\le x\le 7)$일 때, 최댓값과 최솟값의 차 $|M-m|$의 값을 구하여라.

(2) $y=-(\log_{\frac{1}{3}} x)^2+\log_{\frac{1}{3}} x^2+3$, $(\frac{1}{9}\le x\le 3)$일 때, 최댓값과 최솟값의 곱 $M\times m$을 구하여라

(3) $y=4(\log_2 x)^2-\log_{\sqrt{2}}x^2$, $(\sqrt{2}\le x\le 4)$일 때, $\log_5(3M-m)$의 값을 구하여라.

개념 19

08 다음 지수방정식을 풀어라.

(1) $3^x-\sqrt{3}\times 3^{-x}+1-\sqrt{3}=0$

(2) $(x+2)^{4-x}=3^{4-x}$ $(x>-2)$

개념 20

09 다음 지수부등식을 풀어라.

(1) $7^{x+2}\le 7^{x^2}\le 49\times 7^{2x+1}$

(2) $(x-1)^{x(x+1)}>(x-1)^{2(x+3)}$

개념 21

10 다음 물음에 답하여라.

(1) A아파트의 어느 달에 조사한 쓰레기양은 a톤이고, 조사한 달로부터 경과된 달의 수를 t라 할 때, 쓰레기양 $F(x)$는

$$F(t)=a\left(\frac{3}{4}\right)^{kt}$$

이 성립한다. A아파트의 3월의 쓰레기양은 320톤, 7월의 쓰레기양은 180톤일 때, 상수 k의 값을 구하여라.

(2) 지수부등식 $4^{-x}-3\cdot 2^{-x+1}-16\leq 0$을 만족하는 정수 x의 최솟값을 구하여라.

개념 22

11 다음 로그방정식을 풀어라.

(1) $(\log_2 2x)^2-2\log_2 x^3+2=0$

(2) $100x^{\log x}=x^3$

개념 23

12 다음 로그부등식을 풀어라.

(1) $(\log_4 64x^2)(\log_2 \frac{x}{2})<5$

(2) $\log_3(\log_2 x+2)\leq 2$

개념 24

13 어느 도시의 전력 소비량이 매년 일정한 비율로 증가하여 30년 만에 3배 이상이 되었다고 한다. 이 도시의 전력소비량은 매년 최소한 몇 %씩 증가하였는가?
(단, $\log 3=0.48$, $\log 1.037=0.016$로 계산한다.)

(1) 처음 전력소비량을 a, 매년 전력 소비량을 $r\%$라고 할 때, 30년 후의 전력소비량을 구하여라.

(2) 30년 만에 전력소비량이 3배 이상이 되었다고 했을 때, 이 도시의 매년 전력소비증가량을 구하여라.

01 다음 중 옳은 것은?

① 16의 제곱근은 4이다.
② -27의 세제곱근 중 실수인 것은 3개이다.
③ 32의 다섯제곱근 중 실수인 것은 2뿐이다.
④ -81의 네제곱근 중 실수인 것은 3과 -3이다.
⑤ n이 홀수일 때, 음의 실수 a의 n제곱근 중 실수인 것은 없다.

02 다음 세 수의 대소 관계를 바르게 나타낸 것은?

$$A=\sqrt{3},\ B=\sqrt[3]{5},\ C=\sqrt[6]{\{(-6)^2\}}$$

① $A<B<C$ ② $A<C<B$ ③ $B<A<C$
④ $C<A<B$ ⑤ $C<B<A$

03 이차방정식 $x^2-3x+1=0$의 두 근을 α, β라고 할때, $3^{\alpha+\beta}$의 값은?

① $-\sqrt{3}$ ② $\sqrt{3}$ ③ 1
④ 9 ⑤ 27

04 $\left(\frac{1}{3}\right)^x=5$, $6^y=125$인 실수 x, y에 대하여 $5^{\frac{1}{x}+\frac{3}{y}}$ 의 값은?

① $\frac{1}{3}$ ② $\frac{1}{2}$ ③ 2
④ 5 ⑤ 26

05 $\log_{x-2}(6-x)$의 값이 존재하도록 하는 모든 자연수 x의 값의 합을 구하면?

① 5 ② 6 ③ 7
④ 8 ⑤ 9

06 $\log 2=a$, $\log 3=b$일 때, $\log_{24} 18$을 a, b에 관하여 나타내면?

① $\frac{a-3b}{2a+b}$ ② $\frac{3a+b}{a-2b}$ ③ $\frac{a+2b}{3a+b}$
④ $\frac{a+2b}{a-3b}$ ⑤ $\frac{2a-b}{a+3b}$

07 다음 식에서 a, b값을 각각 구하고, $a+b$의 값을 구하여라.

$$\log_2\sqrt{5}+3+\log_{\frac{1}{2}}\sqrt{10}=a$$
$$\log_4 27\times\log_{25}16\times\log_9 5=b$$

① a, b값 구하기

② $a+b$의 값을 구하여라.

08 $a=\log_3\left(1+\frac{1}{3}\right)+\log_3\left(1+\frac{1}{4}\right)+\log_3\left(1+\frac{1}{5}\right)+\cdots+\log_3\left(1+\frac{1}{95}\right)$

라고 할 때, 3^a의 값을 구하여라.

09 함수 $y=2^{x-1}+3$의 그래프에 대한 설명으로 옳은 것은?

① 점 $(2, 3)$을 지난다.
② 제 1,3사분면을 지난다.
③ 점근선은 직선 $y=1$이다.
④ $y=2^x$의 그래프를 평행이동한 것이다.
⑤ x의 값이 증가하면 y의 값은 감소한다.

10 함수 $y=\left(\frac{1}{3}\right)^{x+a}+b$의 그래프가 오른쪽 그림과 같이 원점을 지날 때, $a+b$의 값은? (단, a, b는 상수이다.)

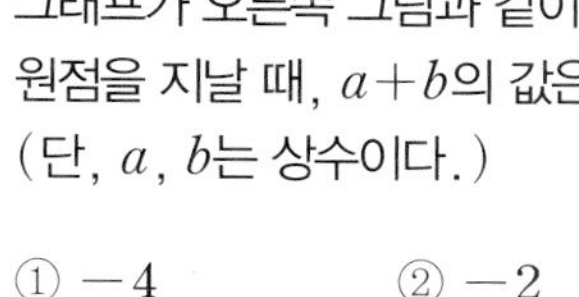

① -4 ② -2
③ -1 ④ 0
⑤ 2

11 부등식 $\left(\frac{1}{2}\right)^{x-3}\geq\sqrt{\sqrt[3]{2^6}}$을 만족시키는 정수 x의 최댓값을 구하여라.

12 다음 [보기]의 함수의 그래프 중에서 함수 $y=2\log_2 x$의 그래프를 평행이동하여 겹칠 수 있는 것만을 [보기]에서 고른 것은?

[보기]
ㄱ. $y=2\log_2 3x$
ㄴ. $y=2\log_2 (x+1)$
ㄷ. $y=\log_{\sqrt{2}} 2x$

① ㄴ ② ㄱ, ㄴ ③ ㄱ, ㄷ
④ ㄴ, ㄷ ⑤ ㄱ, ㄴ, ㄷ

13 부등식$(\log_5 x)^2+\log_5 x^a<b$의 해가 $\frac{1}{5}<x<25$일 때, 상수 a, b에 대하여 ab의 값을 구한 것은?

① -2 ② -1 ③ 1
④ 2 ⑤ 24

14 방정식 $9^x-2\sqrt{6}\cdot 3^x+4=0$의 두 근을 각각 α, β라 할 때, 방정식 $(\log_2 x)^2-a\log_2 x+b=0$의 두 근은 $3^{2\alpha}+3^{2\beta}$, $3^{\alpha+\beta}$이다. 두 상수 a, b의 차 $|a-b|$의 값을 구하여라.

15 $-1\le x\le 1$일 때, 함수 $y=2^{1-x}-3$의 최솟값은 a, 함수 $y=\log_3(x+2)+1$의 최댓값을 b라 할 때, ab의 값을 구하여라.

16 어떤 전자레인지로 피자 p조각을 굽는데 걸리는 시간 t(분)은 $t=1.2\times\sqrt{p}$로 주어진다고 한다.
이 전자레인지로 피자 9조각을 굽는데 걸리는 시간은 피자 3조각을 굽는데 걸리는 시간의 a배라고 했을 때, $\sqrt{3}\,a$의 값을 구하여라.

17 어느 농장의 닭의 마리수가 2년마다 20%씩 증가한다고 한다. 현재 닭이 400마리일 때, 10년 후의 닭의 수를 구하여라. (단, $1.2^5=2.5$로 계산한다.)

18 어느 나라의 경제상승률이 각 분기마다 같은 비율로 상승한다고 한다. 이 때, 분기별 경제상승률이 몇 % 이상이 되어야 1년 경제상승률이 3%이상이 되는지 구하여라.(단,$\log 1.03=0.0128$, $\log 1.007=0.0032$로 계산한다.)

II

삼각함수

이 단원에서 공부해야 할 필수 개념

- 개념 01 일반각과 사분면의 각
- 개념 02 호도법과 부채꼴의 길이와 넓이
- 개념 03 삼각함수의 정의와 삼각함수의 값의 부호
- 개념 04 삼각함수 사이의 관계
- 개념 05 주기함수, 삼각함수의 그래프
- 개념 06 삼각함수의 성질
- 개념 07 삼각함수를 포함한 방정식과 부등식
- 개념 08 사인법칙
- 개념 09 코사인법칙
- 개념 10 삼각형의 넓이
- 개념 11 사각형의 넓이

개념 01 일반각과 사분면의 각

(1) 일반각

시초선 OX부터 원점 O를 중심으로 α° 만큼 회전이동한 위치에 동경 OP가 있을 때, $\angle XOP$ 의 크기를 나타내는 각들을

$360^\circ \times n + \alpha^\circ$ (n은 정수)

로 나타내고 동경 OP의 [ ]이라 한다.

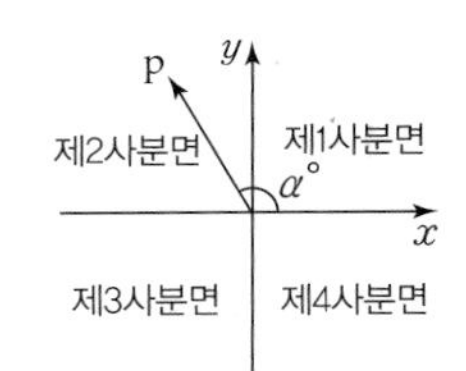

참고 각의 크기는 동경의 회전방향이 시계반대방향이면 양의 각이라 하고, 시계방향이면 음의 각이라고 하며 음의 각의 크기는 음의 부호 (－)를 붙여서 나타낸다.

n은 동경이 회전한 방향과 횟수를 나타내고, 보통 α°는 $0^\circ \le \alpha^\circ <$ [ ] 의 범위에서 나타낸다.

(2) 사분면의 각

좌표평면의 원점 O에서 x축의 양의 부분을 시초선으로 잡을 때, 제1사분면, 제2사분면, 제3사분면, 제4사분면에 있는 동경 OP가 존재하는 위치에 따라 각을 각각 제1사분면의 각, 제2사분면의 각, 제3사분면의 각, 4사분면의 각 이라고 한다.

참고 좌표평면에서 시초선은 보통 x축의 양의 방향으로 정한다.

동경 OP가 좌표축에 있을 때는 어느 사분면의 각도 아니다.

유형 시초선과 동경의 위치

• 고정된 $\overrightarrow{OX}$의 위치에서 점 O를 중심으로 $\overrightarrow{OP}$가 회전한 양을 $\angle XOP$의 크기라고 하고 $\overrightarrow{OX}$를 시초선, $\overrightarrow{OP}$를 동경이라고 한다.

01 다음 각을 나타내는 시초선과 동경의 위치를 그림으로 나타내어라.

(1) 45°

(2) -120°

(3) 60°

(4) -330°

02 다음 그림에서 각 $\overrightarrow{OX}$가 시초선일 때, 동경 OP가 나타내는 일반각 θ를 구하여라.

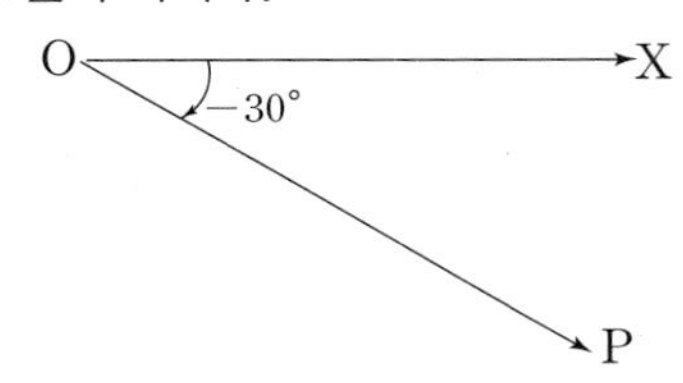

① 동경 OP가 나타내는 각을 3가지만 써라.

② 동경 OP가 나타내는 일반각을 $360^\circ \times n + \alpha^\circ$꼴로 나타내어라.(단, n은 정수, $0^\circ \le \alpha^\circ < 360^\circ$)

03 다음 각의 동경이 나타내는 일반각을 $360° \times n + \alpha°$의 꼴로 나타내어라. (단, n은 정수, $0° \leq \alpha° < 360°$)

(1) $495°$

(2) $-170°$

(3) $-715°$

(4) $1100°$

유형 사분면의 각

- x축의 양의 방향을 시초선으로 잡을 때, $60°$는
  - ➡ $0° < 60° < 90°$에 있으므로
  - ➡ 제 1사분면의 각이다.
- x축의 양의 방향을 시초선으로 잡을 때, $850°$는
  - ➡ $850° = 360° \times 2° + 130°$, $90° < 130° < 180°$
  - ➡ 제2사분면 각이다.

04 다음 각은 몇 사분면의 각인지 말하여라.

(1) $50°$

(2) $110°$

(3) $240°$

(4) $270°$

(5) $300°$

05 크기가 다음과 같은 각은 제 몇 사분면의 각인지 말하여라.

(1) $675°$

(2) $-250°$

(3) $920°$

(4) $-700°$

도전! 1등급

06 $90° < \theta < 180°$이고, 두 각 θ, 7θ를 나타내는 두 동경이 서로 일치할 때, θ의 크기를 구하는 과정이다. ① ~ ⑤번 중 옳지 않은 것은?

> 두 각 θ, 7θ를 나타내는 두 동경이 서로 일치하므로 두 각의 차는
>
> $7\theta - \theta = 360° \times n$(단, n은 정수)
>
> $\boxed{①} = 360° \times n$
>
> $\theta = \boxed{②} \times n$ ⋯ ㉠
>
> $90° < \theta < 180°$이므로
>
> $90° < \boxed{②} \times n < 180°$
>
> $\therefore \boxed{③} < n < 3$
>
> 따라서 n은 정수이므로 $n = \boxed{④}$
>
> $n = \boxed{④}$을 ㉠에 대입하면 $\theta = \boxed{⑤}$

① 6θ　② $60°$　③ $\frac{2}{3}$
④ 2　⑤ $120°$

개념 02

호도법과 부채꼴의 길이와 넓이

(1) 육십분법과 호도법의 관계

$180° = \pi$라디안이므로

$$1\text{라디안} = \frac{180°}{\pi},\ 1° = \frac{\pi}{180}\text{라디안}$$

호의 길이는 중심각의 크기에 정비례하므로 호의 길이를 r, 중심각의 크기를 θ라고 하면

$$r : 2\pi r = \theta : 360°\text{에서 } \therefore \theta = \frac{\square}{\pi}$$

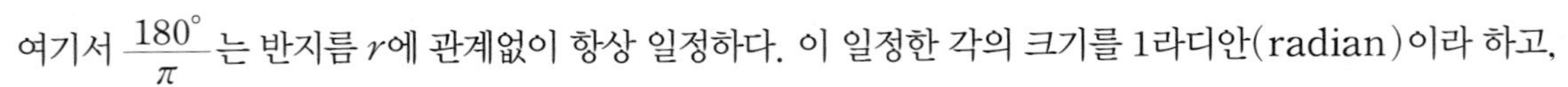
여기서 $\frac{180°}{\pi}$는 반지름 r에 관계없이 항상 일정하다. 이 일정한 각의 크기를 1라디안(radian)이라 하고,

라디안(radian)을 단위로 하여 각의 크기를 나타내는 방법을 ☐이라 한다.

예 $60°$를 호도법으로 나타내면, $60 \times \frac{\pi}{180} = \square$

(2) 부채꼴의 호의 길이와 넓이

반지름의 길이가 r인 원에서 중심각이 θ인 부채꼴의 호의 길이를 l, 넓이를 S라 하면

① 부채꼴의 호의 길이 : $l = r\theta$

② 부채꼴의 넓이 : $S = \frac{1}{2}r^2\theta = \frac{1}{2}rl$

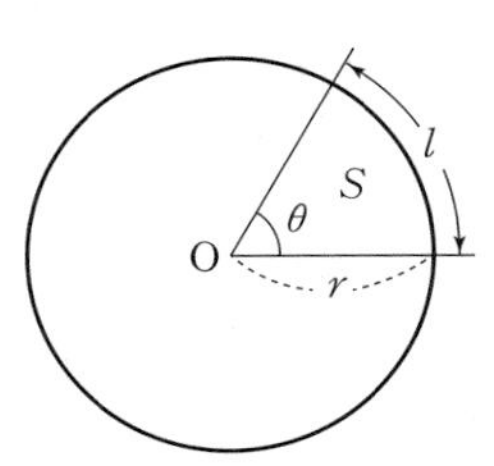

유형 호도법

• 라디안(radian)을 단위로 하여 각의 크기를 나타내는 방법을 호도법이라고 한다.

$1\text{라디안} = \frac{180°}{\pi},\ 1° = \frac{\pi}{180}\text{라디안}$

01 다음 각을 호도법으로 나타내어라.

(1) $30°$

(2) $90°$

(3) $-210°$

(4) $720°$

02 다음 각을 육십분법으로 나타내어라.

(1) $\frac{\pi}{4}$

(2) $\frac{6}{5}\pi$

(3) $-\frac{11}{6}\pi$

(4) $-\frac{4}{3}\pi$

(5) 2π

유형 부채꼴의 호의 길이와 넓이

- 반지름의 길이가 r인 원에서 중심각이 θ인 부채꼴의 호의 길이를 l, 넓이를 S라 하면
  ① 부채꼴의 호의 길이 : $l=r\theta$
  ② 부채꼴의 넓이 : $S=\frac{1}{2}r^2\theta=\frac{1}{2}rl$

03 다음과 같이 주어진 반지름의 길이가 r, 중심각의 크기인 θ인 부채꼴의 호의 길이 l과 넓이 S를 각각 구하여라.

(1) $r=1$, $\theta=\frac{\pi}{3}$

① $l=$

② $S=$

(2) $r=2$, $\theta=\frac{\pi}{4}$

① $l=$

② $S=$

(3) $r=6$, $\theta=\frac{5}{6}\pi$

① $l=$

② $S=$

(4) $r=10$, $\theta=\pi$

① $l=$

② $S=$

04 반지름의 길이가 r, 중심각의 크기가 θ인 부채꼴의 호의 길이를 l, 부채꼴의 넓이 S라 할 때, 다음을 구하여라.

(1) $l=\pi$, $\theta=\frac{\pi}{6}$일 때, S의 값

(2) $l=4\pi$, $\theta=\frac{4}{3}\pi$일 때, S의 값

(3) $l=\frac{3}{2}\pi$, $S=3\pi$일 때, r과 θ

(4) $r=6$, $l=4\pi$일 때, θ과 S

도전! 1등급

05 넓이가 6 cm이고 중심각의 크기가 3인 부채꼴의 반지름의 길이를 r cm, 호의 길이를 l cm라고 할 때, 두 상수 r, l에 대하여 $r+l$의 값은?

① 5　② 6　③ 8
④ 9　⑤ 10

개념 03

삼각함수의 정의와 삼각함수의 값의 부호

(1) 삼각함수의 정의

점 $P(x, y)$에 대하여 $\overline{OP}=r$이고, 동경 OP가 나타내는 각의 크기가 θ일 때,

$\sin\theta=\frac{y}{r}$, $\cos\theta=\frac{x}{r}$, $\tan\theta=\frac{y}{x}(x\neq0)$

특히, 반지름의 길이 $r=1$일 때 동경 OP가 나타내는 일반각의 크기 θ에 대하여 삼각함수를 다음과 같이 나타낼 수 있다.

$\sin\theta=\square$, $\cos\theta=\square$, $\tan\theta=\frac{y}{x}(x\neq0)$

(2) 삼각함수의 값의 부호

$\sin\theta$의 부호	$\cos\theta$의 부호	$\tan\theta$의 부호	함숫값이 양인 것
제1, 2사분면 +, 제3, 4사분면 −	제1, 4사분면 +, 제2, 3사분면 −	제1, 3사분면 +, 제2, 4사분면 −	제1사분면 all, 제2사분면 sin, 제3사분면 tan, 제4사분면 cos

유형 삼각함수의 정의

• 점 $P(x, y)$에 대하여 $\overline{OP}=r$이고, 동경 OP가 나타내는 각의 크기가 θ일 때,
$\sin\theta=\frac{y}{r}$, $\cos\theta=\frac{x}{r}$, $\tan\theta=\frac{y}{x}(x\neq0)$

01 다음 그림과 같이 원점 O와 점 $P(-3,4)$을 지나는 동경 OP가 나타내는 각의 크기를 θ라고 할 때, 다음 값을 구하여라.

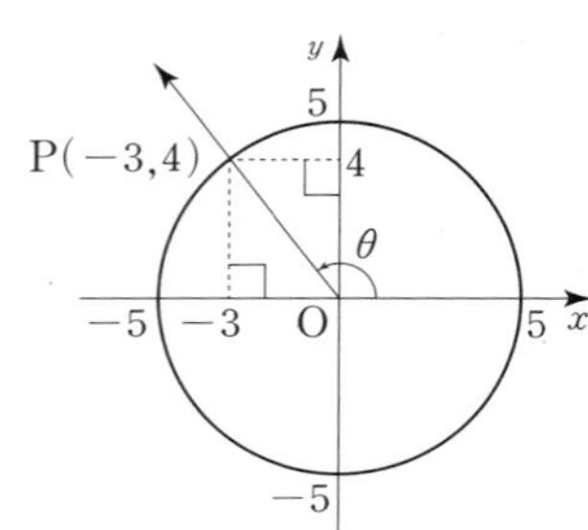

(1) $\sin\theta$

(2) $\cos\theta$

(3) $\tan\theta$

02 각의 크기가 θ인을 동경과 원점 O를 중심으로 하는 원의 교점 P가 다음과 같을 때, $\sin\theta$, $\cos\theta$, $\tan\theta$의 값을 각각 구하여라.

(1) $P(\sqrt{3}, 1)$

① $\sin\theta$ ② $\cos\theta$ ③ $\tan\theta$

(2) $P(12, -5)$

① $\sin\theta$ ② $\cos\theta$ ③ $\tan\theta$

(3) $P(-2, -\sqrt{5})$

① $\sin\theta$ ② $\cos\theta$ ③ $\tan\theta$

03 아래의 그림과 같이 $\theta=\frac{5}{4}\pi$를 나타내는 동경과 단위 원의 교점을 P라 하고, 점 P에서 x축에 내린 수선의 발을 H라고 할 때, $\sin\theta$, $\cos\theta$, $\tan\theta$의 값을 구하는 과정이다. 빈칸에 알맞은 수를 써넣어라.

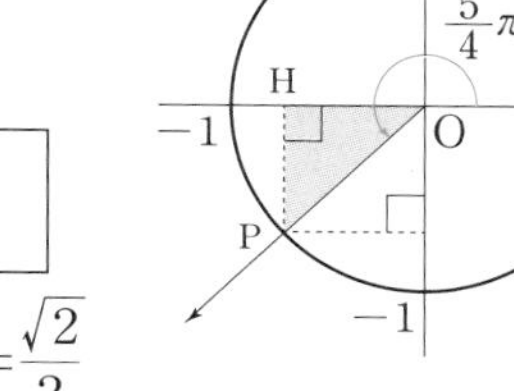

[풀이]

$\theta=\frac{5}{4}\pi=\pi+\square$

$\overline{PH}=\overline{OP}\sin\frac{\pi}{4}=\square$

$\overline{OH}=\overline{OP}\cos\square=\frac{\sqrt{2}}{2}$

이고, 점 P가 제3사분면 위의 점이므로

점 P의 좌표는 $\left(\square, -\frac{\sqrt{2}}{2}\right)$

$\overline{OP}=1$이므로 삼각함수의 정의에 의하여

$\therefore \sin\theta=\square$, $\cos\theta=\square$, $\tan\theta=\square$

유형 삼각함수의 값의 부호

- x좌표, y좌표의 부호에 따라 결정
  1사분면 — 삼각함수 모두(ALL) 양수
  2사분면 — sin만 양수
  3사분면 — tan만 양수
  4사분면 — cos만 양수

04 다음 θ의 값에 대하여 $\sin\theta$, $\cos\theta$, $\tan\theta$의 값의 부호를 차례로 구하여라.

(1) $\theta=\frac{3}{4}\pi$

(2) $\theta=\frac{7}{6}\pi$

(3) $\theta=-50°$

(4) $\theta=400°$

05 $\theta=\frac{10}{3}\pi$일 때, 다음 삼각함수의 값의 부호를 구하여라.

(1) $\tan\theta$

(2) $\sin\theta\cos\theta$

(3) $\sin\theta-\tan\theta$

06 다음 조건을 만족하는 θ는 제 몇 사분면의 각인지 구하여라.

(1) $\sin\theta>0$, $\cos\theta<0$

(2) $\sin\theta\cos\theta<0$

(3) $\cos\theta\tan\theta>0$, $\tan\theta+\cos\theta>0$

도전! 1등급

07 원점 O와 점P$(-1, a)$에 대하여 동경 OP가 나타내는 각의 크기를 θ라 할 때, $\tan\theta=2$이다. 이 때, $5\sin\theta\cos\theta$의 값은?

① $-\sqrt{5}$　② 1　③ $\sqrt{5}$
④ $2\sqrt{5}$　⑤ 2

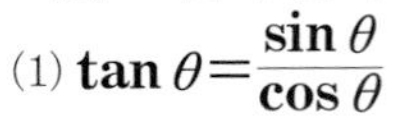

개념 04 삼각함수 사이의 관계

다음 그림과 같이 각 θ를 나타내는 동경과 반지름이 1인 원(단위원)의 교점을 $\mathrm{P}(x,\ y)$라고 하면

(1) $\tan\theta=\dfrac{\sin\theta}{\cos\theta}$

$\because\ \sin\theta=\dfrac{y}{1}=y,\ \cos\theta=\dfrac{x}{1}=x$이다.

따라서 $\tan\theta=\dfrac{y}{x}=\dfrac{\sin\theta}{\cos\theta}$

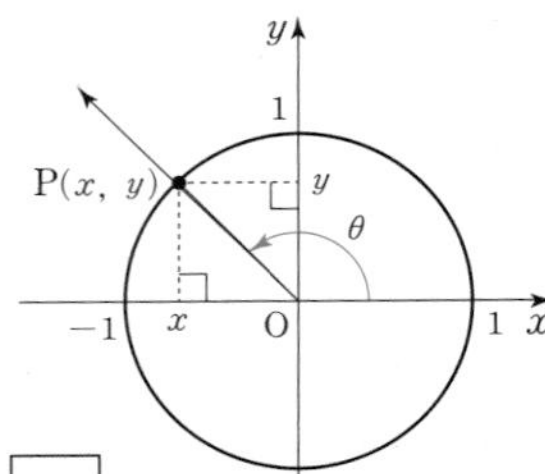

(2) $\sin^2\theta+\cos^2\theta=1$

$\because\ \mathrm{P}(x,\ y)$는 단위원 위의 점이므로 $x^2+y^2=$ ☐

이 때, $x=\cos\theta,\ y=\sin^2\theta$이므로 ☐ $+\sin^2\theta=1$

참고 $(\sin\theta)^2=\sin^2\theta,\ (\cos\theta)^2=\cos^2\theta,\ (\tan\theta)^2=\tan^2\theta$로 나타낸다.
또, $(\sin\theta)^2\neq\sin\theta^2$임에 주의해야 한다.

유형 삼각함수의 사이의 관계

- $\dfrac{3}{2}\pi<\theta<2\pi$이고, $\cos\theta=\dfrac{1}{2}$일 때, $\sin\theta$의 값
  - ➡ $\sin^2\theta=1-\cos^2\theta=\dfrac{3}{4}$
  - ➡ θ는 제4사분면의 각이므로 $\therefore\ \sin\theta=-\dfrac{\sqrt{3}}{2}$

01 다음 각 $\theta=\dfrac{7}{4}\pi$일 때, 다음 물음에 답하여라.

(1) $\sin\theta,\ \cos\theta,\ \tan\theta$의 값을 각각 구하여라.

(2) $\tan\theta=\dfrac{\sin\theta}{\cos\theta}$ 임을 확인하여라.

(3) $\sin^2\theta+\cos^2\theta=1$임을 확인하여라.

02 $\sin\theta+\cos\theta=\dfrac{1}{2}$일 때, 다음 값을 구하여라.

(1) $\sin\theta\cos\theta$

(2) $\dfrac{1}{\sin\theta}+\dfrac{1}{\cos\theta}$

(3) $\tan\theta+\dfrac{1}{\tan\theta}$

(4) $\sin^3\theta+\cos^3\theta$

유형 삼각함수의 사이의 관계를 이용한 식의 값

• θ가 제3사분면의 각이고 $\sin\theta=-\frac{3}{5}$일 때, $\cos\theta-\tan\theta$의 값을 구하여라.

➡ $\cos^2\theta=1-\sin^2\theta=\frac{16}{25}$

➡ θ는 제 3사분면의 각이므로 $\therefore \cos\theta=-\frac{4}{5}$

➡ $\tan\theta=\frac{y}{x}=\frac{\sin\theta}{\cos\theta}=\frac{3}{4}$

➡ $\tan\theta-\cos\theta=\frac{3}{4}+\frac{4}{5}=\frac{31}{20}$

03 다음을 구하여라.

(1) θ가 제2사분면의 각이고 $\sin\theta=\frac{1}{2}$일 때, $\cos\theta+\tan\theta$의 값을 구하여라.

(2) $\pi<\theta<\frac{3}{2}\pi$의 각이고 $\cos\theta=-\frac{2}{3}$일 때, $(\sin\theta+\tan\theta)^2$의 값을 구하여라.

(3) θ가 제4사분면의 각이고 $\cos\theta=\frac{4}{5}$일 때, $\frac{\tan\theta}{1+\cos\theta}+\frac{\tan\theta}{1-\cos\theta}$의 값을 구하여라.

04 θ가 제1사분면의 각이고 $\sin\theta-\cos\theta=\frac{1}{3}$일 때, 다음 식의 값을 구하여라.

(1) $\sin\theta\cos\theta$

(2) $\sin\theta+\cos\theta$

도전! 1등급

05 $-\frac{3}{2}\pi<\theta<0$의 각이고 $\tan\theta=\frac{3}{4}$일 때, $\sin^2\theta-\cos^2\theta$의 값을 구한 것은?

① $\frac{16}{25}$ ② $\frac{14}{25}$ ③ $\frac{7}{25}$

④ $-\frac{7}{25}$ ⑤ $-\frac{16}{25}$

개념

05 주기함수, 삼각함수의 그래프

(1) 주기함수

함수 $f(x)$의 정의역에 속하는 모든 x에 대하여 $f(x+p)=f(x)$를 만족하는 0이 아닌 상수 p가 존재할 때, 함수 $f(x)$를 주기함수라 하고, 상수 p의 값 중에서 최소인 양수를 주기라 한다.

예 모든 x에 대하여 $\sin(x+2\pi)=\sin x$이므로 함수 $y=\sin x$는 주기가 ☐인 주기함수이다.

(2) 삼각함수의 그래프

	$y=\sin x$의 그래프	$y=\cos x$의 그래프	$y=\tan x$의 그래프
정의역	실수 전체의 집합	실수 전체의 집합	$n\pi+\frac{\pi}{2}$(n은 정수)를 제외한 실수 전체집합
치역	$\{y\mid -1\le y\le 1\}$	$\{y\mid -1\le y\le 1\}$	실수 전체의 집합
주기	2π 즉, $\sin(2n\pi+x)=\sin x$ (단, n은 정수)	2π 즉, $\cos($☐$+x)=\cos x$ (단, n은 정수)	π 즉, $\tan($☐$+x)=\tan x$ (단, n은 정수)
그래프의 모양	원점에 대하여 대칭이다.	y축에 대하여 대칭이다.	원점에 대하여 대칭이다.
점근선의 방정식	–	–	$x=n\pi+\frac{\pi}{2}$(단, n은 정수)

유형 함수 $y=a\sin bx$의 그래프

• $y=a\sin bx$ 그래프의 특징

① 주기 : $\frac{2\pi}{|b|}$

② 치역 : $\{y\mid -|a|\le y\le |a|\}$

③ 최댓값은 $|a|$, 최솟값은 $-|a|$

01 다음 함수 $y=3\sin x$에 대한 설명이다. 옳은 것은 ○표, 옳지 않은 것은 ×표를 하여라.

(1) 정의역은 실수 전체의 집합이다. (　　)

(2) 치역은 $\{y\mid -2\le y\le 2\}$이다. (　　)

(3) 주기가 3π인 주기함수이다. (　　)

(4) 원점에 대하여 대칭이다. (　　)

(5) 최댓값은 3이고, 최솟값은 -3이다. (　　)

02 다음 함수의 주기와 치역을 각각 구하고, 그 그래프를 그려라.

(1) $y=2\sin x$

① 주기

$f(x)=2\sin x$라고 하면

$f(x)=2\sin x=2\sin(x+$☐$)=f(x+$☐$)$

따라서 주기는 ☐이다.

② 치역

$-1\le\sin x\le 1$에서 ☐$\le 2\sin x\le$☐ 이므로

치역은 $\{y\mid$☐$\le y\le$☐$\}$

③ $y=2\sin x$그래프

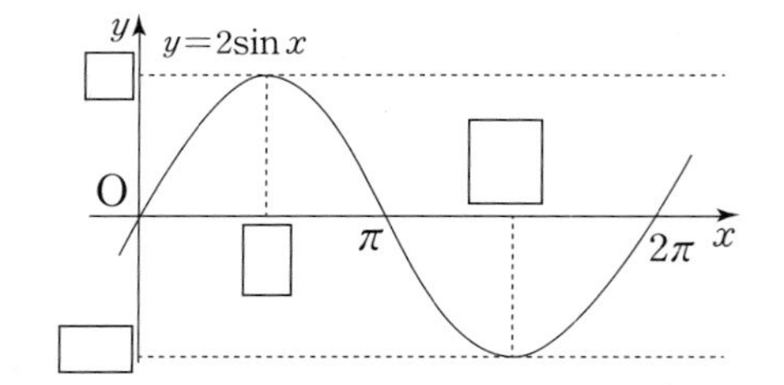

(2) $y=\sin 2x$

① 주기

$f(x)=\sin 2x$라고 하면

$f(x)=\sin 2x=\sin(2x+\square)=\sin 2(x+\square)$

$=f(x+\pi)$

따라서 주기는 $\square$이다.

② 치역

③ $y=\sin 2x$그래프

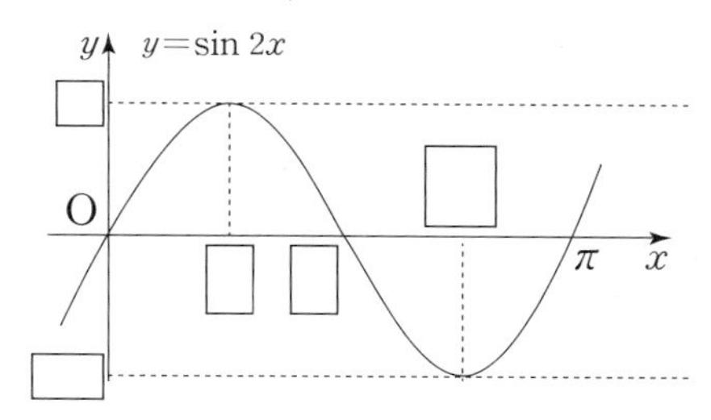

(3) $y=3\sin\frac{1}{2}x$

① 주기

② 치역

③ $y=3\sin\frac{1}{2}x$그래프

유형 함수 $y=a\cos bx$의 그래프

• $y=a\cos bx$ 그래프의 특징

① 주기 : $\frac{2\pi}{|b|}$

② 치역 : $\{y\mid -|a|\le y\le |a|\}$

③ 최댓값은 $|a|$, 최솟값은 $-|a|$

03 다음 함수 $y=\cos 4x$에 대한 설명이다.
옳은 것은 ○표, 옳지 않은 것은 ×표를 하여라.

(1) 정의역은 음이 아닌 실수 전체의 집합이다. (　　)

(2) 치역은 $\{y\mid -1\le y\le 1\}$이다. (　　)

(3) $\cos 4\pi=\cos 4(x+\pi)$ (　　)

(4) y축에 대하여 대칭이다. (　　)

(5) 최댓값은 4이고, 최솟값은 -4이다. (　　)

04 다음 함수의 주기와 치역을 각각 구하고, 그 그래프를 그려라.

(1) $y=\frac{1}{2}\cos x$

① 주기

$f(x)=\frac{1}{2}\cos x$라고 하면

$f(x)=\frac{1}{2}\cos x=\frac{1}{2}\cos(x+\square)=f(x+\square)$

따라서 주기는 $\square$이다.

② 치역

$-1\le\cos x\le 1$에서 $\square\le\frac{1}{2}\cos x\le\square$이므로

치역은 $\{y\mid \square\le y\le\square\}$

③ $f(x)=\frac{1}{2}\cos x$그래프

(2) $y=\cos 3x$

① 주기

$f(x)=\cos 3x$라고 하면

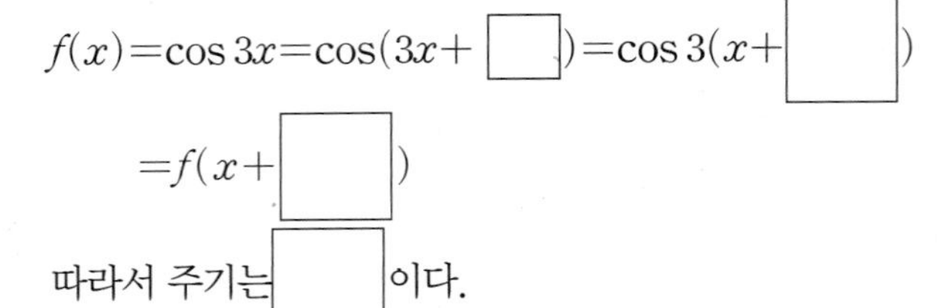

$f(x)=\cos 3x=\cos(3x+\square)=\cos 3(x+\square)$

$=f(x+\square)$

따라서 주기는 $\square$이다.

② 치역

③ $y=\cos 3x$그래프

(3) $y=2\cos \pi x$

① 주기

② 치역

③ $y=2\cos \pi x$그래프

유형 함수 $y=a\tan bx$의 그래프

• $y=a\tan bx$ 그래프의 특징

① 주기 : $\dfrac{\pi}{|b|}$

② 정의역 : $\dfrac{1}{b}\left(n\pi+\dfrac{\pi}{2}\right)$($n$은 정수)를 제외한 실수 전체의 집합

③ 치역은 실수 전체의 집합이므로 최댓값과 최솟값이 없다.

05 다음 함수 $y=\tan 2x$에 대한 설명이다. 옳은 것은 ○표, 옳지 않은 것은 ×표를 하여라.

(1) 정의역은 실수 전체의 집합이다. (　　　)

(2) 치역은 $\{y\,|\,-2\le y\le 2\}$이다. (　　　)

(3) 주기가 $\dfrac{\pi}{2}$인 함수이다. (　　　)

(4) $\tan(-2x)=\tan 2x$ (　　　)

(5) 점근선의 방정식은 $x=\dfrac{n}{2}\pi+\dfrac{\pi}{4}$($n$은 정수)이다. (　　　)

06 다음 함수의 주기와 치역을 각각 구하고, 그 그래프를 그려라.

(1) $y=\tan\dfrac{x}{2}$

① 주기

$f(x)=\tan\dfrac{x}{2}$라고 하면

$f(x)=\tan\dfrac{x}{2}=\tan\left(\dfrac{x}{2}+\square\right)=\tan\dfrac{1}{2}(x+\square)$

$=f(x+\square)$

따라서 주기는 $\square$이다.

② 점근선의 방정식

$\dfrac{x}{2}=n\pi+\dfrac{\pi}{2}$($n$은 정수)에서 $x=2n\pi+\pi$

$\therefore x=(\square)\pi$($n$은 정수)

③ $y=\tan\frac{x}{2}$ 그래프

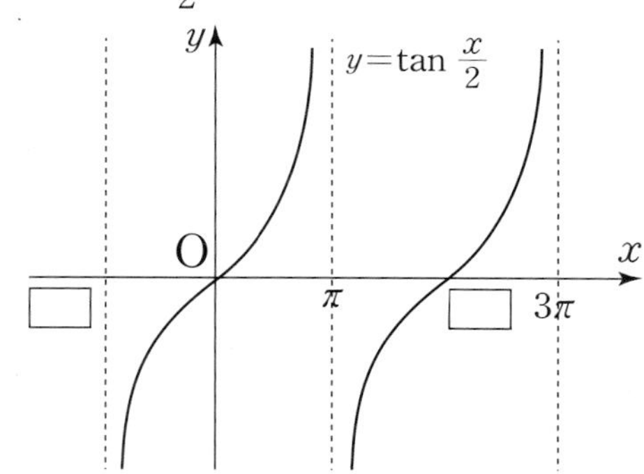

(2) $y=2\tan 3x$

① 주기

$f(x)=2\tan 3x$라고 하면

$f(x)=2\tan 3x=2\tan(3x+\square)=2\tan 3(x+\square)$

$=f(x+\square)$

따라서 주기는 $\square$이다.

② 점근선의 방정식

③ $y=2\tan 3x$그래프

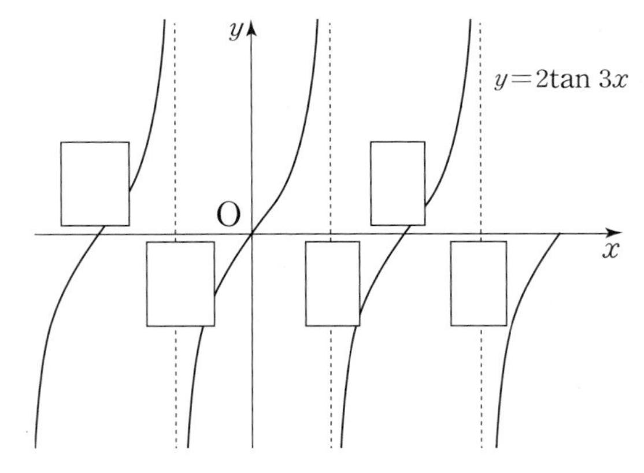

07 다음 삼각함수 $y=\cos 2x-3$의 주기, 최댓값과 최솟값을 각각 구하여라.

① $f(x)=\cos 2x-3$라고 하면,
이 함수의 그래프는 함수 $y=\cos 2x$의 그래프를 $\square$축의 방향으로 $\square$만큼 평행이동한 것이다.

② 주기

$f(x)=\cos(2x+\square)-3=\cos 2(x+\square)-3$

$=f(x+\square)$

따라서 주기는 $\square$이다.

③ 최댓값과 최솟값

$-1\leq\cos 2x\leq 1$에서 $\square\leq\cos 2x-3\leq\square$이므로 최댓값은 $\square$, 최솟값은 $\square$

도전! 1등급

08 다음 삼각함수 $y=|3\sin 2x|$의 최댓값을 M, 최솟값을 m, 주기를 p라고 할 때 $p(M-m)$의 값은?

① $-\frac{\pi}{2}$ ② $\frac{\pi}{2}$ ③ 0

④ $-\frac{2}{3}\pi$ ⑤ $\frac{3}{2}\pi$

삼각함수의 성질

(1) $2n\pi+x$의 삼각함수 (단, n은 정수)

$\sin(2n\pi+x)=\sin x$　　$\cos(2n\pi+x)=\cos x$　　$\tan(2n\pi+x)=\tan x$

예 $\sin\frac{5}{2}\pi=\sin\left(2\pi+\frac{\pi}{2}\right)=\sin\frac{\pi}{2}=1$, $\tan\frac{13}{6}\pi=\tan(2\pi+\square)=\tan\square=\square$

(2) $-x$의 삼각함수

$\sin(-x)=-\sin x$　　$\cos(-x)=\cos x$　　$\tan(-x)=-\tan x$

예 $\cos\left(-\frac{\pi}{3}\right)=\cos\frac{\pi}{3}=\frac{1}{2}$

참고 함수 $y=\sin x$와 $y=\tan x$의 그래프는 $\square$에 대하여 대칭하므로
$y=\sin(-x)=-\sin x$, $\tan(-x)=-\tan x$이고
함수 $y=\cos x$의 그래프는 $\square$축에 대하여 대칭하므로 $\cos(-x)=\cos x$이다.

(3) $\frac{\pi}{2}\pm x$의 삼각함수

$\sin\left(\frac{\pi}{2}\pm x\right)=\cos x$　　$\cos\left(\frac{\pi}{2}\pm x\right)=\mp\sin x$　　$\tan\left(\frac{\pi}{2}\pm x\right)=\mp\frac{1}{\tan x}$ (복부호 동순)

(4) $\pi\pm x$의 삼각함수

$\sin(\pi\pm x)=\mp\sin x$　　$\cos(\pi\pm x)=-\cos x$　　$\tan(\pi\pm x)=\pm\tan x$ (복부호 동순)

유형 $2n\pi+x$의 삼각함수

- $y=\sin x$와 $y=\cos x$의 주기는 2π,
  $\sin(2n\pi+x)=\sin x$, $\cos(2n\pi+x)=\cos x$
- $y=\tan x$의 주기는 π이므로,
  $\tan(n\pi+x)=\tan(2n\pi+x)=\tan x$

01 다음 삼각함수의 값을 구하여라.

(1) $\sin\frac{9}{4}\pi$

(2) $\cos\frac{19}{3}\pi$

(3) $\tan\left(-\frac{11}{6}\pi\right)$

(4) $\cos\left(-\frac{15}{4}\pi\right)$

(5) $\sin 750^\circ$

(6) $\cos 405^\circ$

(7) $\tan 780^\circ$

유형 $-x$의 삼각함수

- $\sin(-x)=-\sin x$
- $\cos(-x)=\cos x$
- $\tan(-x)=-\tan x$

02 다음 삼각함수의 값을 구하여라.

(1) $\sin\left(-\frac{\pi}{6}\right)$

(2) $\cos\left(-\frac{9}{4}\pi\right)$

(3) $\tan\left(-\frac{13}{3}\pi\right)$

(4) $\sin(-420°)$

(5) $\cos(-300°)$

(6) $\tan(-750°)$

유형 $\frac{\pi}{2}\pm x$의 삼각함수

- $\sin\left(\frac{\pi}{2}+x\right)=\cos x$, $\sin\left(\frac{\pi}{2}-x\right)=\cos x$
- $\cos\left(\frac{\pi}{2}+x\right)=-\sin x$, $\cos\left(\frac{\pi}{2}-x\right)=\sin x$
- $\tan\left(\frac{\pi}{2}+x\right)=-\frac{1}{\tan x}$, $\tan\left(\frac{\pi}{2}-x\right)=\frac{1}{\tan x}$

03 다음 빈칸에 알맞은 수 또는 삼각함수를 써넣어라.

(i) 함수 $y=\cos x$의 그래프는 함수 $y=\sin x$의 그래프를 x축의 방향으로 $-\frac{\pi}{2}$만큼 평행이동한 것과 같으므로

$\sin(\square+x)=\cos x$ ⋯ ㉠

(ii) ㉠에 x대신 $-x-\frac{x}{2}$를 대입하여 정리하면

$\sin(\square)=\cos\left(-x-\frac{\pi}{2}\right)$

$\sin(-x)=-\sin x$, $\cos(-x)=\cos x$

이기 때문에

$-\sin x=\cos(\square+x)$

$\cos\left(\frac{\pi}{2}+x\right)=-\sin x$ ⋯ ㉡

(iii) ㉠, ㉡에 의하여

$$\tan\left(\frac{\pi}{2}+x\right)=\frac{\sin\left(\frac{\pi}{2}+x\right)}{\cos\left(\frac{\pi}{2}+x\right)}$$

$$=\frac{\cos x}{\square}=-\frac{1}{\square}=-\frac{1}{\tan x}$$

04 다음 삼각함수의 값을 구하여라.

(1) $\sin\frac{5}{6}\pi$

(2) $\cos\frac{3}{4}\pi$

(3) $\tan \frac{2}{3}\pi$

(4) $\sin\left(\frac{\pi}{2}-\frac{\pi}{4}\right)$

(5) $\cos\left(\frac{\pi}{2}-\frac{\pi}{6}\right)$

(6) $\tan\left(\frac{\pi}{2}-\frac{\pi}{3}\right)$

유형 $\pi \pm x$의 삼각함수

- $\sin(\pi+x)=-\sin x$　　$\sin(\pi-x)=\sin x$
- $\cos(\pi+x)=-\cos x$　　$\cos(\pi-x)=-\cos x$
- $\tan(\pi+x)=\tan x$　　$\tan(\pi-x)=-\tan x$

05 다음 빈칸에 알맞은 수 또는 삼각함수를 써넣어라.

(i) $\sin(\pi+x)=\sin\left\{\frac{\pi}{2}+\left(\square+x\right)\right\}$

$=\cos\left(\square+x\right)=-\sin x$ ⋯ ㉠

(ii) $\cos(\pi+x)=\cos\left\{\frac{\pi}{2}+\left(\frac{\pi}{2}+x\right)\right\}$

$=-\sin\left(\frac{\pi}{2}+x\right)=\square$ ⋯ ㉡

(iii) ㉠, ㉡에 의하여

$\tan(\pi+x)=\frac{\sin(\pi+x)}{\cos(\pi+x)}$

$=\square=\tan x$

06 다음 삼각함수의 값을 구하여라.

(1) $\sin \frac{5}{4}\pi$

(2) $\cos \frac{7}{6}\pi$

(3) $\tan \frac{4}{3}\pi$

(4) $\sin \frac{2}{3}\pi$

(5) $\cos \frac{11}{4}\pi$

(6) $\tan \frac{17}{6}\pi$

07 다음삼각함수의 값을 구하여라.

(1) $\sin\left(\frac{\pi}{2}-\frac{\pi}{3}\right)-\cos\left(\pi+\frac{\pi}{3}\right)-\tan\frac{\pi}{3}\times\tan\left(\frac{\pi}{2}+\frac{\pi}{3}\right)$

(2) $\dfrac{\sin\left(\pi+\frac{\pi}{4}\right)\tan\left(\pi-\frac{\pi}{4}\right)}{\cos\left(\frac{\pi}{2}-\frac{\pi}{4}\right)}$

(3) $\left\{\cos\frac{3}{4}\pi+\tan\left(-\frac{5}{6}\pi\right)\right\}\times\sin\frac{7}{3}\pi$

(4) $\sin\frac{\pi}{6}\cos\left(-\frac{9}{4}\pi\right)+\tan\frac{14}{3}\pi$

도전! 1등급

08 $\cos^2 5^\circ+\cos^2 10^\circ+\cos^2 15^\circ+\cdots+\cos^2 85^\circ$의 값을 구한 것은?

① 5 ② $\frac{11}{2}$ ③ $\frac{13}{3}$

④ $\frac{17}{2}$ ⑤ 9

개념 07 삼각함수를 포함한 방정식과 부등식

(1) 각의 크기가 미지수인 삼각함수를 포함한 방정식

삼각함수의 그래프를 이용하여 풀 수 있다.

① 주어진 방정식을 $\sin x=k$(또는 $\cos x=k$ 또는 $\tan x=k$)의 형태로 고친다.(단, k는 상수)

② 좌표평면 위에 함수 $y=\sin x$ (또는 $y=\cos x$ 또는 $y=\tan x$)의 그래프와 직선 $y=k$를 그린다.

③ 주어진 범위에서 함수의 그래프와 직선의 교점(x좌표)를 찾아 방정식의 해를 구한다.

(2) 각의 크기가 미지수인 삼각함수를 포함한 부등식

부등호를 등호로 바꾸어 푼 다음, 주어진 부등식을 만족시키는 미지수의 값의 범위를 구한다.

예 $0<x\le 2\pi$일 때, 부등식 $\sin x>\frac{1}{2}$를 만족하는 x의 범위 구하기

(i) 방정식 $\sin x=\frac{1}{2}$의 해를 구한다.

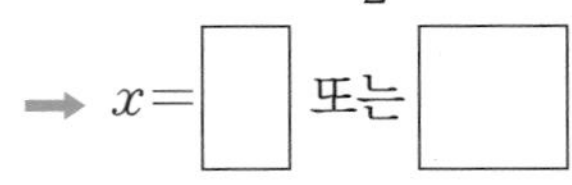

→ $x=$□ 또는 □

(ii) $y=\sin x$의 그래프가 직선 $y=\frac{1}{2}$보다 위쪽 경계선에 있는 부분의 x값의 범위이므로

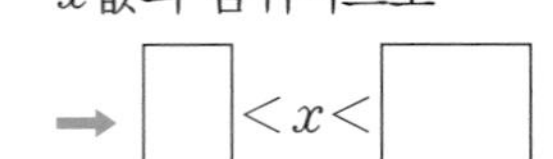

→ □ $<x<$ □

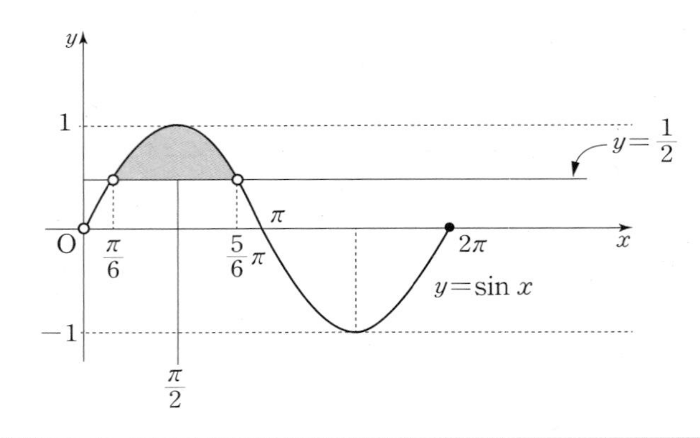

유형 삼각함수를 포함한 방정식

• $-\pi<x<0$일 때, $\cos x=\frac{\sqrt{3}}{2}$를 만족하는 x의 값

→ $-\pi<x<0$에서 $y=\cos x$의 그래프와 직선 $y=\frac{\sqrt{3}}{2}$의 교점의 x좌표를 구한다.

→ $\cos\left(-\frac{\pi}{6}\right)=\frac{\sqrt{3}}{2}$이므로 $\therefore x=-\frac{\pi}{6}$

01 다음 방정식을 풀어라.

(1) $0\le x<\pi$일 때, $\tan x=\frac{\sqrt{3}}{3}$을 만족하는 x의 값

[풀이]

함수 $y=\tan x$와 직선 $y=$□의 교점의 □ 좌표를 구한다. 즉, $\tan($□$)=\frac{\sqrt{3}}{3}$이므로 $\therefore x=$□

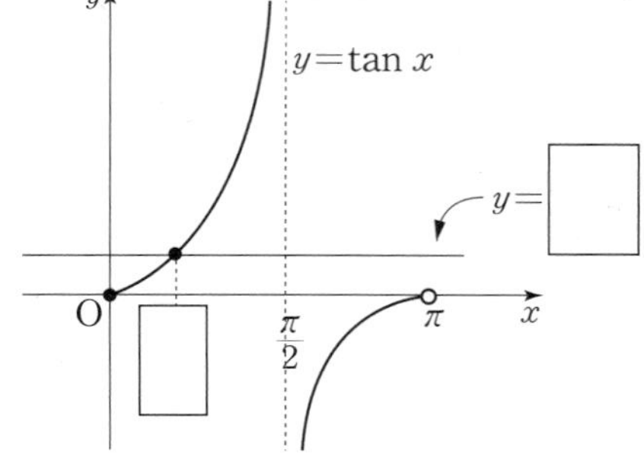

(2) $0\le x<2\pi$일 때, $2\cos x+1=0$의 해

[풀이]

(i) $\cos$□$=\frac{1}{2}$이고, $y=\cos x$의 그래프가 점 $\left(\frac{\pi}{2},\ 0\right)$에 대칭이므로

$\frac{\pi}{2}\le x\le\pi$에서 함수 $y=\cos x$와 직선 $y=-\frac{1}{2}$의 교점 x의 좌표를 x_1라고 하면

$\frac{\frac{\pi}{3}+x_1}{2}=$□에서 $\therefore x_1=$□

(ii) 또 다른 교점 x좌표를 x_2라고 하면

$\frac{x_1+x_2}{2}=$□에서 $\therefore x_2=$□

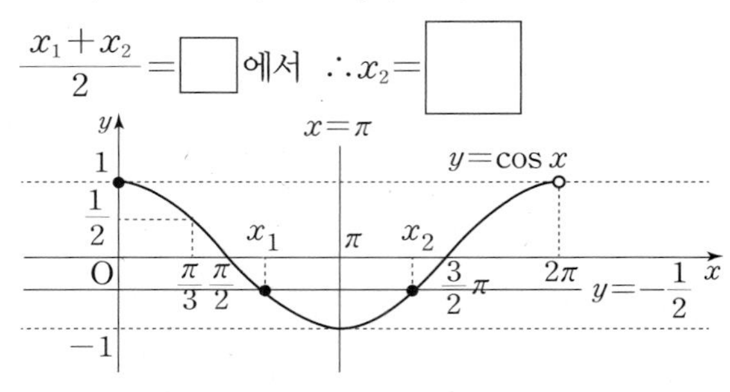

(i), (ii)에 의하여 $\cos x=-\frac{1}{2}$의 해는

$x=$□ 또는 □

02 $0 \le x < 2\pi$일 때 $2\sin^2 x - 5\cos x + 1 = 0$의 해를 구하여라. ($\sin^2 x = 1 - \cos^2 x$임을 이용하여라.)

유형 삼각함수를 포함한 부등식

- 삼각함수를 포함한 부등식을 등호로 바꾼 방정식으로 푼 후에 그래프를 이용하여 그 부등식을 만족시키는 영역을 구한다.

03 다음 부등식을 풀어라. (단, $0 \le x < 2\pi$)

(1) $\sin x < -\dfrac{\sqrt{3}}{2}$

(2) $\cos x > \dfrac{\sqrt{2}}{2}$

(3) $\tan x \ge \dfrac{1}{\sqrt{3}}$

도전! 1등급

04 다음 방정식 $\sin \pi x = \dfrac{x}{4}$의 방정식의 실근의 개수를 구하면?

① 3개　② 4개　③ 5개
④ 6개　⑤ 7개

개념 01

01 다음 각의 동경이 나타내는 일반각을 $360° \times n + \alpha°$의 꼴로 나타내어라. (단, n은 정수, $0° \le \alpha° < 360°$)

(1) $400°$

(2) $1010°$

(3) $-585°$

(4) $-830°$

개념 01

02 다음과 같은 각은 제 몇 사분면의 각인지 말하여라.

(1) $-650°$

(2) $820°$

(3) $-\frac{13}{6}\pi$

(4) $\frac{28}{9}\pi$

개념 02

03 다음 중 호도법으로 나타낸 각의 크기를 육십분법으로, 육십분법으로 나타낸 크기를 호도법으로 나타낸 것으로 옳은 것은 ○표, 옳지 않은 것은 ×표를 하여라.

(1) $\frac{5}{12}\pi = 75°$ (　　　)

(2) $\frac{7}{4}\pi = 210°$ (　　　)

(3) $\frac{3}{2}\pi = 270°$ (　　　)

(4) $120° = \frac{4}{5}\pi$ (　　　)

(5) $210° = \frac{7}{6}\pi$ (　　　)

개념 02

04 주어진 반지름의 길이가 r, 중심각의 크기가 θ인 부채꼴의 호의 길이를 l, 부채꼴의 넓이 S라 할 때, 다음을 구하여라.

(1) $r=10$, $\theta = \frac{2}{5}\pi$일 때, l과 S의 값

① l구하기

② S구하기

(2) $\theta = \frac{5}{3}\pi$, $S = 30\pi$일 때, r과 l의 값

① r구하기

② l구하기

(3) $r=2$, $S=\frac{5}{2}\pi$일 때, θ과 l의 합

① θ과 l의 값 각각 구하기

② θ와 l의 값의 합

(4) $r=8$, $l=16$일 때, $|\theta-S|$의 값

① θ와 S의 값 각각 구하기

② $|\theta-S|$의 값

개념 03

05 점 P$(4, 3)$를 y축에 대하여 대칭이동한 점을 A, 직선 $y=x$에 대하여 대칭이동한 점을 B라 하자. 이 때, 동경 OP, OA, OB가 나타내는 각을 각각 α, β, γ라 할 때, $\sin\alpha$, $\cos\beta$, $\tan\gamma$의 값을 각각 구하여라.

(1) 좌표평면에 동경 OP, OA, OB를 각각 나타내어라.

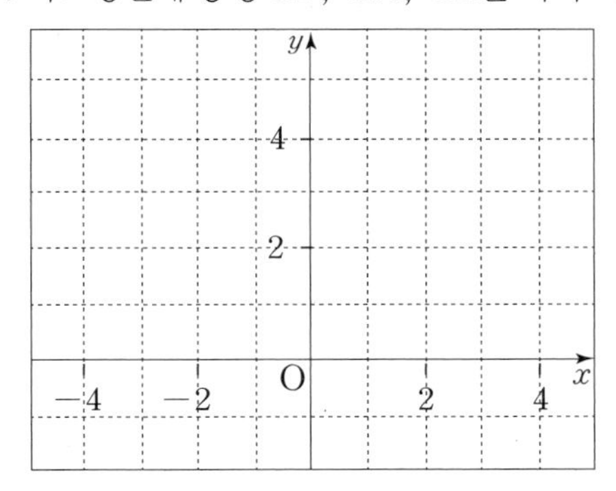

(2) $\sin\alpha$, $\cos\beta$, $\tan\gamma$의 값

① $\sin\alpha$

② $\cos\beta$

③ $\tan\gamma$

개념 03

06 다음 $\theta=-\frac{5}{12}\pi$일 때, 다음 삼각함수의 값의 부호를 구하여라.

(1) $\sin\theta$

(2) $-4\cos\theta$

(3) $\frac{5}{2}(\cos\theta-\tan\theta)$

개념 04

07 다음을 구하여라.

(1) θ가 제 3사분면의 각이고 $\cos\theta=-\frac{4}{5}$일 때, $\cos\theta+\tan\theta$의 값을 구하여라.

(2) $0<\theta<\frac{\pi}{2}$이고, $\tan\theta=2\sqrt{2}$일 때, $\sin\theta$의 값을 구하여라. (단, $1+\tan^2\theta=\frac{1}{\cos^2\theta}$임을 이용한다.)

(3) $\sin\theta+\cos\theta=\frac{1}{2}$ 일 때, 다음 물음에 답하여라.

(단, $\cos\theta>\sin\theta$)

① $\sin\theta\cos\theta$의 값

② $\cos\theta-\sin\theta$의 값

③ $\frac{1}{\sin\theta}-\frac{1}{\cos\theta}$

개념 05

08 다음 삼각함수의 최댓값, 최솟값, 주기를 각각 구하고, 그 그래프를 그려라.

(1) $y=2\sin\frac{x}{2}$

① 최댓값과 최솟값

② 주기

③ $y=2\sin\frac{x}{2}$의 그래프

(2) $y=3\cos\left(x-\frac{\pi}{3}\right)$

① 최댓값과 최솟값

② 주기

③ $y=3\cos\left(x-\frac{\pi}{3}\right)$의 그래프

(3) $y=3\tan 2x$ (단, $-\frac{\pi}{6}\le x\le\frac{\pi}{6}$)

① 최댓값과 최솟값

② 주기

③ $y=3\tan 2x$의 그래프

(단, $-\frac{\pi}{6}\le x\le\frac{\pi}{6}$)

개념 06

09 다음을 구하여라

(1) $\dfrac{\cos(\pi+\theta)}{\tan\left(\dfrac{3}{2}\pi-\theta\right)}+\cos(-\theta)\tan(3\pi+\theta)$을 간단히 하여라.

(2) $\tan 10^\circ \times \tan 20^\circ \times \cdots \times \tan 80^\circ$의 값을 구하는 과정이다. 빈칸을 완성하여라.

(i) $\tan(90^\circ-\theta)=\dfrac{1}{\tan\theta}$이므로 … ㉠

$\tan\theta \times \tan(90^\circ-\theta)=\square$

(ii) $\tan 10^\circ \times \tan 20^\circ \times \cdots \times \tan 80^\circ$

$=(\tan 10^\circ \times \tan\square)\times(\tan 20^\circ \times \tan\square)$

$\times\cdots\times(\tan 40^\circ \times \tan\square)$

(iii) ㉠에 의해서

$(\tan 10^\circ \times \square)\times(\tan 20^\circ \times \square)$

$\cdots\times(\tan 40^\circ \times \square)$

$=\square$

(3) $\sin^2 2^\circ+\sin^2 4^\circ+\sin^2 6^\circ+\cdots+\sin^2 88^\circ$의 값을 구하여라.

개념 07

10 다음 값을 구하여라.

(1) $0\le x<2\pi$일 때, $2\sin^2 x-\sin x-1=0$의 해를 구하여라.

(2) $0\le x\le 2\pi$일 때, 부등식 $2\sin^2 x+7\cos x<5$의 해가 $\alpha<x<\beta$일 때, $\alpha+\beta$의 값을 구하여라.

개념 08 사인법칙

(1) 사인법칙

$\triangle ABC$에서 외접원의 반지름을 R라고 하면

$$\boldsymbol{\frac{a}{\sin A}=\frac{b}{\sin B}=\frac{c}{\sin C}=2R}$$

(2) 사인법칙의 변형

① $a=2R\sin A$, $b=2R\sin B$, $c=2R\sin C$

② $\sin A=\frac{a}{2R}$, $\sin B=\frac{b}{2R}$, $\sin C=\frac{c}{2R}$

③ $a:b:c=\sin A:\sin B:\sin C$

참고 사인법칙을 이용하는 경우

① 한 변의 길이와 그 대각의 크기가 주어진 경우

② 한 변의 길이와 두 각의 크기가 주어지고 나머지 변의 길이를 구하는 경우

③ 삼각형의 외접원의 반지름의 길이에 관한 경우

예 오른쪽 그림과 같은 $\triangle ABC$에서

$A=45^\circ$, $B=60^\circ$, $a=4$일 때, b의 값

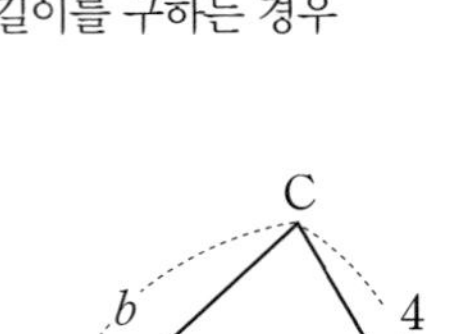

사인법칙을 이용하여, $\frac{4}{\sin 45^\circ}=\square$

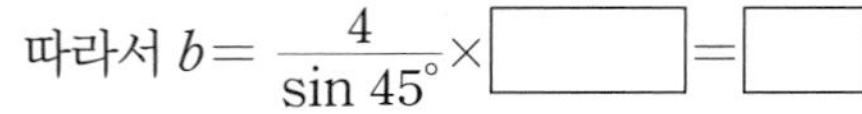

따라서 $b=\frac{4}{\sin 45^\circ}\times\square=\square$

유형 사인법칙

• $\triangle ABC$에서 외접원의 반지름을 R라 하면

$$\boldsymbol{\frac{a}{\sin A}=\frac{b}{\sin B}=\frac{c}{\sin C}=2R}$$

01 $\triangle ABC$의 외접원의 중심을 O, 반지름의 길이를 R라고 할 때, $\angle A$의 크기에 따라 $\boldsymbol{\frac{a}{\sin A}=2R}$을 보임으로써 사인법칙을 증명하는 과정이다. 빈칸을 완성하여라.
(단, $\triangle ABC$의 세 각 $\angle A$, $\angle B$, $\angle C$의 크기를 각각 A, B, C로 나타내고, 이들의 대변 BC, CA, AB의 길이를 각각 a, b, c로 나타낸다.)

(i) $0^\circ<A<90^\circ$일 때,

점 B를 지나는 지름의 다른 한 끝점을 A'이라 하면 원주각의 성질에 의하여

$A=\square$이고

$\angle BCA'=\square$이므로

$\sin A=\sin A'=\frac{\square}{\overline{A'B}}=\frac{a}{\square}$

따라서 $\frac{a}{\sin A}=2R$

(ii) $A=90^\circ$일 때,

$\overline{BC}=a=\square$이므로

$\frac{a}{\sin A}=\frac{\overline{BC}}{\sin\square}=\square$

따라서 $\frac{a}{\sin A}=2R$

(iii) $90^\circ<A<180^\circ$일 때,

점 B를 지나는 지름의 다른 한 끝점을 A'이라 하면 원에 내접하는 사각형의 한 쌍의 대각의 크기의 합은

$\square$이므로 $A=\square-A'$

$\angle BCA'=90^\circ$이므로

$\sin A=\sin(180^\circ-A')$

$=\sin\square$

$=\frac{\overline{BC}}{\overline{A'B}}=\square$

(i), (ii), (iii)에 의하여

A의 크기에 관계없이 $\frac{a}{\sin A}=2R$이고,

같은 방법으로 $\frac{b}{\sin B}=\frac{c}{\sin C}=2R$임을 알 수 있다.

02 $\triangle ABC$에 대하여 다음을 구하여라.

(1) $\triangle ABC$에서 $B=120°$, $\overline{BC}=2\sqrt{3}$, $\overline{AC}=6$일 때, A의 크기

(2) $\triangle ABC$에서 $C=45°$, $\overline{AC}=2\sqrt{6}$, $\overline{AB}=4$일 때, B의 크기

(3) $\triangle ABC$에서 $A=30°$, $\overline{AC}=8$, $\overline{BC}=4\sqrt{2}$일 때, 예각 C의 크기

(4) $\triangle ABC$에서 $\overline{AB}=2$, $A=45°$, $C=30°$일 때, $\overline{BC}$의 길이

(5) $\triangle ABC$에서 $\overline{AB}=10$, $B=60°$, $C=45°$일 때, $\overline{AC}$의 값

유형 사인법칙의 변형

• $\triangle ABC$에서 외접원의 반지름을 R라 하면

① $a=2R\sin A$, $b=2R\sin B$, $c=2R\sin C$

② $\sin A=\frac{a}{2R}$, $\sin B=\frac{b}{2R}$, $\sin C=\frac{c}{2R}$

③ $a:b:c=\sin A:\sin B:\sin C$

03 다음을 구하여라.

(1) $\overline{AC}=6\sqrt{3}$, $A=80°$, $C=40°$일 때, $\triangle ABC$의 외접원의 반지름의 길이 R의 값을 구하여라.

(2) $\triangle ABC$에서 $a:b:c=4:5:6$일 때, $\frac{\sin A+\sin C}{\sin B}$의 값을 구하여라.

도전! 1등급

04 $\triangle ABC$에서 $\sin^2 A+\sin^2 B=\sin^2 C$이 성립한다고 할 때, 이 삼각형은 어떤 삼각형인가?

① $A=90°$인 직각삼각형 ② $B=90°$인 직각삼각형
③ $C=90°$인 직각삼각형 ④ $a=b$인 직각삼각형
⑤ 정삼각형

개념 09

코사인법칙

(1) 코사인 법칙

$\triangle ABC$에서 다음 법칙이 성립한다.

$\boldsymbol{a^2=b^2+c^2-2bc\ \cos A}$

$\boldsymbol{b^2=c^2+a^2-2ca\ \cos B}$

$\boldsymbol{c^2=a^2+b^2-2ab\ \cos C}$

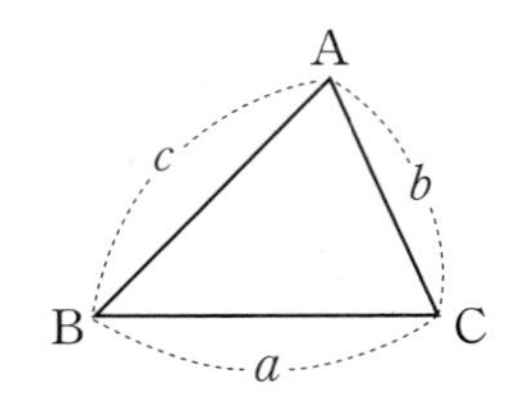

(2) 코사인법칙의 변형

$\cos A=\dfrac{b^2+c^2-a^2}{2bc}$, $\cos B=\dfrac{c^2+a^2-b^2}{2ca}$, $\cos C=\dfrac{a^2+b^2-c^2}{2ab}$

참고 ① 두 변의 길이와 그 끼인각의 크기가 주어질 때, 나머지 한 변의 길이를 구하는 경우
➡ 코사인법칙을 이용

② 세 변의 길이가 주어지고 한 각의 크기에 관한 문제 ➡ 코사인법칙의 변형을 이용

예 오른쪽 그림과 같은 $\triangle ABC$에서

$A=30^\circ$, $b=5$, $c=5\sqrt{3}$일 때, a의 값

$a^2=b^2+c^2-$ □ 에서

$a^2=5^2+(5\sqrt{3})^2-2\times$ □ $\times$ □ $\times\cos 30^\circ=$ □

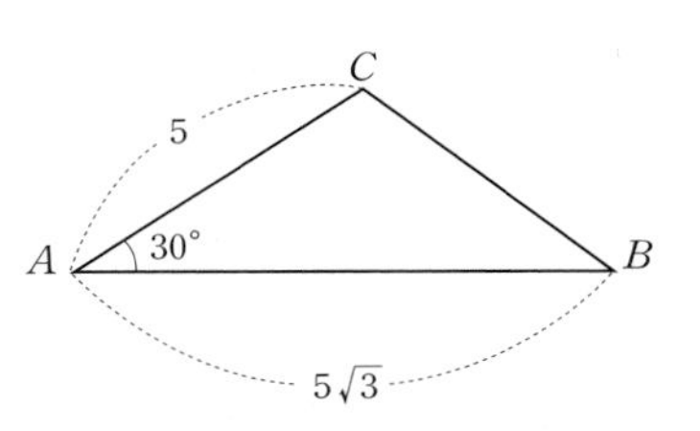

$\therefore a=$ □

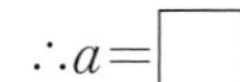

유형 코사인법칙

• 두 변의 길이와 그 끼인각의 크기가 주어질 때, 나머지 한 변의 길이를 구할 때, **코사인법칙** 이용

$\boldsymbol{a^2=b^2+c^2-2bc\cos A}$

$\boldsymbol{b^2=c^2+a^2-2ca\cos B}$

$\boldsymbol{c^2=a^2+b^2-2ab\cos C}$

01 $\triangle ABC$의 꼭짓점 A에서 변 BC또는 그 연장선에 내린 수선의 발을 H라고 할 때, $\angle C$의 크기에 따라 $c^2=a^2+b^2-2ab\cos C$임을 보임으로써 코사인법칙을 증명하는 과정이다. 빈칸을 완성하여라.

(i) $0^\circ<C<90^\circ$일 때,

$\triangle ABC$에서 $\overline{\text{CH}}=b\cos C$이고

$\overline{\text{BH}}=\overline{\text{BC}}-$ □ $=a-$ □

$\overline{\text{AH}}=b\sin C$이므로

$c^2=\overline{\text{BH}}^2+\overline{\text{AH}}^2$

$=(a-b\cos C)^2+(b\sin C)^2$

$=a^2-2ab\cos C+b^2($ □ $)$

$=a^2+b^2-$ □

(ii) $C=90^\circ$일 때,

$\cos C=$ □ 이므로

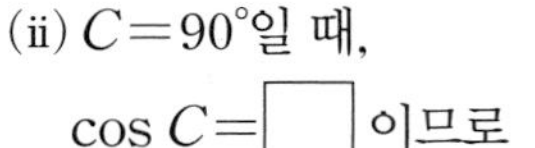

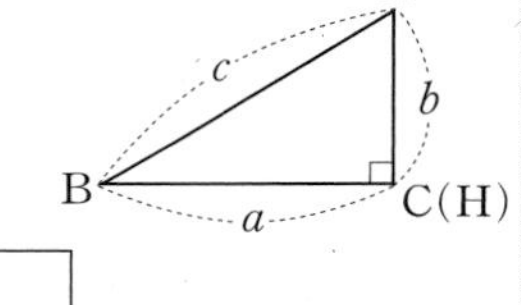

$c^2=$ □

$=a^2+b^2-2ab\cos$ □

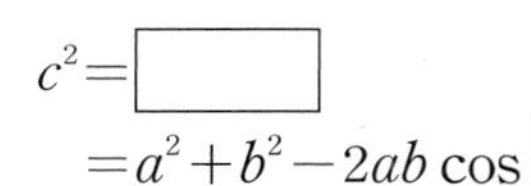

(iii) $90^\circ<C<180^\circ$일 때,

$\overline{\text{BH}}=\overline{\text{BC}}+$ □

$=a+b\cos(180^\circ-C)$

$=a-b\cdot$ □ 이고,

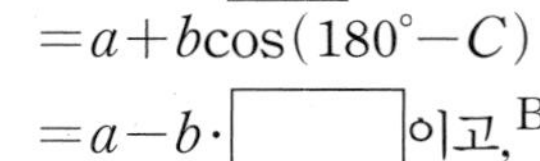

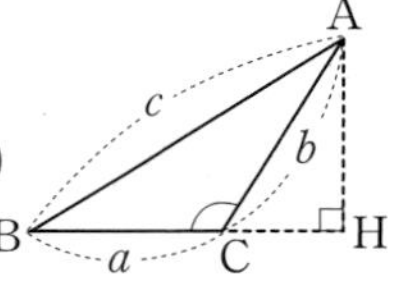

$\overline{\text{AH}}=b\sin($ □ $)=b\ \sin C$이므로

$c^2=\overline{\text{BH}}^2+\overline{\text{AH}}^2$

$=($ □ $)^2+(b\sin C)^2$

$=a^2-2ab\cos C+b^2(\cos^2 C+\sin^2 C)$

$=a^2+b^2-2ab\cdot$ □

(i), (ii), (iii)에 의하여

C의 크기에 관계없이

$c^2=a^2+b^2-2ab\cos C$이고,

같은 방법으로

$a^2=b^2+c^2-2bc\cos A$, $b^2=c^2+a^2-2ca\cos B$

임을 알 수 있다.

02 $\triangle ABC$에 대하여 다음을 구하여라.
(단, $\triangle ABC$의 세 각 $\angle A$, $\angle B$, $\angle C$의 크기를 각각 A, B, C로 나타내고, 이들의 대변 BC, CA, AB의 길이를 각각 a, b, c로 나타낸다.)

(1) $A=60°$, $b=3$, $c=4$일 때, a의 값

(2) $B=135°$, $a=4$, $c=2\sqrt{2}$일 때, b의 값

(3) $C=120°$, $b=8$, $c=13$일 때, a의 값

(2) $a=3$, $b=5$, $c=7$일 때, C의 값

(3) $\sin A : \sin B : \sin C = 1 : \sqrt{2} : \sqrt{3}$일 때, $\cos B$의 값

(4) $a=2$, $b=3$, $c=4$일 때, $\sin^2 C$의 값

유형 코사인법칙의 변형

• 세 변의 길이가 주어지고 한 각의 크기를 구할 때, 다음과 같은 식을 이용

$$\cos A = \frac{b^2+c^2-a^2}{2bc}, \quad \cos B = \frac{c^2+a^2-b^2}{2ca}$$

$$\cos C = \frac{a^2+b^2-c^2}{2ab}$$

03 $\triangle ABC$에 대하여 다음을 구하여라.

(1) $a=\sqrt{7}$, $b=2$, $c=3$일 때, A의 값

도전! 1등급

04 $\triangle ABC$에서 $a\cos B = b\cos A$가 성립한다고할 때, 이 삼각형은 어떤 삼각형인가?

① $a=b$인 이등변 삼각형 ② 둔각 삼각형
③ $a=c$인 이등변 삼각형 ④ $C=90°$인 직각삼각형
⑤ 정삼각형

개념 10

삼각형의 넓이

삼각형의 넓이

$\triangle ABC$의 넓이를 S라고 하면

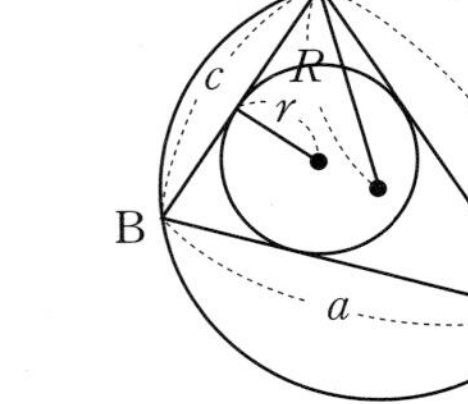

(1) 두 변의 길이와 그 끼인각의 크기를 알 때,

$\boldsymbol{S=\frac{1}{2}ab\sin C=\frac{1}{2}bc\sin A=\frac{1}{2}ca\sin B}$

(2) 외접원의 반지름의 길이가 R일 때,

$\boldsymbol{S=\frac{abc}{4R}=2R^2\sin A\sin B\sin C}$

증명 사인법칙에 의하여 $\sin A=\frac{a}{2R}$이므로 ➡ $S=\frac{1}{2}bc\sin A=\frac{1}{2}bc\cdot\frac{a}{2R}=\frac{abc}{4R}$

또, $b=2R\sin B$, $c=$ ☐ 이므로 ➡ $S=\frac{1}{2}bc\sin A=\frac{1}{2}\times$ ☐ $\times 2R\sin C\times\sin A$

$=$ ☐ $\cdot\sin A\sin B\sin C$

(3) 내접원의 반지름의 길이가 r일 때,

$\boldsymbol{S=\frac{1}{2}(a+b+c)r}$

(4) 삼각형의 세변의 길이를 알 때, (헤론의 공식)

$S=\sqrt{s(s-a)(s-b)(s-c)}$, $\left(\text{단, } s=\frac{a+b+c}{2}\right)$

유형 두 변의 길이와 그 끼인각을 알 때

• $a=7$, $b=4$, $C=30^\circ$인 $\triangle ABC$의 넓이 S는

➡ $S=\frac{1}{2}ab\sin C$

➡ $\frac{1}{2}\times7\times4\times\sin 30^\circ=7$

01 다음 조건을 만족하는 $\triangle ABC$의 넓이를 구하여라.

(1) $b=8$, $c=12$, $A=60^\circ$

(2) $a=2\sqrt{2}$, $b=6$, $C=135^\circ$

(3) $a=5$, $c=4$, $B=150^\circ$

유형 삼각형이 원과 내접 또는 외접할 때

• 외접원의 반지름의 길이가 R일 때,

$S=\frac{abc}{4R}=2R^2\sin A\sin B\sin C$

• 내접원의 반지름의 길이가 r일 때,

$S=\frac{1}{2}(a+b+c)r$

02 다음 물음에 답하여라.

(1) 세 변의 길이의 곱이 48이고 외접원의 반지름의 길이가 3일 때, $\triangle ABC$의 넓이

(2) $\triangle ABC$의 세 변의 길이의 합이 60이고 넓이가 120일 때, $\triangle ABC$의 내접원의 반지름의 길이

(3) $\triangle ABC$의 세 변의 내접원의 반지름의 길이가 3이고 넓이가 36일 때, $\triangle ABC$의 둘레의 길이의 합

유형 세 변의 길이를 알 때

• 세 변의 길이가 a, b, c인 $\triangle ABC$에 대하여, 삼각형 넓이 S는

$S=\sqrt{s(s-a)(s-b)(s-c)}$, $\left(단,\ s=\dfrac{a+b+c}{2}\right)$

03 다음과 같이 세 변의 길이 a, b, c를 알 때, $\triangle ABC$의 넓이 S를 $S=\frac{1}{2}ab\sin C$를 이용하여 구하여라.

(1) $a=8$, $b=5$, $c=7$

① 코사인법칙의 변형을 이용하여 $\cos C$ 구하기

② $\sin C$ 구하기 ($\sin^2\theta+\cos^2\theta=1$임을 이용)

③ $S=\frac{1}{2}ab\sin C$ 을 이용한 $\triangle ABC$의 넓이

(2) $a=3$, $b=6$, $c=5$

(3) $a=3$, $b=3$, $c=2\sqrt{3}$

04 다음과 같이 세 변의 길이 a, b, c를 알 때, $\triangle ABC$의 넓이 S를 헤론의 공식을 이용하여 구하여라.

(1) $a=8$, $b=5$, $c=7$

(2) $a=3$, $b=6$, $c=5$

(3) $a=6$, $b=8$, $c=10$

도전! 1등급

05 $\triangle ABC$ 때 $\angle A=120°$, $\overline{AB}=4$, $\overline{AC}=8$이다. $\angle A$의 이등분선이 변 BC와 만나는 점을 D라 할 때, 선분 AD의 길이는?

① 2 ② $\frac{5}{2}$ ③ $\frac{8}{3}$
④ $\frac{15}{2}$ ⑤ $\frac{32}{2}$

개념 11

사각형의 넓이

(1) 평행사변형의 넓이

변AB와 변BC의 길이를 각각 a, b라 하고, $\angle B$의 크기를 θ라 하면,
평행사변형의 넓이 S는,

$\boldsymbol{S=ab\ \sin\theta}$

증명 $\square ABCD=\triangle ABC+$ ☐ $=2\times\frac{1}{2}$ ☐ $=ab\sin\theta$

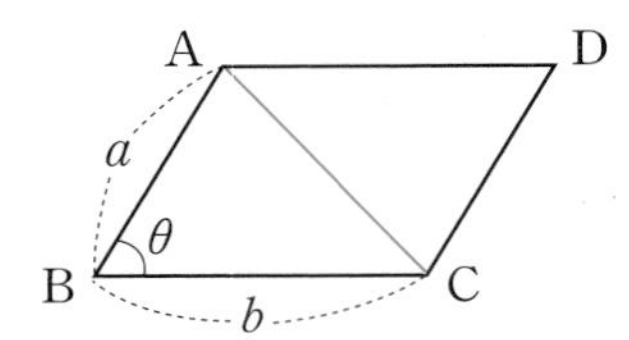

(2) 사각형의 두 대각선의 길이와 두 대각선이 이루는 각을 알 때,

$\square ABCD$의 대각선의 길이가 p, q이고, 두 대각선이 이루는 각을 θ라 하면,
사각형의 넓이 S는

$\boldsymbol{S=\frac{1}{2}pq\sin\theta}$

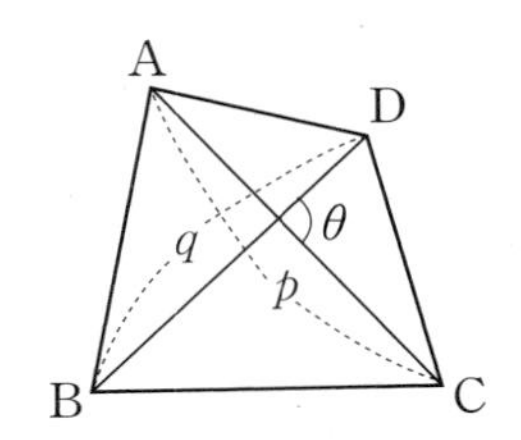

(3) 여러 가지 사각형의 넓이

$\square ABCD$을 두 개의 삼각형으로 나누어 각각의 넓이를 구하고,
두 삼각형의 넓이의 합으로 사각형의 넓이를 구한다.

유형 평행사변형의 넓이

• 변AB 와 변BC 의 길이를 각각 a, b라 하고,
$\angle B$의 크기를 θ라 하면, 평행사변형의 넓이 S는
→ $\boldsymbol{S=ab\sin C}$

01 다음 주어진 조건을 만족하는 평행사변형의 넓이를 구하여라.

(1) $\overline{AB}=4$, $\overline{BC}=2$, $\angle B=60^\circ$

(2) $\overline{BC}=5$, $\overline{CD}=8$, $\angle A=150^\circ$

(3) $\overline{AD}=3$, $\overline{CD}=6$, $\angle C=135^\circ$

유형 두 대각선의 길이와 사각형의 넓이

• 대각선의 길이가 p, q이고, 두 대각선이 이루는 각을 θ 라 하면,
사각형의 넓이 S는
→ $\boldsymbol{S=\frac{1}{2}pq\sin\theta}$

02 다음 조건을 만족하는 시각형의 넓이를 구하여라.

(1) $\square ABCD$에서 $\overline{AC}=5$, $\overline{BD}=4$이고 두 대각선이 이루는 각의 크기는 45°일 때 사각형의 넓이

(2) 두 대각선의 길이가 각각 8, 6이고 두 대각선이 이루는 각의 크기가 $\frac{2}{3}\pi$인 사각형의 넓이

(3) 두 대각선의 길이가 각각 10, 16이고, 두 대각선이 서로 다른 것을 수직이등분하는 사각형의 넓이

유형 여러 가지 사각형의 넓이

- $\square ABCD$을 두 개의 삼각형으로 나누어 각각의 넓이를 구하고, 두 삼각형의 넓이의 합으로 사각형의 넓이를 구한다.

03 $\square ABCD$의 넓이를 구하려고 한다. 물음에 답하여라.

(1)

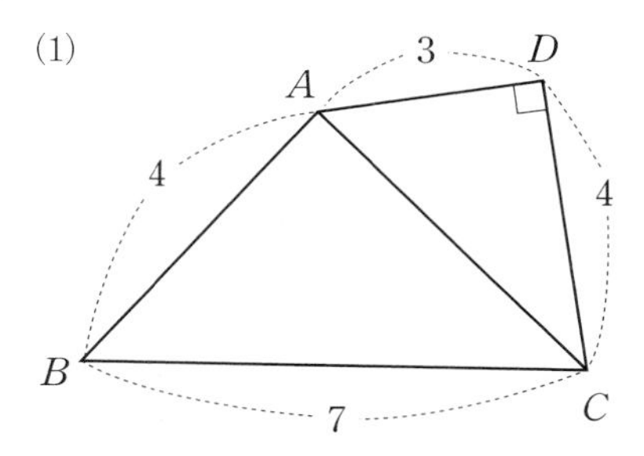

① $\triangle ACD$의 넓이

② $\triangle ABC$의 넓이

③ $\square ABCD$의 넓이

(2)

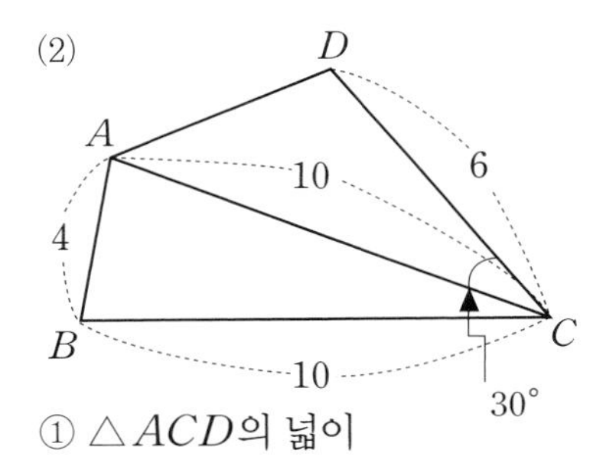

① $\triangle ACD$의 넓이

② $\triangle ABC$의 넓이

③ $\square ABCD$의 넓이

04 다음 $\square ABCD$의 넓이를 구하여라.

(1) 사다리꼴 $\square ABCD$의 넓이

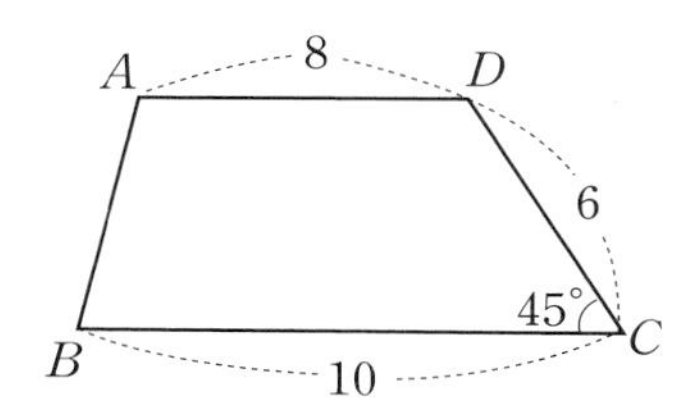

(2) 마름모 $\square ABCD$의 넓이

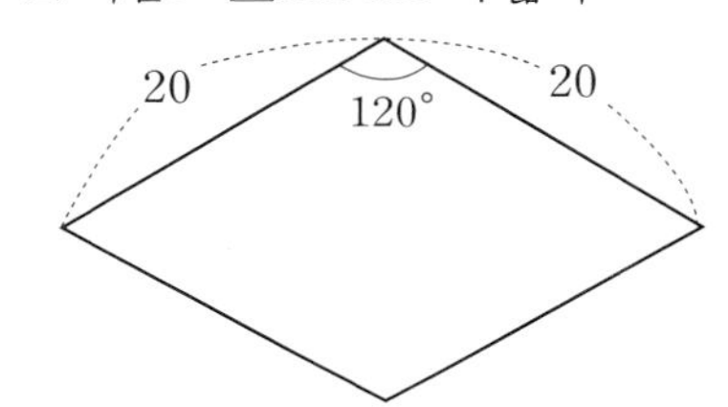

도전! 1등급

05 $\square ABCD$의 넓이를 구한 것은?

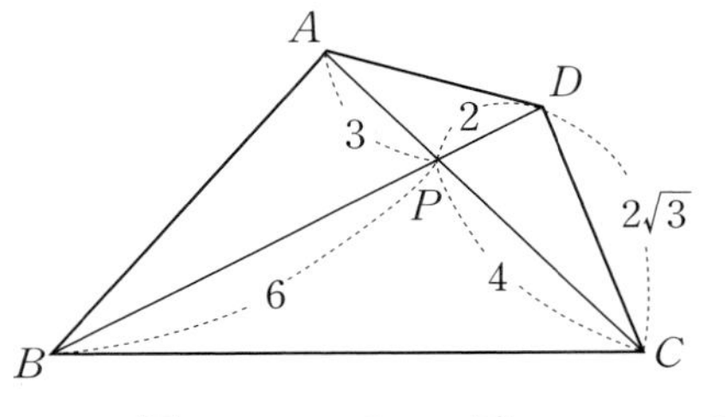

① $10\sqrt{2}$ ② $12\sqrt{3}$ ③ 13

④ $14\sqrt{3}$ ⑤ $15\sqrt{3}$

개념 08

01 다음과 같은 $\triangle ABC$에 대하여 다음을 구하여라.
(단, $\triangle ABC$의 세 각 $\angle A$, $\angle B$, $\angle C$의 크기를 각각 A, B, C로 나타내고, 이들의 대변 BC, CA, AB의 길이를 각각 a, b, c로 나타낸다.)

(1) $\triangle ABC$에서 $a=4\sqrt{6}$, $b=8$, $B=45°$일 때, A의 크기

(2) $\triangle ABC$에서 $b=10$, $B=30°$, $C=120°$일 때, c의 길이

(3) $\triangle ABC$에서 $\sin A:\sin B:\sin C=5:4:7$일 때, $(a+b):(b+c):(c+a)$의 간단한 정수비

(4) $\triangle ABC$에서 $\sin A:\sin B:\sin C=2:3:5$일 때, $ab:bc:ca$의 간단한 정수비

(5) $\triangle ABC$에서 $A=60°$, $c=4$, $a=2\sqrt{3}$, 일 때, 외접원의 반지름의 R의 길이

(6) $\triangle ABC$에서 $B=C=30°$, $a=9$ 일 때, 외접원의 넓이 S

개념 08

02 다음 조건을 만족하는 $\triangle ABC$는 어떤 삼각형인지 구하여라.

(1) $a\sin A=b\sin B=c\sin C$

(2) $a\sin^2 A=b\sin^2 B$

개념 09

03 다음과 같은 $\square ABCD$에 대하여 다음을 구하여라.

(1) $\triangle ABC$에서 $C=\frac{\pi}{3}$, $a=5$, $b=6$일 때, $\overline{\mathrm{AB}}$의 길이

(2) $\triangle ABC$에서 $B=45°$, $c=\sqrt{6}$, $a=\sqrt{3}+1$일 때, $\overline{\mathrm{AC}}$의 길이

(3) $\triangle ABC$에서 $a=\sqrt{5}$, $b=\sqrt{2}$, $c=3$일 때, A의 크기

(4) $\triangle ABC$에서 세 변의 길이의 비가 $a:b:c=3:7:8$일 때, $\cos C$의 값

(5) $\triangle ABC$에서 $b=5$, $c=3$, $A=120°$일 때, $\triangle ABC$의 외접원의 지름의 길이

개념 09

04 다음 조건을 만족하는 $\triangle ABC$는 어떤 삼각형인지 구하여라.

(1) $a\cos B-b\cos A=c$

(2) $\cos A:\cos B=a:b$

개념 10

05 다음 조건을 만족하는 $\triangle ABC$의 넓이 S를 구하시오.

(1)

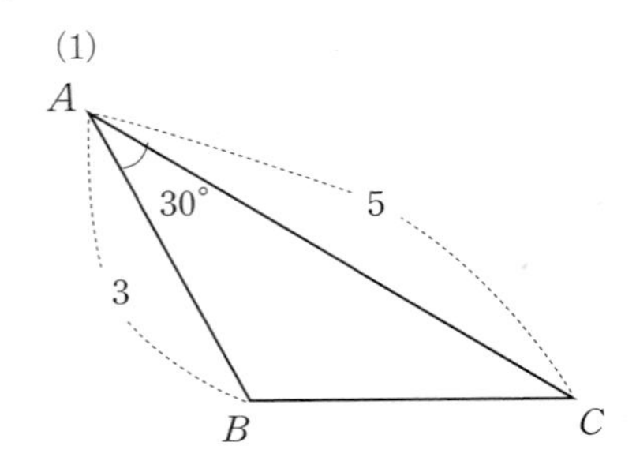

(2)

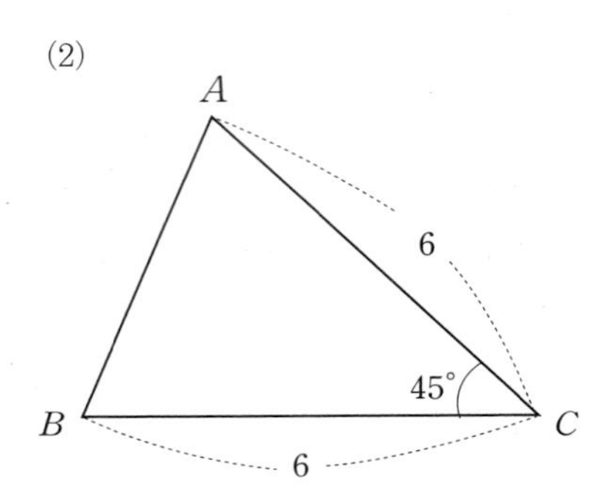

(3)

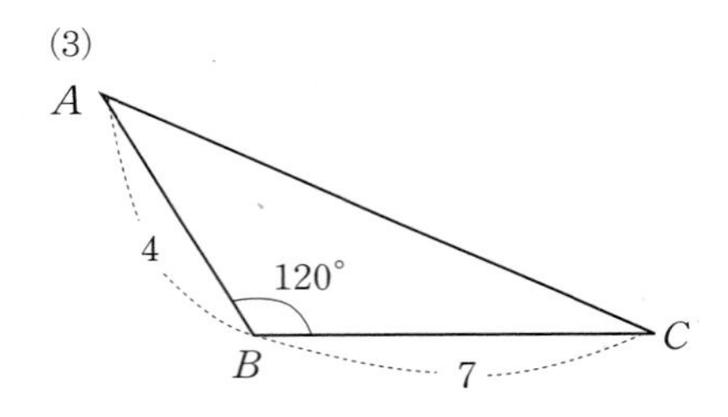

(4) $a=3$, $b=2\sqrt{3}$, $c=\sqrt{3}$
(단, $S=\frac{1}{2}ab\sin C$를 이용하여라.)

(5) $a=9$, $b=8$, $c=7$

개념 10

06 다음 물음에 답하여라.

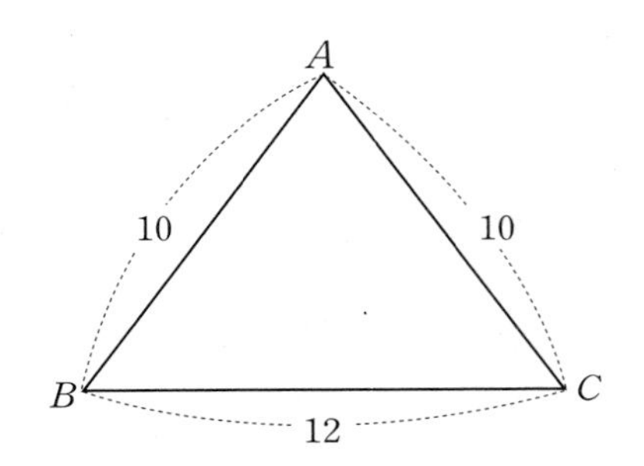

(1) 그림과 같이 세변의 길이가 10, 10, 12인 삼각형안에 넓이가 최대인 원을 그리려고 한다. 이 때, 내접원의 반지름의 길이를 구하여라.

(2) 위 삼각형에 외접하는 원의 반지름의 길이를 구하여라.

개념 11

07 다음 조건을 만족하는 $\square ABCD$에 대하여 S를 구하시오.

(1) $\overline{AB}=7$, $\overline{AD}=8$인 평행사변형

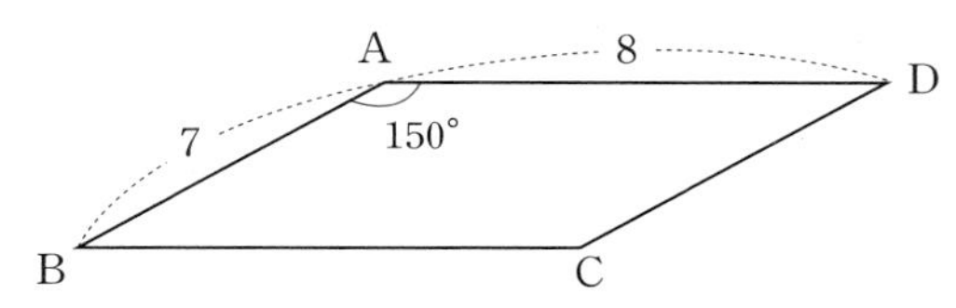

(2) 두 대각선의 길이가 각각 $\overline{AC}=12$, $\overline{BD}=16$이고 두 대각선이 이루는 각의 크기가 $120°$인 사각형

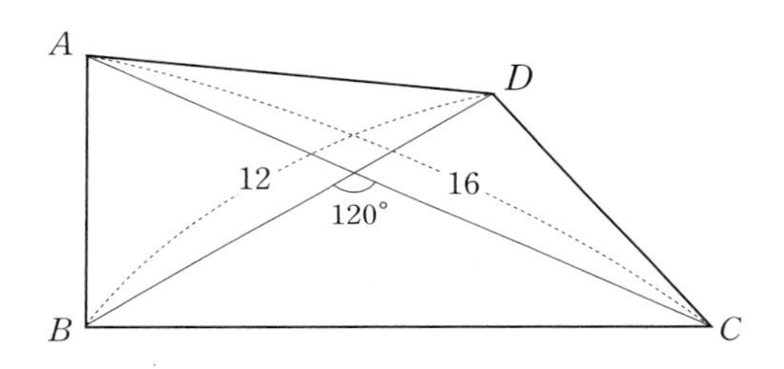

(3) 한 변의 길이가 $4\sqrt{3}$이고, $A=60°$인 마름모

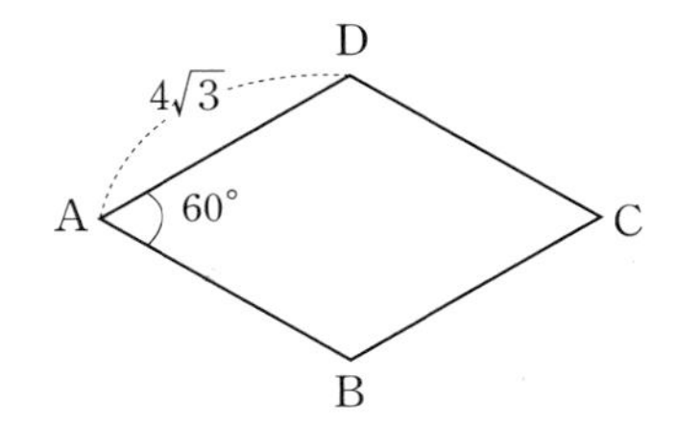

(4) 두 대각선의 길이가 각각 $\overline{AC}=4\sqrt{2}$, $\overline{BD}=5\sqrt{3}$이고, 두 대각선이 서로 다른 것을 수직이등분하는 사각형

개념 11

08 다음 물음에 답하여라.

(1) 다음 등변사다리꼴 $ABCD$의 두 대각선이 이루는 각의 크기가 $135°$이고 넓이가 $16\sqrt{2}$일 때, 대각선의 길이를 구하여라.

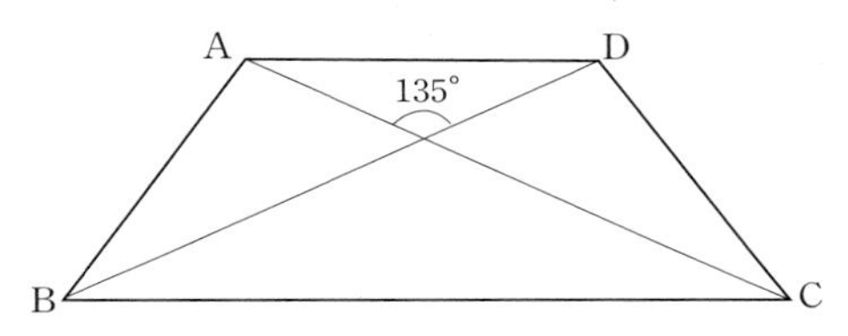

(2) 평행사변 $ABCD$의의 넓이가 12이고, $\angle B=30°$일 때, 이웃하는 변의 길이의 곱을 구하여라.

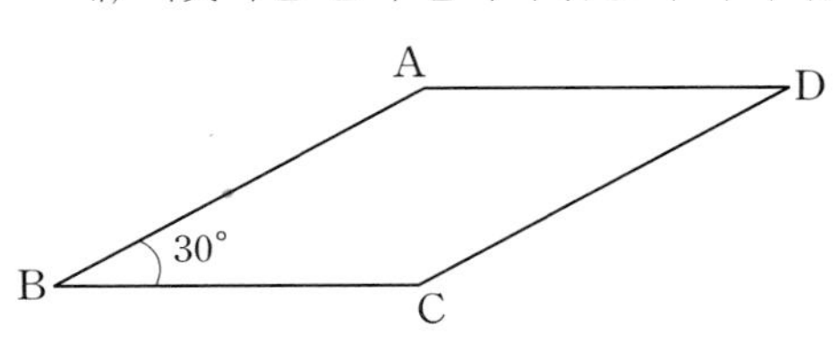

01 다음 각의 동경이 위치하는 사분면 중 나머지 넷과 다른 사분면에 속하는 것은?

① 210° ② $-\frac{5}{6}\pi$ ③ 480°
④ $\frac{10}{3}\pi$ ⑤ -530°

02 $0^\circ<\theta<90^\circ$인 각 θ의 동경의 위치와 6θ의 동경의 위치가 서로 반대 방향으로 일직선이 될 때, θ의 값은?

① 32° ② 36° ③ 42°
④ 45° ⑤ 62°

03 중심각의 크기가 $\frac{4}{3}\pi$이고, 넓이가 6π인 부채꼴의 둘레의 길이는?

① 4π ② $4\pi+2$ ③ $4\pi+6$
④ $4\pi+8$ ⑤ $4\pi+9$

04 호의 길이가 6πcm이고 넓이가 $15\pi\text{cm}^2$인 부채꼴로 원뿔을 만들 때, 이 원뿔의 부피는?

① $21\pi\text{cm}^3$ ② $18\pi\text{cm}^3$ ③ $15\pi\text{cm}^3$
④ $12\pi\text{cm}^3$ ⑤ $9\pi\text{cm}^3$

05 두 조건 $\frac{\sqrt{\cos\theta}}{\sqrt{\sin\theta}}=-\sqrt{\frac{\cos\theta}{\sin\theta}}$, $\sin\theta\cos\theta\neq0$을 만족하는 θ에 대한 [보기]중 옳은 것만을 있는 대로 고른 것은?

[보기]
ㄱ. $\cos 2\theta>0$
ㄴ. $\sin\theta\tan\theta>0$
ㄷ. $\sin\theta-\cos\theta>0$

① ㄱ ② ㄴ ③ ㄷ
④ ㄱ, ㄴ ⑤ ㄴ, ㄷ

06 θ가 제2사분면의 각이고 $\sin\theta=\frac{3}{5}$일 때, $10\left\{\sin\left(\frac{3}{2}\pi+\theta\right)+\cos\left(\frac{3}{2}\pi+\theta\right)\right\}$의 값은?

① 14 ② 12 ③ 11
④ -12 ⑤ -14

07 $\cos 20^\circ \cos 40^\circ \cos 60^\circ + \sin 210^\circ \sin 230^\circ \sin 250^\circ$의 값은?

① $-\frac{\sqrt{3}}{2}$　② -1　③ 0
④ $\frac{1}{2}$　⑤ 1

08 다음 중 모든 실수 x에 대하여 $f(x)=f(x+2)$을 만족하는 것은?

① $f(x)=\sin(x+2)$　② $f(x)=\sin \frac{\pi}{2}x$
③ $f(x)=|\tan x|$　④ $f(x)=\cos \pi x$
⑤ $f(x)=\sin \frac{x}{2}$

09 다음 함수 $f(x)=2\cos\left(\frac{x}{2}-\frac{\pi}{3}\right)+3$의 그래프에 대한 [보기]의 설명 중 옳은 것만을 있는 대로 고른 것은?

[보기]
ㄱ. 점$(0, 4)$를 지난다.
ㄴ. 최댓값은 5, 최솟값은 -5이다.
ㄷ. $y=2\cos \frac{x}{2}$의 그래프를 x축의 방향으로 $\frac{2\pi}{3}$ 만큼, y축의 방향으로 3만큼 평행이동한 것이다.

① ㄱ　② ㄴ　③ ㄷ
④ ㄱ, ㄷ　⑤ ㄴ, ㄷ

10 오른쪽 그림은 $y=3\cos\left(2x-\frac{\pi}{3}\right)+2$의 그래프이다. 이 그래프의 주기가 a, 최댓값이 b, c최솟값이 일 때, $3abc$의 값을 구하여라.

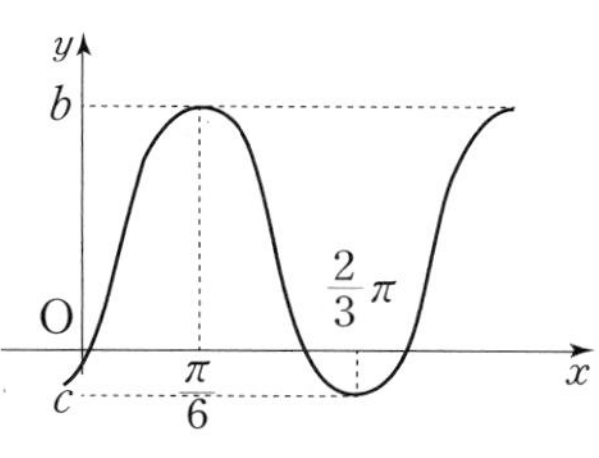

11 $0 \le x < 2\pi$일 때, 방정식 $\cos\left(x-\frac{\pi}{6}\right)=-\frac{1}{2}$의 근은 $\alpha, \beta(\alpha<\beta)$이다. 이 때 $\sin\frac{\alpha-\beta}{2}$의 값은?

① $\frac{\sqrt{3}}{2}$　② $\frac{1}{2}$　③ $-\frac{1}{2}$
④ $-\frac{\sqrt{2}}{2}$　⑤ $-\frac{\sqrt{3}}{2}$

12 이차방정식 $2x^2-4x\sin\theta+\cos\theta+1=0$이 실근을 갖는 θ의 값의 범위를 구하여라.
(단, $0 \le \theta \le \pi$)

13 오른쪽 그림과 같은 원형의 연못이 있다. 연못가의 세 지점 A, B, C에 대하여 $\overline{\text{AB}}=9\text{m}$, $\overline{\text{AC}}=6\text{m}$, $\angle BAC=60°$일 때, 이 연못의 수면의 넓이를 구하려고 한다. 다음 물음에 답하여라.

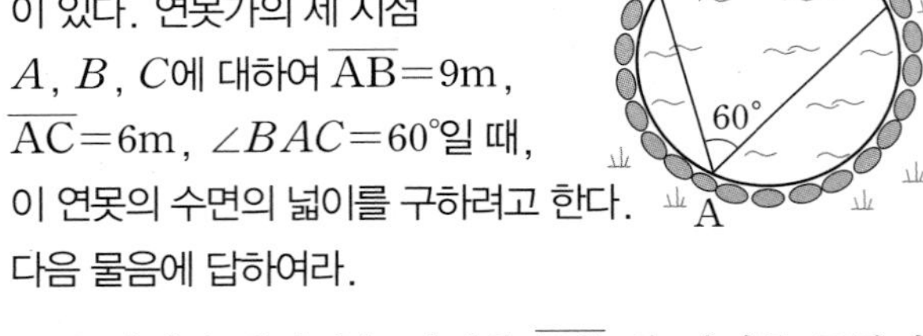

(1) B지점과 C지점을 연결한 $\overline{\text{BC}}$ 의 길이를 구하여라.

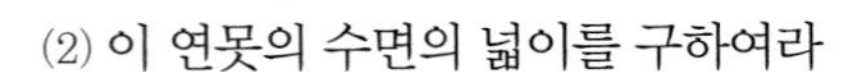

(2) 이 연못의 수면의 넓이를 구하여라

14 반지름의 길이가 10인 원의 둘레를 3:4:5로 나누는 세 점을 A, B, C라 할 때, $\triangle ABC$의 넓이는?

① 100　② $50+25\sqrt{3}$　③ $25+25\sqrt{3}$
④ $75+50\sqrt{3}$　⑤ $75+25\sqrt{3}$

15 오른쪽 그림과 같이 $\angle A=60°$, $\overline{\text{AB}}=6$, $\overline{\text{AC}}=4$인 $\triangle ABC$에서 변AB, 변BC 위에 각각 점 P와 점 Q가 있다. $\overline{\text{AP}}=4$, $\triangle ABC=2\triangle APQ$일 때, $\overline{\text{AQ}}$의 길이는?

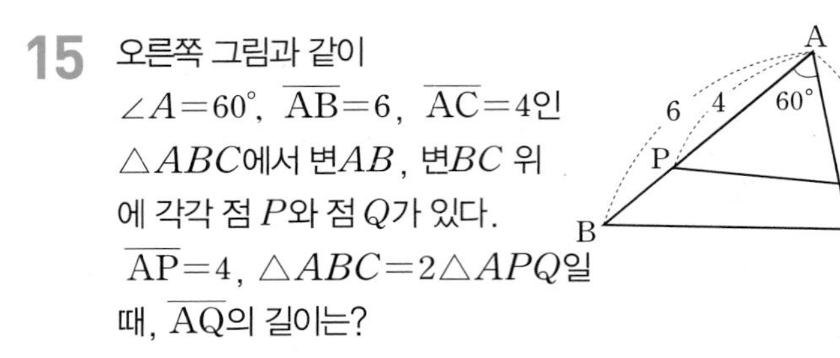

① 3　② $\sqrt{10}$　③ $2\sqrt{3}$
④ $\sqrt{13}$　⑤ $\sqrt{14}$

16 오른쪽 그림과 같이 □$ABCD$가 원에 내접하고 $\overline{\text{AB}}=2$, $\overline{\text{BC}}=3$, $\overline{\text{AD}}=1$이고, $\angle\text{B}=60°$일 때, □$ABCD$의 넓이를 구하여라.

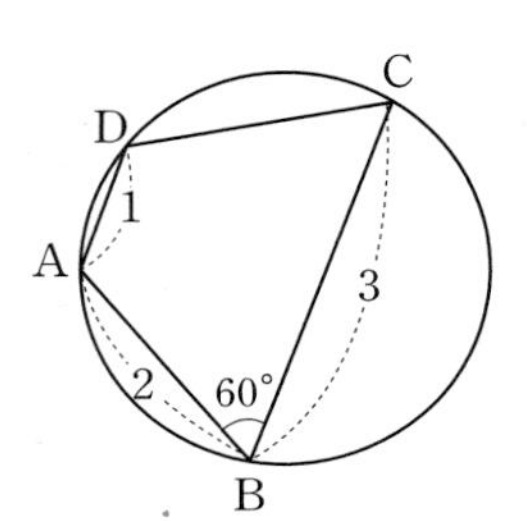

(1) 점 A와 점 C를 연결한 $\overline{\text{AC}}$ 의 길이를 구하여라.

(2) $\overline{\text{CD}}$의 길이를 구하여라.

(3) □$ABCD$의 넓이를 구하여라.

III
수열

이 단원에서 공부해야 할 필수 개념

개념 01 수열의 뜻
개념 02 등차수열
개념 03 등차수열의 합
개념 04 등비수열
개념 05 등비수열의 합
개념 06 등비수열의 활용
개념 07 합의 기호 Σ
개념 08 자연수의 거듭제곱의 합
개념 09 분수 꼴로 나타내어진 수열의 합
개념 10 분모에 근호가 포함된 수열의 합
개념 11 군수열
개념 12 수열의 귀납적 정의
개념 13 여러 가지 수열의 귀납적 정의
개념 14 수학적 귀납법

01 수열의 뜻

(1) 수열 : 일정한 규칙에 따라 차례로 나열된 수의 열

(2) 항 : 나열된 각각의 수를 그 수열의 항이라고 한다

(3) 일반항 : 수열을 나타낼 때 a_1, a_2, a_3, $\cdots$, a_n, $\cdots$ 과 같이 나타나고, 이 수열을 간단히 $\{a_n\}$과 같이 나타낸다.
이 때, n에 대한 식으로 나타낸 제 n항 a_n을 이 수열의 일반항이라고 한다.

예 2, 4, 6, 8, 10, 은 ☐ 씩 커지는 규칙에 따라 나열되었으므로 수열이다.

$a_1=2=2\cdot1$ → 첫째항(또는 제 1항)
$a_2=4=2\cdot2$ → 둘째항(또는 제 2항)
$a_3=6=2\cdot3$ → 셋째항(또는 제 3항)
⋮ ⋮
$a_n=2n$ → n째항(또는 제 n항) 이므로 이 수열$\{a_n\}$의 일반항 $a_n=$ ☐ 이다.

유형 수열의 뜻

• 일정한 규칙에 따라 차례로 나열된 수의 열

01 다음 수열의 다섯째항을 구하여라.

(1) 1, 3, 5, $\cdots$

(2) 1, 4, 9, $\cdots$

(3) 2, 4, 8, $\cdots$

(4) $\frac{1}{2}$, $\frac{1}{4}$, $\frac{1}{6}$, $\cdots$

(5) 5, 3, 1 $\cdots$

유형 $\{a_n\}$의 항

• 수열을 나타낼 때에는 각 항에 번호를 붙여 나타낸다.
a_1, a_2, a_3, $\cdots$, a_n, $\cdots$ → $\{a_n\}$

02 다음과 같은 수열의 제1항부터 제5항까지 각각 구하여라.

(1) $\{3n\}$

(2) $\{n+4\}$

(3) $\left\{\frac{1}{n^2}\right\}$

(4) $\{10-2n\}$

(5) $\{(\sqrt{2})^n\}$

유형 일반항의 이해

• 수열 a_1, a_2, a_3, $\cdots$, a_n, $\cdots$
제n항 ➡ a_n ➡ 수열 $\{a_n\}$의 일반항

03 수열 $\{a_n\}$의 일반항이 다음과 같을 때, 첫째항부터 제5항까지 나열하여라.

(1) $a_n=3n+1$

(2) $a_n=15-4n$

(3) $a_n=2^{n+1}$

(4) $a_n=2\times(-1)^n$

(5) $a_n=\dfrac{1}{n(n+1)}$

(6) $a_n=\dfrac{n+1}{n^2}$

(7) $a_n=\dfrac{1}{9}(10^n-1)$

유형 일반항 $\{a_n\}$ 구하기

• 항의 규칙을 찾아 제n항을 n에 관한 식으로 나타낸다.
➡ $a_n=$(n에 관한 식)

04 다음 수열의 일반항 a_n을 구하여라.

(1) $3,\ 6,\ 9,\ 12,\cdots$

(2) $\dfrac{1}{1},\ \dfrac{1}{3},\ \dfrac{1}{5},\ \dfrac{1}{7},\cdots$

(3) $\dfrac{3}{1\cdot2},\ \dfrac{4}{2\cdot3},\ \dfrac{5}{3\cdot4},\ \dfrac{6}{4\cdot5},\cdots$

(4) $-1,\ 1,\ -1,\ 1,\cdots$

(5) $5,\ 55,\ 555,\ 5555,\cdots$

도전! 1등급

05 다음 수열의 제100항은?

$1\cdot3,\ 2\cdot4,\ 3\cdot5,\ 4\cdot6,\cdots$

① 5050 ② 8800 ③ 9900
④ 10100 ⑤ 10200

등차수열

(1) 등차수열과 공차

첫째항부터 차례로 일정한 수를 더하여 얻어지는 수열을 등차수열이라 하고 더하는 일정한 수를 공차라고 한다. 이때 등차수열 $\{a_n\}$의 공차를 d라 하면 이웃하는 두 항 사이에는 다음 관계식이 성립한다.

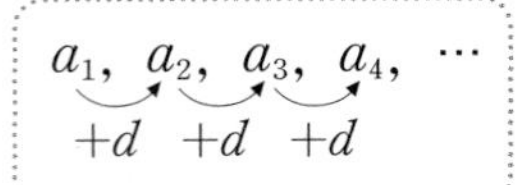

$\boldsymbol{a_{n+1}=a_n+d}$ (단, $\boldsymbol{n=1, 2, 3, \cdots}$)

예 수열 1, 4, 7, 10, ⋯은 첫째항 □에 차례로 □을 더하여 얻어지는 □이고 공차는 □이다.

(2) 등차수열의 일반항

첫째항이 a, 공차가 d인 등차수열의 일반항 $\boldsymbol{a_n}$은 $\boldsymbol{a_n=a+(n-1)d}$이다.

예 첫째항이 2이고 공차가 3인 등차수열의 일반항은 $a_n=$ □ $+(n-1)\times$ □ $=$ □ 이다.

(2) 등차중항

세 수 a, b, c가 이 순서대로 등차수열을 이룰 때, b를 a와 c의 등차중항이라 한다. 이때 $2b=a+c$, 즉

$\boldsymbol{b=\frac{a+c}{2}}$가 성립한다.

예 세 수 3, b, 7이 순서대로 등차수열을 이루면 b는 3과 7의 □이고 $b=$ □ $=$ □이다.

유형 등차수열의 뜻

• a_1, a_2, a_3, a_4, ⋯ → 등차수열
+같은 수 +같은 수 +같은 수
→ 양수 또는 음수

01 다음 수열이 등차수열이면 ○를, 등차수열이 아니면 ×를 ( ) 안에 써넣어라.

(1) 2, 4, 6, 8, ⋯ ( )

(2) 5, 8, 12, 17, ⋯ ( )

(3) −3, −8, −13, −18, ⋯ ( )

(4) 100, 91, 81, 70, ⋯ ( )

유형 등차수열의 공차

• 등차수열 a_1, a_2, a_3, ⋯, a_n, ⋯ 에서 공차 d는
$d=a_2-a_1=a_3-a_2=a_4-a_3=\cdots$

02 다음 등차수열의 공차 d의 값을 구하여라.

(1) 4, 8, 12, 16, ⋯

(2) 1, −2, −5, −8, ⋯

(3) $\frac{1}{2}$, $\frac{5}{2}$, $\frac{9}{2}$, $\frac{13}{2}$, ⋯

(4) 6, 2, −2, −6, ⋯

유형 등차수열의 일반항

• 등차수열 a_1, a_2, a_3, $\cdots$, a_n, $\cdots$ 에서 $a_1=a$일 때

$a_2=a+d$

$a_3=a_2+d=(a+d)+d=a+2d$

$a_4=a_2+d=(a+2d)+d=a+3d$

$\cdots$

$a_n=a+(n-1)d$ ⟵ 제 n항, 일반항

➡ $a_n=dn+a-d$ ➡ n의 일차식

└→ n의 계수가 공차 d

03 다음 등차수열의 일반항 a_n을 구하여라.

(1) 첫째항이 1, 공차가 2

(2) 첫째항이 -4, 공차가 3

(3) 첫째항이 9, 공차가 -2

(4) 첫째항이 -3, 공차가 -4

(5) 첫째항이 $-\frac{1}{2}$이고, 공차가 $\frac{3}{2}$

(6) 첫째항이 $2\sqrt{2}$이고, 공차가 $\sqrt{2}$

04 다음 등차수열의 일반항 a_n을 구하여라.

(1) 1, 4, 7, 10, $\cdots$

(2) 3, 0, -3, -6, $\cdots$

(3) 5, 7, 9, 11, $\cdots$

(4) 10, 6, 2, -2, $\cdots$

(5) $\frac{5}{2}$, 2, $\frac{3}{2}$, 1, $\cdots$

(6) $\frac{2}{3}$, 2, $\frac{10}{3}$, $\frac{14}{3}$, $\cdots$

05 다음 등차수열 $\{a_n\}$에 대하여 다음을 구하여라.

(1) 제2항이 -8이고, 공차가 2일 때, a_{10}의 값

(2) 제3항이 5이고, 공차가 -2일 때, a_{12}의 값

(3) $a_3=9$이고, $a_8=24$일 때, a_{15}의 값

(4) $a_3=-2$이고, $a_7=-14$일 때, a_{11}의 값

(5) $a_2=-1$, $a_5=-3$일 때, a_{50}의 값

유형 등차중항

- 세 수 a, b, c가 이 순서대로 등차수열을 이루면
  - ➡ b는 a와 c의 등차중항
  - ➡ $b-a=c-b$이므로 $b=\frac{a+c}{2}$
  - ⬅ 등차중항은 a와 c의 산술평균

06 다음 수열이 이 순서대로 등차수열을 이룰 때, x, y, z의 값을 구하여라.

(1) 2, x, 8

(2) 10, x, 3

(3) -4, x, -18

(4) 9, x, -5, y, -19

(5) 3, 10, x, y, 31

(6) x, -6, y, -14, z

(7) x, y, 4, 10, z

유형 등차수열을 이루는 세 수 또는 네 수

• 첫째항이 a이고 공차가 d인 등차수열의
① 세 수는 $a-d$, a, $a+d$로
② 네 수는 $a-3d$, $a-d$, $a+d$, $a+3d$로 놓고 식을 세운다.

07 다음 물음에 답하여라.

(1) 세 수 a, b, c가 순서대로 등차수열을 이룬다.
① 세 수의 합이 3이고, 곱이 -15일 때, 이들 세 수를 구하여라.

② 세 수의 합이 -15이고, 곱이 55일 때, 이들 세 수를 구하여라.

(2) 네 수 w, x, y, z가 순서대로 등차수열을 이룬다.
① 네 수의 합이 48이고, w, z곱이 63일 때, 네 수 중 가장 큰 수를 구하여라.

② 네 수의 합이 -36이고, x, y곱이 77일 때, w와 z의 곱을 구하여라.

도전! 1등급

08 수열 $\{a_n\}$이 등차수열이고, $a_2+a_6=20$, $a_9+a_{12}=46$일 때, a_{15}의 값은?

① 25　② 28　③ 30
④ 32　⑤ 36

09 일반항이 $a_n=5n-2$인 수열의 공차와 일반항이 $b_n=10-6n$인 수열의 공차의 합은?

① -2　② -1　③ 0
④ 1　⑤ 2

개념 03

등차수열의 합

등차수열 $\{a_n\}$의 첫째항부터 제 n항까지의 합을 S_n이라 하면 $S_n=a_1+a_2+a_3+\cdots+a_n$

(1) 첫째항이 a이고 공차가 d일 때, $S_n=\dfrac{n\{2a+(n-1)d\}}{2}$

예 첫째항이 1이고 공차가 3인 등차수열의 제10항까지의 합은 $S_{\square}=\dfrac{\square(2\times\square+\square\times3)}{2}=\square$

(2) 첫째항이 a이고 제n항이 l일 때, $S_n=\dfrac{n(a+l)}{2}$

예 첫째항이 3이고 제 10항이 21인 등차수열의 제10항까지의 합은 $S_{\square}=\dfrac{\square(3+\square)}{2}=\square$

(3) **수열의 일반항 a_n과 합 S_n 사이의 관계**

수열 $\{a_n\}$의 첫째항부터 제 n항까지의 합을 S_n이라 하면 $\begin{cases} a_1=S_1 \\ a_n=S_n-S_{n-1}\ (n=2,\ 3,\ 4,\ \cdots) \end{cases}$

예 $S_n=n^2$일 때, $a_1=S_1=\square$이고 $a_n=\square-\square=\square$이다.

유형 합의 기호 S_n

• $S_n=a_1+a_2+a_3+\cdots+a_n$
← 첫째항부터 제n항까지의 합

01 수열 $\{a_n\}$의 첫째항부터 제 n항까지의 합을 S_n이라 할 때, 다음 수열의 합을 S_n으로 나타내어라.

(1) $a_1+a_2+a_3+a_4+a_5$

(2) $a_1+a_2+a_3+\cdots+a_{10}$

(3) $a_1+a_2+a_3+\cdots+a_{100}$

(4) $a_1+a_2+a_3+\cdots+a_{500}$

(5) $a_1+a_2+a_3+\cdots+a_{2015}$

유형 첫째항과 공차가 주어질 때의 등차수열의 합

• 첫째항이 a이고 공차가 d인 등차수열의 첫째항부터 제 n항까지의 합
→ $S_n=\dfrac{n\{2a+(n-1)d\}}{2}$

02 첫째항이 a이고 공차가 d인 등차수열의 제 n항까지의 합을 S_n을 구하여라.

(1) $a=1,\ d=4,\ n=10$

(2) $a=2,\ d=3,\ n=20$

(3) $a=-1,\ d=-2,\ n=20$

(4) $a=5,\ d=-3,\ n=10$

03 다음 등차수열의 합을 구하시오.

(1) 1, 5, 9, 13, …의 제10항까지의 합

(2) 2, 7, 12, 17, …의 제10항까지의 합

(3) 4, 7, 10, 13, …의 제10항까지의 합

(4) −1, −5, −9, −13, …의 제15항까지의 합

04 다음을 구하여라.

(1) 첫째항이 5이고 첫째항부터 제10항까지의 합이 −85인 등차수열의 공차

(2) 첫째항이 −17이고 첫째항부터 제18항까지의 합이 0인 등차수열의 공차

(3) 첫째항부터 제10항까지의 합이 375, 첫째항부터 제20항까지의 합이 250인 등차수열의 첫째항부터 제26항까지의 합

유형 첫째항과 끝항이 주어질 때의 등차수열의 합

• 첫째항이 a이고 제n항이 l일 때

$$S_n=\frac{n(a+l)}{2} \leftarrow l=a_n$$

← $l=a+(n-1)d$에서 n의 값을 구한다.

05 첫째항이 a이고 끝항이 l인 등차수열의 제n항까지의 합 S_n을 구하여라.

(1) $a=1$, $l=99$, $n=50$

(2) $a=10$, $l=55$, $n=10$

(3) $a=15$, $l=-30$, $n=20$

(4) $a=-12$, $l=-28$, $n=30$

06 다음 등차수열의 합을 구하여라.

(1) $2+5+8+\cdots+98$

(2) $10+8+6+\cdots+(-50)$

(3) $(-1)+5+11+\cdots+53$

(4) $(-10)+(-13)+(-16)+\cdots+(-34)$

유형 등차수열의 합의 최댓값

• 첫째항이 양수이고 공차가 음수인 등차수열의
(→ 감소하는 수열)

합의 최댓값 ← $a_k>0$, $a_{k+1}<0$일 때의 S_k
→ 양수인 항까지의 합

07 첫째항과 공차가 다음과 같은 등차수열의 첫째항부터 제n항까지의 합을 S_n이라 할 때, S_n의 최댓값을 구하여라.

(1) 첫째항이 20, 공차가 -3

(2) 첫째항이 19, 공차가 -2

(3) 첫째항이 41, 공차가 -5

(4) 첫째항이 63, 공차가 -6

유형 등차수열의 합의 최솟값

• 첫째항이 음수이고 공차가 양수인 등차수열의
(→ 증가하는 수열)

합의 최솟값 ← $a_k<0$, $a_{k+1}>0$일 때의 S_k
→ 음수인 항까지의 합

08 첫째항과 공차가 다음과 같은 등차수열의 첫째항부터 제n항까지의 합을 S_n이라 할 때, S_n의 최솟값을 구하여라.

(1) 첫째항이 -19, 공차가 2

(2) 첫째항이 -23, 공차가 3

(3) 첫째항이 -35, 공차가 4

(4) 첫째항이 -48, 공차가 5

유형 등차수열의 S_n과 a_n 사이의 관계

S_n이 n에 관한 이차식으로 주어졌을 때,

- $S_n=an^2+bn$ ← 상수항이 0인 n에 관한 이차식
  → $a_n=S_n-S_{n-1}$ $(n=1, 2, 3, \cdots)$
  ← a_n은 첫째항부터 등차수열을 이룬다.
- $S_n=an^2+bn+c$ $(c\neq0)$
  ← 상수항이 0이 아닌 n에 관한 이차식
  → $\begin{cases} a_1=S_1 \\ a_n=S_n-S_{n-1} \ (n=2, 3, 4, \cdots) \end{cases}$
  ← a_n은 둘째항부터 등차수열을 이룬다.

09 수열 $\{a_n\}$의 첫째항부터 제n항까지의 합 S_n이 다음과 같을 때, a_n을 구하여라.

(1) $S_n=n^2+3n$

(2) $S_n=2n^2-3n$

(3) $S_n=-n^2+2n$

(4) $S_n=-3n^2+n$

10 수열 $\{a_n\}$의 첫째항부터 제n항까지의 합 S_n이 다음과 같을 때, a_n을 구하여라.

(1) $S_n=n^2+2n+1$

(2) $S_n=2n^2-n+2$

(3) $S_n=-n^2+3n-1$

도전! 1등급

11 1과 50 사이에 8개의 수를 넣어서 만든 등차수열의 모든 항의 합은?

① 200 ② 224 ③ 245 ④ 255 ⑤ 280

12 수열 $\{a_n\}$의 첫째항부터 제 n항까지의 합 S_n이 $S_n=n^2-5n-k$이고 이 수열이 첫째항부터 등차수열을 이룬다. 이때 k의 값은?

① -3 ② -2 ③ -1 ④ 0 ⑤ 1

개념 04

등비수열

1 등차수열과 등비수열

(1) 등비수열과 공비

첫째항부터 차례로 일정한 수를 곱하여 얻어지는 수열을 등비수열이라 하고 곱하는 일정한 수를 공비라고 한다. 이때 등비수열 $\{a_n\}$의 공비를 r라 하면 이웃하는 두 항 사이에는 다음 관계식이 성립한다.

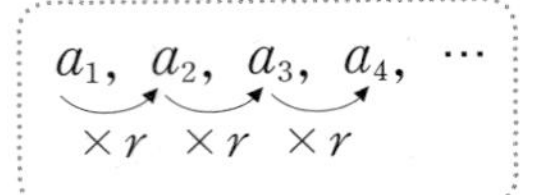

$\boldsymbol{a_{n+1}=r\cdot a_n}$ (단, $n=1, 2, 3, \cdots$)

예 수열 1, 2, 4, 8, …은 첫째항 ☐에 차례로 ☐를 곱하여 얻어지는 ☐이고 공차는 ☐이다.

(2) 등비수열의 일반항

첫째항이 a이고 공비가 r일 때, $\boldsymbol{a_n=ar^{n-1}}$(단, $n=1, 2, 3, 4 \cdots$) → $r\neq0$ 일 때, $r^0=1$로 생각한다.

예 첫째항이 1이고 공비가 2인 등비수열의 일반항은 $a_n=$ ☐×☐$^{n-1}$= ☐이다.

(3) 등비중항

세 수 a, b, c가 이 순서대로 등비수열을 이룰 때, b를 a와 c의 등비중항이라 한다. 이때 $b^2=ac$, 즉 $\boldsymbol{b=\pm\sqrt{ac}}$가 성립한다.

예 세 수 2, b, 8이 순서대로 등차수열을 이루면 b는 2과 8의 ☐이고 $b=\pm$☐$=\pm$☐이다.

유형 등비수열의 뜻

• a_1, a_2, a_3, a_4, … (×같은 수 ×같은 수 ×같은 수) → 등비수열

01 다음 수열이 등비수열이면 ○를, 등비수열이 아니면 ×를 ( ) 안에 써넣어라.

(1) 2, 4, 6, 8, … ( )

(2) 2, −6, 18, −54, … ( )

(3) $1, \frac{1}{2}, \frac{1}{4}, \frac{1}{8}, \cdots$ ( )

유형 등비수열의 공비

• 등비수열 $a_1, a_2, a_3, \cdots, a_n, \cdots$ 에서 공비 r는

$r=\frac{a_2}{a_1}=\frac{a_3}{a_2}=\frac{a_4}{a_3}=\cdots$

02 다음 등비수열의 공비 r의 값을 구하여라.

(1) 1, 3, 9, 27, …

(2) 2, −4, 8, −16, …

(3) $3, 1, \frac{1}{3}, \frac{1}{9}, \cdots$

(4) $5, -\frac{10}{3}, \frac{20}{9}, -\frac{40}{27}, \cdots$

유형 등비수열의 일반항

• 등비수열 $a_1, a_2, a_3, \cdots, a_n, \cdots$에서 $a_1=a$일 때,

$a_2=a\cdot r=ar$

$a_3=a_2\cdot r=ar\cdot r=ar^2$

$a_4=a_3\cdot r=ar^2\cdot r=ar^3$

$\cdots$

$a_n=ar^{n-1}$ ← 제n항, 일반항

03 다음 등비수열의 일반항 a_n의 값을 구하여라.

(1) 첫째항이 2, 공비가 3

(2) 첫째항이 3, 공비가 -4

(3) 첫째항이 $\frac{1}{2}$, 공비가 5

(4) 첫째항이 -5, 공비가 $-\frac{1}{2}$

(5) 첫째항이 -1, 공비가 $-\frac{1}{3}$

(6) 첫째항이 6, 공비가 $\frac{2}{3}$

04 다음 등비수열의 일반항 a_n의 값을 구하여라.

(1) $1, 3, 9, 27, \cdots$

(2) $2, -2, 2, -2, \cdots$

(3) $-2, 4, -8, 16, \cdots$

(4) $3, 1, \frac{1}{3}, \frac{1}{9}, \cdots$

(5) $8, -2, \frac{1}{2}, -\frac{1}{8}, \cdots$

(6) $\frac{1}{4}, \frac{1}{2}, 1, 2, \cdots$

05 다음을 구하여라.

(1) 제3항이 18이고 제6항이 -486인 등비수열의 일반항 a_n

(2) 제3항이 $2\sqrt{2}$이고 제6항이 8인 등비수열의 일반항 a_n

(3) 등비수열 $\{a_n\}$에서 $a_4=24$, $a_7=192$일 때, a_2의 값

(4) 등비수열 $\{a_n\}$에서 $a_4=\frac{1}{3}$, $a_7=-9$일 때, a_8의 값

(5) $a_1+a_2=10$, $a_3+a_4=20$인 등비수열 $\{a_n\}$에 대하여 a_7+a_8의 값을 구하여라.

(6) $a_3+a_4=7$, $a_5+a_6=21$인 등비수열 $\{a_n\}$에 대하여 a_7+a_8의 값을 구하여라.

(7) -3과 24사이에 두 수 x, y를 넣어 그 순서로 등비수열을 이룰 때 이 두 수의 곱을 구하여라.

(8) 두 수 3과 108사이에 세 양수 x, y, z를 넣은 5개의 수 3, x, y, z, 108가 이 순서로 등비수열을 이룰 때 $x+z$의 값을 구하여라.

유형 **등비중항**

- 세 수 a, b, c가 이 순서대로 등비수열을 이루면
  → b는 a와 c의 등비중항
  → $\frac{b}{a}=\frac{c}{b}$이므로 $b^2=ac$ → $b=\pm\sqrt{ac}$
  ← 등비중항은 a와 c의 기하평균

06 다음 수열이 이 순서대로 등비수열을 이룰 때, x, y, z의 값을 구하여라.

(1) 2, x, 32

(2) 1, x, 9

(3) -5, x, -20

(4) $-\frac{1}{4}$, x, -16, y

(5) -9, x, -1, y, $-\frac{1}{9}$, z

07 다음 세 수가 이 순서대로 등비수열을 이룰 때, 실수 a의 값을 구하여라.

(1) a, 8, $4a$

(2) $a-2$, $a+1$, $a-5$

(3) $2a$, $a+2$, $3a-2$

(4) $-a+3$, $a-1$, $-2a+2$

도전! 1등급

08 세 수 x, y, 4가 이 순서대로 등차수열을 이루고, 세 수 6, x, $3y$가 이 순서대로 등비수열을 이룰 때, $x+y$의 값을 구하여라. (단, $x>0$, $y>0$)

① 10 ② 15 ③ 20
④ 22 ⑤ 28

등비수열의 합

(1) 첫째항이 a, 공비가 r인 등비수열의 첫째항부터 제 n항까지의 합 S_n은

① $r \neq 1$일 때, $\boldsymbol{S_n = \frac{a(1-r^n)}{1-r} = \frac{a(r^n-1)}{r-1}}$

② $r=1$일 때, $\boldsymbol{S_n = na}$

예 첫째항이 1이고 공비가 2인 등비수열의 제 10항까지의 합은 $S_{\square} = \frac{\square(\square^{10}-1)}{\square-1} = \square^{10}-1$

(2) 수열의 일반항과 합 사이의 관계

수열 $\{a_n\}$의 첫째항부터 제 n항까지의 합을 S_n이라 하면 $\begin{cases} \boldsymbol{a_1 = S_1} \\ \boldsymbol{a_n = S_n - S_{n-1} \ (n=2,\ 3,\ 4,\ \cdots)} \end{cases}$

예 $S_n = 2^n - 1$일 때, $a_1 = S_n = \square$이고 $a_n = \square - (\square) = \square$이다.

유형 등비수열의 합

- $r>1$이면 $S_n = \frac{a(r^n-1)}{r-1}$ ← 더 편리
- $r=1$이면 $S_n = na$ ← $S_n = a+a+a+\cdots+a = na$
- $r<1$이면 $S_n = \frac{a(1-r^n)}{1-r}$ ← 더 편리

01 첫째항이 a이고 공비가 r인 등비수열의 제 n항까지의 합 S_n을 구하여라.

(1) $a=1$, $r=3$, $n=5$

(2) $a=2$, $r=2$, $n=8$

(3) $a=2$, $r=3$, $n=6$

(4) $a=-2$, $r=4$, $n=4$

02 첫째항이 a이고 공비가 r인 등비수열의 제 n항까지의 합 S_n을 구하여라.

(1) $a=1$, $r=\frac{1}{2}$, $n=10$

(2) $a=3$, $r=-\frac{1}{2}$, $n=5$

(3) $a=2$, $r=\frac{1}{3}$, $n=5$

(4) $a=-1$, $r=-\frac{3}{2}$, $n=5$

03 다음 등비수열의 합을 구하시오.

(1) $2+6+18+\cdots+162$

(2) $1+\frac{3}{2}+\frac{9}{4}+\cdots+\frac{729}{64}$

(3) $1-2+4-\cdots-512$

04 다음 등비수열의 합을 구하시오.

(1) 공비가 1이 아닌 양수인 등비수열 $\{a_n\}$에서 $a_1+a_2=96$, $a_1+a_2+a_3+a_4=120$일 때, 첫째항부터 제 7항까지의 합

(2) 첫째항부터 제 3항까지의 합이 14, 제 4항부터 제 6항까지의 합이 112인 등비수열이 있다. 이 수열의 첫째항부터 제 8항까지의 합을 구하시오.(단, 공비는 실수이다.)

유형 등비수열의 S_n과 a_n 사이의 관계

- $\begin{cases} a_1=S_1 \\ a_n=S_n-S_{n-1}\ (n=2,\ 3,\ 4,\ \cdots) \end{cases}$

  $\rightarrow \begin{cases} a_1=S_1 \\ a_n=ar^{n-1}(n=2,\ 3,\ 4,\ \cdots) \end{cases}$

05 수열 $\{a_n\}$의 첫째항부터 제n항까지의 합 S_n이 다음과 같을 때, a_n을 구하여라.

(1) $S_n=2^n-1$

(2) $S_n=3^n-1$

(3) $S_n=4^n-1$

도전! 1등급

06 함수 $f(x)=1+x+x^2+\cdots+x^{10}$일 때, $f(7)$의 값은?

① $\frac{7^{10}-1}{7}$ ② $\frac{7^{10}-1}{6}$ ③ $\frac{7^{11}-1}{7}$

④ $\frac{7^{11}-1}{6}$ ⑤ $\frac{7^{11}-7}{6}$

등비수열의 활용

(1) 처음의 양을 a, 반복되는 비율을 공비 r라고 하면 n시간 후의 양은 $a(1+r)^n$이다.

(2) 원리합계(원금과 이자를 합한 금액)

a원을 연이율 r로 n년 동안 적립할 때, n년 말까지 적립금의 원리합계를 S라 하면

① 단리법 : 원금에 대한 이자만 계산하여 지급하는 방법

② 단리법의 원리합계 : $\boldsymbol{S=a(1+rn)}$(원)

③ 복리법 : 일정한 기간마다 원금에 대한 이자를 더한 원리합계를 다시 원금으로 계산하는 방법

④ 복리법의 원리합계 : $\boldsymbol{S=a(1+r)^n}$(원)

예 a원을 연이율 r로 2년 동안 적립할 때, 2년 말까지 단리법으로 적립한 적립금의 원리합계는 ☐ 원이고, 복리법으로 적립한 적립금의 원리합계는 ☐ 이다.

(3) 적립금의 원리합계

연이율이 r이고 1년마다 복리로 매년 a원씩 n년 동안 적립할 때, n년 말까지의 적립금의 원리합계 S는

① 매년 초에 적립할 때, $\boldsymbol{S=\dfrac{a(1+r)\{(1+r)^n-1\}}{r}}$ ② 매년 말에 적립할 때, $\boldsymbol{S=\dfrac{a\{(1+r)^n-1\}}{r}}$

01 한 변의 길이가 1인 정사각형 모양의 종이가 있다. 이 정사각형을 다음과 같이 9등분하여 중앙의 정사각형을 제거한다. 또 나머지 정사각형들의 각각을 다시 9등분하여 중앙의 정사각형을 제거한다. 이와 같은 시행을 계속할 때, 9회 시행 후 남아 있는 종이의 넓이를 구하여라.

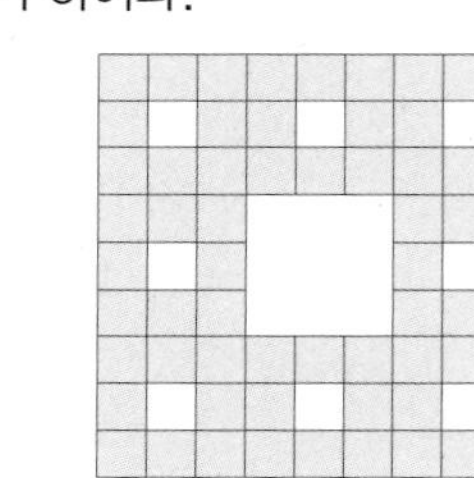

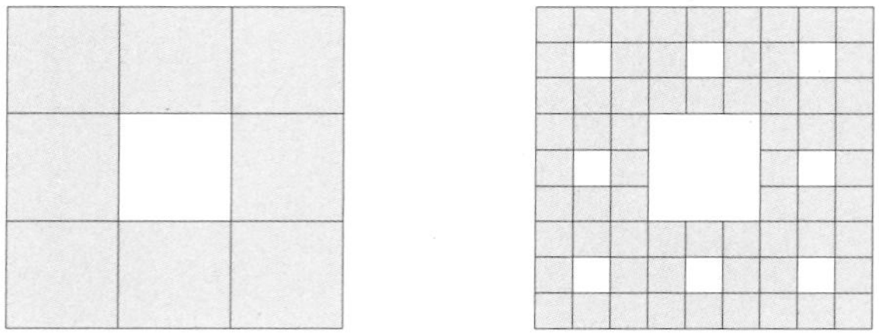

02 길이가 9인 철사가 있다. 첫 번째 시행에서 이 철사를 삼등분하고 그 중간 부분을 버린다. 두 번째 시행에서는 첫 번째 시행의 결과 남은 두 철사를 각각 삼등분하고 그 중간을 버린다. 이와 같은 과정을 계속할 때, 10번째 시행 후 남은 철사의 합을 구하여라.

03 A장난감 회사에서는 새 장난감을 출시하면� 첫 달에 1000개를 판매하고, 이 후 매달 판매량을 10%씩 늘려 나가는 것을 목표로 정하였다. 이 목표를 달성한다고 할 때, 출시한 후 1년 동안의 판매량을 구하여라.
(단, $1.1^{11}=2.85$, $1.1^{12}=3.14$으로 계산한다.)

04 B도시의 인구는 매년 일정한 비율로 증가하여 10년 후에는 10만 명, 20년 후에는 40만 명이 될 것으로 예상된다. 이때 이 도시의 30년 후의 인구는 얼마나 될 것으로 예상되는지 구하여라.

유형 적립금의 원리합계

- a원을 연이율 r로 1년마다의 복리로 n년 동안 적립할 때, n년 말까지의 적립금의 원리합계
- 매년 초 적립 : $S=\frac{a(1+r)\{(1+r)^n-1\}}{r}$
- 매년 말 적립 : $S=\frac{a\{(1+r)^n-1\}}{r}$

05 다음을 구하여라.

(1) 월이율 1%로 1개월마다 복리로 매월 말에 10만 원씩 1년 동안 적립할 때, 1년 후의 적립금의 원리합계 (단, $1.01^{12}=1.13$으로 계산한다.)

(2) 연이율 10%로 1년마다 복리로 매년 초에 100만 원씩 10년 동안 적립할 때, 10년 후 연말의 적립금의 원리합계 (단, $1.1^{10}=2.6$로 계산한다.)

유형 상환금의 원리합계

- a원을 연이율 r로 빌린 후 복리로 1년 말부터 n년 동안 상환할 때, 매년 말 상환해야 하는 상환금(할부 금액) A원 구하기

(a원의 n년 후의 원리합계)

→(실제로 상환해야 하는 액수) > a원

=(A원씩 매년 말 n년 동안 적립한 적립금의 원리합계)

06 준호는 100만 원짜리 휴대폰을 이달 초에 12개월 할부로 구입하고 이달 말부터 일정한 금액을 12개월에 걸쳐 갚기로 하였다. 월이율 1%로 1개월마다 복리로 계산할 때, 매달 얼마씩 갚아야 하는지 구하려고 한다. 다음을 구하여라. (단, $1.01^{12}=1.13$으로 계산한다.)

(1) 이달 초 빌린 100만 원의 12개월 후의 원리합계

(2) 매달 말 A원 씩 12개월 동안 적립할 때의 1년 후의 적립금의 원리합계

(3) (1)과 (2)에서 구한 원리합계가 같아지는 A원의 액수 (단, 1000원 미만인 액수는 반올림한다.)

도전! 1등급

07 민규는 1년 후에 100만 원을 모으기 위해 이달 초부터 매달 같은 액수를 은행에 적립하기로 하였다. 월이율 1%의 복리로 적립하는 상품에 가입할 때, 민규가 매달 적립할 액수는? (단, $1.01^{12}=1.13$으로 계산하고 1000원 미만인 액수는 반올림한다.)

① 70000원 ② 72000원 ③ 74000원
④ 75000원 ⑤ 76000원

개념 01

01 다음 수열의 첫째항부터 제 5항까지 구하여라.

(1) $\{2n\}$

(2) $\{n-3\}$

(3) $\left\{\frac{1}{n^2+1}\right\}$

(4) $\left\{\frac{n}{n+2}\right\}$

(5) $\{3^n\}$

개념 02

02 다음 등차수열의 공차 d의 값을 구하여라.

(1) $-1,\ -3,\ -5,\ -7,\ \cdots$

(2) $10,\ 13,\ 16,\ 19,\ \cdots$

(3) $\frac{1}{3},\ \frac{2}{3},\ 1,\ \frac{4}{3}\ \cdots$

(4) $\sqrt{2},\ 3\sqrt{2},\ 5\sqrt{2},\ 7\sqrt{2}\ \cdots$

개념 02

03 다음 등차수열의 일반항 a_n을 구하여라.

(1) $3,\ 8,\ 13,\ 18,\ \cdots$

(2) $-5,\ -2,\ 1,\ 4,\ \cdots$

(3) $10,\ 8,\ 6,\ 4,\ \cdots$

(4) $7,\ -2,\ -11,\ -20,\ \cdots$

개념 02

04 등차수열 $\{a_n\}$에 대하여 다음을 구하여라.

(1) 제 2항이 6이고, 공차가 3일 때, a_9의 값

(2) 제 3항이 -5이고, 공차가 2일 때, a_{10}의 값

(3) $a_4=11,\ a_{10}=5$일 때, a_{16}의 값

(4) $a_3=\frac{1}{2}$이고, $a_8=8$일 때, a_{20}의 값

개념 02

05 다음 수열이 이 순서대로 등차수열을 이룰 때, 다음 물음에 답하여라.

(1) x, y, z의 값을 구하여라.

① 3, x, 11, y

② x, -6, y, 2

③ x, y, -1, z, 3

(2) 세 수 a, b, c가 순서대로 등차수열을 이룬다. 세 수의 합이 -15이고, 곱이 -80일 때, 이들 세 수를 구하여라.

(3) 세 수 w, x, y, z가 순서대로 등차수열을 이룬다. 네 수의 합이 64이고, w, z곱이 220일 때, 네 수 중 가장 작은 수를 구하여라.

개념 03

06 첫째항이 a이고 끝항이 l인 등차수열의 제 n항까지의 합을 S_n을 구하여라.

(1) $a=3$, $l=99$, $n=25$

(2) $a=-10$, $l=90$, $n=26$

(3) $a=5$, $l=-43$, $n=17$

(4) $a=-3$, $l=96$, $n=12$

개념 03

07 다음 등차수열의 합을 구하여라.

(1) $3+10+17+\cdots+206$

(2) $(-100)+(-96)+(-92)+\cdots+4$

(3) $12+18+24+\cdots+78$

(4) $\frac{1}{2}+3+\frac{11}{2}+\cdots+48$

개념 03

08 다음을 구하여라.

(1) 등차수열 $\{a_n\}$에서 첫째항부터 제5항까지의 합이 15이고, 제6항부터 제 10항까지의 합이 25일 때, 제1항부터 제15항까지의 합을 구하여라.

(2) 등차수열 $\{a_n\}$에서 $a_1+a_2+a_3+\cdots+a_9=18$, $a_{19}+a_{20}+a_{21}+\cdots+a_{27}=45$일 때, $a_{37}+a_{38}+a_{39}+\cdots+a_{45}$의 값을 구하시오.

(3) 첫째항이 -39, 공차가 3인 등차수열에서 첫째항부터 제n항까지의 합을 S_n이라 할 때, S_n의 최솟값을 구하시오.

개념 04

09 다음 수열이 이 순서대로 등비수열을 이룰 때, 다음 물음에 답하여라.

(1) x, y, z 값을 구하여라.

① $3,\ x,\ 9$

② $2,\ x,\ 18$

③ $-28,\ x,\ -7,\ y$

④ $-\frac{1}{3},\ x,\ -3,\ y,\ z$

(2) 두 수 3과 48사이에 세 개의 실수 x_1, x_2, x_3을 넣어서 만든 3, x_1, x_2, x_3 48이 이 순서로 등비수열을 이룰 때 x_3의 값을 구하여라.

(3) 세 수 x, 0, y가 이 순서대로 등차수열을 이루고, 세 수 $2y$, x, -7이 이 순서대로 등비수열을 이룰 때, x의 값을 구하여라.

개념 05

10 첫째항이 a이고 공비가 r인 등비수열의 제n항까지의 합 S_n을 구하여라.

(1) $a=2$, $r=-1$, $n=10$

(2) $a=3$, $r=2$, $n=8$

(3) $a=\frac{1}{3}$, $r=-2$, $n=10$

(4) $a=-2$, $r=5$, $n=4$

개념 06

11 한 변의 길이가 4인 정삼각형 모양의 종이가 있다. 다음 그림과 같이 1회 시행에서 각 변의 중점을 이어서 만든 정삼각형을 오려냈을 때, 3개의 작은 정삼각형이 남는다. 2회 시행에서는 1회 시행 후 남은 3개의 작은 정삼각형에서 같은 방법으로 만든 정삼각형을 오려낸다. 이와 같은 시행을 계속했을 때, 20회 후 남아있는 종이의 넓이를 구하여라.

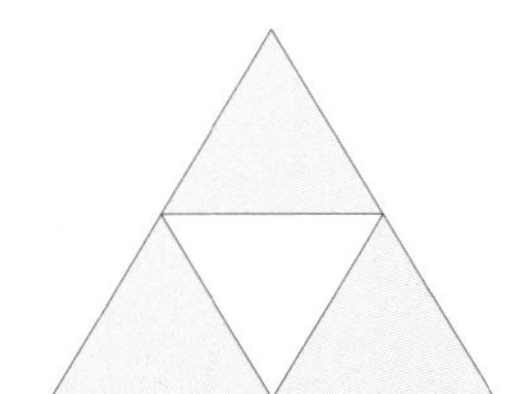

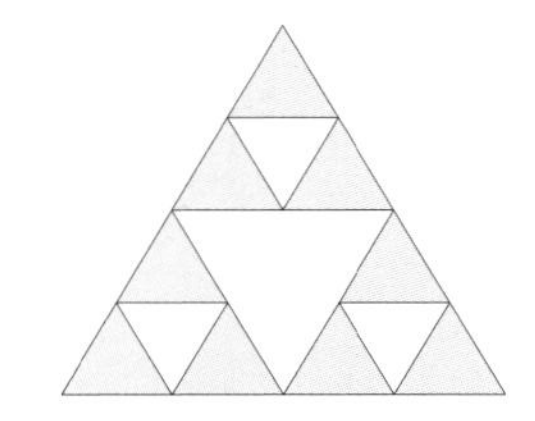

개념 06

12 다음을 구하여라.

(1) 연이율 6%이고, 1년마다 복리로 10년동안 120만원씩 적립하는데, 적립시기가 다음과 같을 때, 10년 후의 적립금의 원리합계를 각각 구하여라. (단, $1.06^{10}=1.79$로 계산하고, 1만원 미만은 반올림한다.)

① 매 년 초에 적립

② 매 년 말에 적립

(2) 정은이는 주택자금으로 올해 초에 A은행에서 1000만 원을 빌린 후 10년 후부터 매년 말 일정 금액으로 10년동안 다 갚으려고 한다. 연이율 10%, 1년마다의 복리로 계산할 때, 매년 갚아야 하는 일정 금액을 구하여라. (단, $1.1^{10}=2.6$, $1.1^{20}=6.7$)

① 빌린 돈 1000만원의 20년 후의 원리합계

② 매 년 말 a원씩 10년 동안 적립한 금액의 원리합계

③ (1)과 (2)에서 구한 원리합계가 같아지는 a원 (단, 1만원 미만은 반올림한다.)

(3) 매월 초에 일정한 금액을 월이율 1%, 한 달마다 복리로 적립하여 5년 후 월 말에 2000만 원을 만들려고 한다. 매달 얼마씩 적립해야 하는지 구하여라. (단, $1.01^{60}=1.8$로 계산하고, 1만원 미만은 반올림한다.)

개념 07

합의 기호 $\sum$

(1) 합의 기호 $\sum$

수열 $\{a_n\}$의 첫째항부터 제 n항까지의 합 $a_1+a_2+a_3+\cdots+a_n$을 합의 기호 $\sum$를 써서 다음과 같이 나타낸다.

$$a_1+a_2+a_3+\cdots+a_n=\sum_{k=1}^{n}a_k$$

예 $1+2+3+\cdots+n$을 합의 기호 $\square$를 써서 나타내면 수열 1, 2, 3, …의 일반항이 $a_n=\square$, 즉 $a_k=\square$

이므로 $1+2+3+\cdots+n=\sum_{k=\square}^{\square}\square$이다.

(2) 합의 기호 $\sum$의 기본 성질

두 수열$\{a_n\}$, $\{b_n\}$에 대하여

① $\sum_{k=1}^{n}(a_k+b_k)=\sum_{k=1}^{n}a_k+\sum_{k=1}^{n}b_k$

② $\sum_{k=1}^{n}(a_k-b_k)=\sum_{k=1}^{n}a_k-\sum_{k=1}^{n}b_k$

③ $\sum_{k=1}^{n}ca_k=c\sum_{k=1}^{n}a_k$(단, c는 상수)

④ $\sum_{k=1}^{n}c=cn$ (단, c는 상수)

예 $\sum_{k=1}^{n}(a_k+b_k)=(\square)+(\square)+(\square)+\cdots+(\square)$

$=(a_1+a_2+a_3+\cdots a_n)+(\square)=\sum_{k=1}^{n}a_k+\square$

유형 수열의 합 ↔ $\sum$

• $a_1+a_2+a_3+\cdots+a_n=\sum_{k=1}^{n}a_k$ ⟵ 일반항

(제n항까지 / k는 변수 / 첫째항부터)

01 다음 식을 기호 $\sum$를 쓰지 않은 수열의 합으로 나타내어라.

(1) $\sum_{k=1}^{5}2k$

(2) $\sum_{k=1}^{10}k^2$

(3) $\sum_{k=1}^{20}(2k+1)$

(4) $\sum_{k=1}^{5}\frac{k}{k+1}$

(5) $\sum_{k=1}^{6}(-1)^k$

02 다음 수열의 합을 기호 $\sum$를 써서 나타내어라.

(1) $2+4+6+\cdots+20$

(2) $1+3+5+\cdots+21$

(3) $1+\frac{1}{2}+\frac{1}{3}+\cdots+\frac{1}{20}$

(4) $2+4+8+\cdots+2^{15}$

(5) $1\cdot2+2\cdot3+3\cdot4+\cdots+100\cdot101$

(6) $\frac{1}{1\cdot3}+\frac{1}{2\cdot4}+\frac{1}{3\cdot5}+\cdots+\frac{1}{18\cdot20}$

(7) $1^2+2^2+3^2+\cdots+50^2$

유형 $\sum_{k=1}^{n} a_k$의 변수의 변화

- $\sum_{k=1}^{n} a_k=\sum_{l=1}^{n} a_l=\sum_{m=1}^{n} a_m=\sum_{s=1}^{n} a_s=\cdots$

← 변수 k 대신에 다른 문자를 써도 결과는 같다.

03 다음의 기호 $\sum$에 대한 내용으로 옳은 것은 ○를, 옳지 않은 것은 ×를 ( ) 안에 써넣어라.

(1) $\sum_{k=1}^{10}(2k+1)=\sum_{k=1}^{10}(2l+1)$ ( )

(2) $\sum_{k=1}^{10}(2k-1)=\sum_{l=1}^{10}(2l-1)$ ( )

(3) $\sum_{k=1}^{n} k^2=\sum_{m=1}^{10} m^2$ ( )

(4) $\sum_{k=1}^{n} k^2=\sum_{l=1}^{10} l^2$ ( )

(5) $\sum_{k=1}^{n}(k^2+1)=\sum_{l=1}^{m}(l^2+1)$ ( )

(6) $\sum_{k=1}^{n}(k^2+1)=\sum_{m=1}^{n}(m^2+1)$ ( )

(7) $\sum_{k=1}^{m}(k^2-1)=\sum_{l=1}^{m}(l^2-1)$ ( )

유형 $\sum_{k=1}^{n} a_k$의 다양한 표현

- $m \le n$일 때
  $\sum_{k=1}^{n} a_k = \sum_{k=1}^{m} a_k + \sum_{k=m+1}^{n} a_k$, $\sum_{k=m}^{n} a_k = \sum_{k=1}^{n} a_k - \sum_{k=1}^{m-1} a_k$
  $\sum_{k=1}^{n} a_k = \sum_{k=0}^{n-1} a_{k+1} = \sum_{k=2}^{n+1} a_{k-1}$

04 다음 □ 안에 알맞은 수를 써넣어라.

(1) $\sum_{k=1}^{10}(2k+1) = \sum_{k=1}^{5}(2k+1) + \sum_{k=\square}^{\square}(2k+1)$

(2) $\sum_{k=1}^{10} k^2 = \sum_{k=1}^{3} k^2 + \sum_{k=\square}^{\square} k^2$

(3) $\sum_{k=1}^{20}(2k-1) = \sum_{k=1}^{10}(2k-1) + \sum_{k=\square}^{\square}(2k-1)$

(4) $\sum_{k=1}^{10}(k^2+1) = \sum_{k=1}^{20}(k^2+1) - \sum_{k=\square}^{\square}(k^2+1)$

(5) $\sum_{k=1}^{7}(k^2-1) = \sum_{k=1}^{10}(k^2-1) - \sum_{k=\square}^{\square}(k^2-1)$

05 다음 □ 안에 알맞은 것을 써넣어라.

(1) $\sum_{k=1}^{10}(2k-1) = \sum_{k=0}^{\square}(2k+1) = \sum_{k=2}^{11}(\square)$

(2) $\sum_{k=1}^{5} k^2 = \sum_{k=0}^{4} \square = \sum_{k=2}^{\square}(k-1)^2$

(3) $\sum_{k=1}^{10} \frac{1}{k} = \sum_{k=0}^{\square} \frac{1}{k+1} = \sum_{k=2}^{11} \square$

유형 $\sum$의 덧셈·뺄셈·상수배

- $\sum_{k=1}^{n}(a_k \pm b_k) = \sum_{k=1}^{n} a_k \pm \sum_{k=1}^{n} b_k$ (복부호 동순)
- $\sum_{k=1}^{n} ca_k = c\sum_{k=1}^{n} a_k$ (단, c는 상수)

06 $\sum_{k=1}^{10} a_k = 3$, $\sum_{k=1}^{10} b_k = 4$일 때, 다음을 구하여라.

(1) $\sum_{k=1}^{10}(a_k+b_k)$

(2) $\sum_{k=1}^{10}(a_k-b_k)$

(3) $\sum_{k=1}^{10}(2a_k+3b_k)$

(4) $\sum_{k=1}^{10}(3a_k-4b_k)$

유형 $\sum_{k=1}^{n} c$의 계산

- $\sum_{k=1}^{n} c = \underbrace{c+c+c+\cdots+c}_{n\text{개}} = cn$ (단, c는 상수)

07 다음을 구하여라.

(1) $\sum_{k=1}^{10} 2$

(2) $\sum_{k=1}^{5} 3$

(3) $\sum_{k=1}^{20} 5$

(4) $\sum_{k=1}^{25} 40$

유형 $\sum$의 계산

• 두 수열 $\{a_n\}$, $\{b_n\}$과 상수 A, B, C에 대하여

$$\sum_{k=1}^{n}(Aa_k+Bb_k+C)=A\sum_{k=1}^{n}a_k+B\sum_{k=1}^{n}b_k+Cn$$

08 $\sum_{k=1}^{20}a_k=10$, $\sum_{k=1}^{20}b_k=15$일 때, 다음을 구하여라.

(1) $\sum_{k=1}^{20}(a_k+b_k-1)$

(2) $\sum_{k=1}^{20}(a_k-b_k+3)$

(3) $\sum_{k=1}^{20}(3a_k+4b_k-2)$

(4) $\sum_{k=1}^{20}(2a_k-6b_k+5)$

(5) $\sum_{k=1}^{20}(a_k+2b_k)+\sum_{k=1}^{20}(b_k+3)$

(6) $\sum_{k=1}^{20}(5b_k-2a_k+1)-\sum_{k=1}^{20}(a_k-1)$

유형 $\sum$의 계산에서 주의할 점

• 두 수열 $\{a_n\}$, $\{b_n\}$에 대하여

• $\sum_{k=1}^{n}a_kb_k\neq\sum_{k=1}^{n}a_k\sum_{k=1}^{n}b_k$, $\sum_{k=1}^{n}\frac{a_k}{b_k}\neq\frac{\sum_{k=1}^{n}a_k}{\sum_{k=1}^{n}b_k}$

• $\sum_{k=1}^{n}a_k^{\,2}\neq\left(\sum_{k=1}^{n}a_k\right)^2$, $\sum_{k=1}^{n}a_k^{\,3}\neq\left(\sum_{k=1}^{n}a_k\right)^3$

09 다음의 기호 $\sum$에 대한 내용으로 옳은 것은 ○를, 옳지 않은 것은 ×를 (　　) 안에 써넣어라.

(1) $\sum_{k=1}^{10}k^2=\left(\sum_{k=1}^{10}k\right)^2$ (　　　)

(2) $\sum_{k=1}^{10}\frac{2k+1}{k}=\frac{\sum_{k=1}^{10}(2k+1)}{\sum_{k=1}^{10}k}$ (　　　)

(3) $\sum_{k=1}^{10}(k+1)=\sum_{k=1}^{10}k+1$ (　　　)

(4) $\sum_{k=1}^{10}k(k+1)=\sum_{k=1}^{10}k\cdot\sum_{k=1}^{10}(k+1)$ (　　　)

도전! 1등급

10 $\sum_{k=1}^{10}|k-5|$의 값은?

① 5　② 10　③ 15　④ 20　⑤ 25

11 수열 $\{a_n\}$에 대하여 $\sum_{k=1}^{10}a_k^{\,2}=10$, $\sum_{k=1}^{10}a_k=5$일 때, $\sum_{k=1}^{10}(a_k+1)^2$의 값은?

① 30　② 25　③ 20　④ 15　⑤ 10

개념 08 자연수의 거듭제곱의 합

(1) $\sum_{k=1}^{n} k=1+2+3+\cdots+n=\frac{n(n+1)}{2}$

예 $\sum_{k=1}^{10} k=1+2+3+\cdots+\square=\square=\square$

(2) $\sum_{k=1}^{n} k^2=1^2+2^2+3^2+\cdots+n^2=\frac{n(n+1)(2n+1)}{6}$

예 $\sum_{k=1}^{6} k^2=1^2+2^2+3^2+\cdots+\square=\square=\square$

(3) $\sum_{k=1}^{n} k^3=1^3+2^3+3^3+\cdots+n^3=\left\{\frac{n(n+1)}{2}\right\}^2$

예 $\sum_{k=1}^{5} k^3=1^3+2^3+3^3+\cdots+\square=\square=\square$

유형 $\sum_{k=1}^{n} k$의 계산

• $\sum_{k=1}^{n} k=1+2+3+\cdots+n=\frac{n(n+1)}{2}$

01 다음을 구하여라.

(1) $\sum_{k=1}^{12} k$

(2) $\sum_{k=1}^{15} k$

(3) $\sum_{k=1}^{18} k$

(4) $\sum_{k=1}^{20} k$

유형 $\sum_{k=1}^{n} k^2$의 계산

• $\sum_{k=1}^{n} k^2=1^2+2^2+3^2+\cdots+n^2=\frac{n(n+1)(2n+1)}{6}$

02 다음을 구하여라.

(1) $\sum_{k=1}^{7} k^2$

(2) $\sum_{k=1}^{10} k^2$

(3) $\sum_{k=1}^{13} k^2$

(4) $\sum_{k=1}^{20} k^2$

유형 $\sum_{k=1}^{n} k^3$의 계산

- $\sum_{k=1}^{n} k^3 = 1^3+2^3+3^3+\cdots+n^3 = \left\{\frac{n(n+1)}{2}\right\}^2$
  ← $\sum_{k=1}^{n} k^3 = \left\{\sum_{k=1}^{n} k\right\}^2$

03 다음을 구하여라.

(1) $\sum_{k=1}^{4} k^3$

(2) $\sum_{k=1}^{6} k^3$

(3) $\sum_{k=1}^{7} k^3$

04 다음을 구하여라.

(1) $1+2+3+\cdots+23$

(2) $1^2+2^2+3^2+\cdots+16^2$

(3) $1^3+2^3+3^3+\cdots+10^3$

05 다음을 구하여라.

(1) $\sum_{k=1}^{6}(2k-3)$

(2) $\sum_{k=1}^{8}(k^2-2k-4)$

(3) $\sum_{k=1}^{9}(k-3)^2$

(4) $\sum_{k=1}^{10}(2k+1)(k-4)$

(5) $\sum_{k=1}^{5}(k+1)(k^2-k+1)$

도전! 1등급

06 실수 a에 대하여 $\sum_{k=1}^{8}(k^2+2ak+a^2)$의 최솟값은?

① 40　② 41　③ 42
④ 43　⑤ 44

분수 꼴로 나타내어진 수열의 합

일반항이 분수 꼴로 나타내어진 수열의 합은 일반항을 부분분수로 분해하여 합을 구한다.

(1) $\sum_{k=1}^{n} \frac{1}{k(k+1)} = \sum_{k=1}^{n} \left(\frac{1}{k} - \frac{1}{k+1}\right)$

예 $\sum_{k=1}^{10} \frac{1}{k(k+1)} = \sum_{k=1}^{10} \left(\boxed{\qquad}\right) = \left(\frac{1}{1} - \frac{1}{2}\right) + \left(\frac{1}{2} - \frac{1}{3}\right) + \cdots + \left(\boxed{\qquad}\right) = \boxed{\qquad} = \boxed{\quad}$

(2) $\sum_{k=1}^{n} \frac{1}{k(k+2)} = \frac{1}{2}\sum_{k=1}^{n} \left(\frac{1}{k} - \frac{1}{k+2}\right)$, $\sum_{k=1}^{n} = \frac{2}{k(k+2)} = \sum_{k=1}^{n} \left(\frac{1}{k} - \frac{1}{k+2}\right)$

(3) $\sum_{k=1}^{n} \frac{1}{(k+a)(k+b)} = \frac{1}{b-a}\sum_{k=1}^{n} \left(\frac{1}{k+a} - \frac{1}{k+b}\right)$, $\sum_{k=1}^{n} \frac{b-a}{(k+a)(k+b)} = \sum_{k=1}^{n} \left(\frac{1}{k+a} - \frac{1}{k+b}\right)$

유형 $\sum_{k=1}^{n} \frac{1}{k(k+1)}$의 계산

• $\sum_{k=1}^{n} \frac{1}{k(k+1)} = \sum_{k=1}^{n} \left(\frac{1}{k} - \frac{1}{k+1}\right)$

$= \left(\frac{1}{1} - \frac{1}{2}\right) + \left(\frac{1}{2} - \frac{1}{3}\right) + \cdots + \left(\frac{1}{n} - \frac{1}{n+1}\right)$

$= 1 - \frac{1}{n+1} = \frac{n}{n+1}$

← $k=1$부터 $k=n$까지 직접 대입하면서 합이 0이 되는 항들을 정리한 뒤 합을 구한다.

01 다음 수열의 합을 구하여라.

(1) $\frac{1}{1\cdot 2} + \frac{1}{2\cdot 3} + \frac{1}{3\cdot 4} + \cdots + \frac{1}{10\cdot 11}$

(2) $\frac{1}{1\cdot 2} + \frac{1}{2\cdot 3} + \frac{1}{3\cdot 4} + \cdots + \frac{1}{20\cdot 21}$

(3) $\frac{1}{1\cdot 2} + \frac{1}{2\cdot 3} + \frac{1}{3\cdot 4} + \cdots + \frac{1}{99\cdot 100}$

02 다음을 구하여라.

(1) $\sum_{k=1}^{5} \frac{1}{k(k+1)}$

(2) $\sum_{k=1}^{50} \frac{1}{k(k+1)}$

(3) $\sum_{k=1}^{100} \frac{1}{k(k+1)}$

(4) $\sum_{k=1}^{2015} \frac{1}{k(k+1)}$

유형 $\sum_{k=1}^{n}\frac{1}{k(k+2)}$의 계산

• $\sum_{k=1}^{n}\frac{1}{k(k+2)}=\frac{1}{2}\sum_{k=1}^{n}\left(\frac{1}{k}-\frac{1}{k+2}\right)$

$=\frac{1}{2}\left\{\left(\frac{1}{1}-\frac{1}{3}\right)+\left(\frac{1}{2}-\frac{1}{4}\right)+\left(\frac{1}{3}-\frac{1}{5}\right)+\cdots+\left(\frac{1}{n-1}-\frac{1}{n+1}\right)+\left(\frac{1}{n}-\frac{1}{n+2}\right)\right\}$

$=\frac{1}{2}\left(1+\frac{1}{2}-\frac{1}{n+1}-\frac{1}{n+2}\right)$

← +인 항 2개, −인 항 2개만 남는다.

• $\sum_{k=1}^{n}\frac{2}{k(k+2)}=\sum_{k=1}^{n}\left(\frac{1}{k}-\frac{1}{k+2}\right)$

$=1+\frac{1}{2}-\frac{1}{n+1}-\frac{1}{n+2}$

03 다음 수열의 합을 구하여라.

(1) $\frac{1}{1\cdot3}+\frac{1}{2\cdot4}+\frac{1}{3\cdot5}+\cdots+\frac{1}{8\cdot10}$

(2) $\frac{2}{1\cdot3}+\frac{2}{2\cdot4}+\frac{2}{3\cdot5}+\cdots+\frac{2}{19\cdot21}$

(3) $\frac{1}{1\cdot3}+\frac{1}{3\cdot5}+\frac{1}{5\cdot7}+\cdots+\frac{1}{15\cdot17}$

(4) $\frac{2}{1\cdot3}+\frac{2}{3\cdot5}+\frac{2}{5\cdot7}+\cdots+\frac{2}{11\cdot13}$

유형 $\sum_{k=1}^{n}\frac{1}{(k+a)(k+b)}$의 계산

• $\sum_{k=1}^{n}\frac{1}{(k+a)(k+b)}=\frac{1}{b-a}\sum_{k=1}^{n}\left(\frac{1}{k+a}-\frac{1}{k+b}\right)$

• $\sum_{k=1}^{n}\frac{b-a}{(k+a)(k+b)}=\sum_{k=1}^{n}\left(\frac{1}{k+a}-\frac{1}{k+b}\right)$

04 다음 수열의 합을 구하여라.

(1) $\sum_{k=1}^{10}\frac{1}{(k+2)(k+3)}$

(2) $\sum_{k=1}^{30}\frac{1}{(k+5)(k+6)}$

(3) $\sum_{k=1}^{9}\frac{2}{(k+2)(k+4)}$

도전! 1등급

05 $1+\frac{1}{1+2}+\frac{1}{1+2+3}+\cdots+\frac{1}{1+2+3+\cdots+20}$ 의 값은?

① $\frac{20}{21}$ ② $\frac{17}{9}$ ③ $\frac{36}{19}$ ④ $\frac{19}{40}$ ⑤ $\frac{40}{21}$

10 분모에 근호가 포함된 수열의 합

일반항이 분수이면서 분모에 근호가 포함된 꼴로 나타내어진 수열의 합은 분모를 유리화하여 합을 구한다.

(1) $\sum_{k=1}^{n} \frac{1}{\sqrt{k}+\sqrt{k+1}} = \sum_{k=1}^{n} \frac{\sqrt{k+1}-\sqrt{k}}{(\sqrt{k+1}+\sqrt{k})(\sqrt{k+1}-\sqrt{k})} = \sum_{k=1}^{n} (\sqrt{k+1}-\sqrt{k})$

(2) $\sum_{k=1}^{n} \frac{1}{\sqrt{k}+\sqrt{k+2}} = \sum_{k=1}^{n} \frac{\sqrt{k+2}-\sqrt{k}}{(\sqrt{k+2}+\sqrt{k})(\sqrt{k+2}-\sqrt{k})} = \frac{1}{2}\sum_{k=1}^{n} (\sqrt{k+2}-\sqrt{k})$

(3) $\sum_{k=1}^{n} \frac{1}{\sqrt{k+a}+\sqrt{k+b}} = \sum_{k=1}^{n} \frac{\sqrt{k+a}-\sqrt{k+b}}{(\sqrt{k+a}+\sqrt{k+b})(\sqrt{k+a}-\sqrt{k+b})} = \frac{1}{a-b}\sum_{k=1}^{n} (\sqrt{k+a}-\sqrt{k+b})$ (단, $a \neq b$)

유형 $\sum_{k=1}^{n} \frac{1}{\sqrt{k}+\sqrt{k+1}}$ 의 계산

• $\sum_{k=1}^{n} \frac{1}{\sqrt{k}+\sqrt{k+1}} = \sum_{k=1}^{n} (\sqrt{k+1}-\sqrt{k}) = \sqrt{n+1}-1$

→ 분모, 분자에 $\sqrt{k}-\sqrt{k+1}$ 을 곱한다.

01 다음 수열의 합을 구하여라.

(1) $\frac{1}{\sqrt{2}+1}+\frac{1}{\sqrt{3}+\sqrt{2}}+\frac{1}{\sqrt{4}+\sqrt{3}}+\cdots+\frac{1}{\sqrt{11}+\sqrt{10}}$

(2) $\frac{1}{\sqrt{2}+1}+\frac{1}{\sqrt{3}+\sqrt{2}}+\frac{1}{\sqrt{4}+\sqrt{3}}+\cdots+\frac{1}{\sqrt{21}+\sqrt{20}}$

(3) $\frac{1}{\sqrt{2}+1}+\frac{1}{\sqrt{3}+\sqrt{2}}+\frac{1}{\sqrt{4}+\sqrt{3}}+\cdots+\frac{1}{\sqrt{100}+\sqrt{99}}$

(4) $\frac{1}{\sqrt{2}+1}+\frac{1}{\sqrt{3}+\sqrt{2}}+\frac{1}{\sqrt{4}+\sqrt{3}}+\cdots+\frac{1}{\sqrt{2016}+\sqrt{2015}}$

02 다음을 구하여라.

(1) $\sum_{k=1}^{15} \frac{1}{\sqrt{k}+\sqrt{k+1}}$

(2) $\sum_{k=1}^{30} \frac{1}{\sqrt{k}+\sqrt{k+1}}$

(3) $\sum_{k=1}^{50} \frac{1}{\sqrt{k}+\sqrt{k+1}}$

(4) $\sum_{k=1}^{100} \frac{1}{\sqrt{k}+\sqrt{k+1}}$

유형 $\sum_{k=1}^{n} \frac{1}{\sqrt{k+2}+\sqrt{k}}$ 의 계산

- $\sum_{k=1}^{n} \frac{1}{\sqrt{k+2}+\sqrt{k}} = \frac{1}{2}\sum_{k=1}^{n}(\sqrt{k+2}-\sqrt{k})$
  └→ 분모, 분자에 $\sqrt{k+2}-\sqrt{k}$ 을 곱한다.
  $= \frac{1}{2}(\sqrt{n+2}+\sqrt{n+1}-\sqrt{2}-1)$
- $\sum_{k=1}^{n} \frac{2}{\sqrt{k+2}+\sqrt{k}} = \sum_{k=1}^{n}(\sqrt{k+2}-\sqrt{k})$
  └→ 분모, 분자에 $\sqrt{k+2}-\sqrt{k}$ 을 곱한다.
  $=\sqrt{n+2}+\sqrt{n+1}-\sqrt{2}-1$

03 다음 수열의 합을 구하여라.

(1) $\frac{1}{\sqrt{3}+1}+\frac{1}{\sqrt{4}+\sqrt{2}}+\frac{1}{\sqrt{5}+\sqrt{3}}+\cdots+\frac{1}{\sqrt{12}+\sqrt{10}}$

(2) $\frac{1}{\sqrt{3}+1}+\frac{1}{\sqrt{4}+\sqrt{2}}+\frac{1}{\sqrt{5}+\sqrt{3}}+\cdots+\frac{1}{\sqrt{26}+\sqrt{24}}$

(3) $\frac{2}{\sqrt{5}+\sqrt{3}}+\frac{2}{\sqrt{6}+\sqrt{4}}+\frac{2}{\sqrt{7}+\sqrt{5}}+\cdots+\frac{2}{\sqrt{100}+\sqrt{98}}$

(4) $\frac{2}{\sqrt{10}+\sqrt{8}}+\frac{2}{\sqrt{11}+\sqrt{9}}+\frac{2}{\sqrt{12}+\sqrt{10}}+\cdots+\frac{2}{\sqrt{2017}+\sqrt{2015}}$

유형 $\sum_{k=1}^{n} \frac{1}{\sqrt{k+a}+\sqrt{k+b}}$ 의 계산 (단, $a \neq b$)

- $\sum_{k=1}^{n} \frac{1}{\sqrt{k+a}+\sqrt{k+b}} = \frac{1}{a-b}\sum_{k=1}^{n}(\sqrt{k+a}-\sqrt{k+b})$
  └→ 분모, 분자에 $\sqrt{k+a}-\sqrt{k+b}$ 을 곱한다.

04 다음 수열의 합을 구하여라.

(1) $\sum_{k=1}^{15} \frac{1}{\sqrt{k+3}+\sqrt{k+2}}$

(2) $\sum_{k=1}^{20} \frac{1}{\sqrt{k+4}+\sqrt{k+1}}$

(3) $\sum_{k=}^{100} \frac{3}{\sqrt{k+3}+\sqrt{k}}$

도전! 1등급

05 $\sum_{k=1}^{n} \frac{1}{\sqrt{k}+\sqrt{k+1}}=10$이 되는 n의 값은?

① 81 ② 100 ③ 120
④ 125 ⑤ 200

군수열

(1) 군수열

특정한 규칙에 의하여 항들을 묶을 수 있고 각각의 묶음이 다시 일정한 규칙에 따라 나열되는 수열

(2) 군수열의 문제를 푸는 방법

① 주어진 수열의 규칙을 파악하여 제1군, 제2군, 제3군, … 으로 묶는다.

② 각 군의 첫째항끼리의 규칙을 찾아서 제 n군의 첫째항을 n에 관한 식으로 나타낸다.

③ 제 n군의 항의 개수를 n에 관한 식으로 나타내고 제1군부터 제 n군까지의 항의 개수를 구해본다.

④ 구하는 항이 제 몇 군의 제 몇 항인지 알아낸다.

예 수열 1, 1, 2, 1, 2, 3, 1, 2, 3, 4, … 를 규칙에 따라서 군으로 묶으면 (1), (□), (□), (□), … 이므로 제 n군의 첫째항은 □이고 제 n군의 항수는 □, 제1군부터 제 n군까지의 항의 개수는 □=□이다.

유형 자연수로 된 군수열

- 제1군, 제2군, 제3군, …으로 묶는다.
- 제 n군의 첫째항을 n에 관한 식으로 나타낸다.
- 구하는 항이 제 n군의 제 몇 항인지 알아낸다.

01 다음과 같은 수열 $\{a_n\}$에 대하여 다음을 구하여라.

1, 1, 2, 1, 2, 3, 1, 2, 3, 4, 1, 2, 3, 4, 5, …

(1) 1이 각 군의 첫째항이 되도록 묶은 군수열

(2) 제 n군

(3) 제 1군부터 제 n군까지의 항의 개수

(4) a_{10}

(5) a_{100}

02 다음과 같은 수열 $\{a_n\}$에 대하여 다음을 구하여라.

1, 1, 3, 1, 3, 5, 1, 3, 5, 7, 1, 3, 5, 7, 9, …

(1) 1이 각 군의 첫째항이 되도록 묶은 군수열

(2) 제 n군

(3) 제 1군부터 제 n군까지의 항의 개수

(4) a_{15}

(5) a_{62}

유형 **분수로 된 군수열**

- 분모가 같은 항끼리
- 분자가 같은 항끼리 ➡ 군으로 묶는다.
- 분모와 분자의 합이 같은 항끼리

03 다음과 같은 수열 $\{a_n\}$에 대하여 다음을 구하여라.

$$1,\ \frac{1}{2},\ \frac{2}{2},\ \frac{1}{3},\ \frac{2}{3},\ \frac{3}{3},\ \frac{1}{4},\ \frac{2}{4},\ \frac{3}{4},\ \frac{4}{4},\ \cdots$$

(1) 분모가 같은 항끼리 묶은 군수열

(2) 제 n군

(3) 제1군부터 제 n군까지의 항의 개수

(4) a_{49}

(5) a_{123}

(6) $a_n=\dfrac{3}{25}$이 되는 n의 값

04 다음과 같은 수열 $\{a_n\}$에 대하여 다음을 구하여라.

$$\frac{1}{1},\ \frac{1}{2},\ \frac{2}{1},\ \frac{1}{3},\ \frac{2}{2},\ \frac{3}{1},\ \frac{1}{4},\ \frac{2}{3},\ \frac{3}{2},\ \frac{4}{1},\ \cdots$$

(1) 분모와 분자의 합이 같은 항끼리 묶은 군수열

(2) 제 n군

(3) a_{28}

(4) $a_n=\dfrac{9}{12}$가 되는 n의 값

도전! 1등급

05 자연수를 1부터 오른쪽 표 안에 규칙적으로 배열할 때, 위부터 10번째 줄의 왼쪽부터 5번째에 있는 수는?

1	2	5	10	⋯
4	3	6	11	
9	8	7	12	
16	15	14	13	
⋯				⋯

① 96 ② 97 ③ 99
④ 104 ⑤ 105

개념 07

01 다음 수열의 합을 기호 $\sum$를 써서 나타내어라.

(1) $4+8+12+\cdots+40$

(2) $1+3+5+\cdots+33$

(3) $\frac{1}{2}+\frac{2}{3}+\frac{3}{4}\cdots+\frac{19}{20}$

(4) $1+2+2^2+\cdots+2^{2017}$

개념 07

02 다음을 구하여라.

(1) $\sum_{k=1}^{10} a_k=8$, $\sum_{k=1}^{10} b_k=10$일 때, $\sum_{k=1}^{10}(a_k-2b_k+1)$의 값

(2) $\sum_{k=1}^{5} a_k^{\ 2}=4$, $\sum_{k=1}^{5} a_k=2$일 때, $\sum_{k=1}^{5}(2a_k-3)^2$의 값

(3) $\sum_{k=1}^{20}(k^2+5)-\sum_{k=1}^{20}(k^2-5)$

(4) $\sum_{k=1}^{10} k^2-\sum_{k=5}^{10} k^2$

개념 08

03 다음을 구하여라.

(1) $1+2+3+\cdots+25$

(2) $1^2+2^2+3^2+\cdots+15^2$

(3) $\sum_{k=1}^{5}(3k+1)(k-2)$

(4) $\sum_{k=1}^{6}(k-2)(k^2+2k+4)$

(5) 수열 1×2, 2×3, 3×4, $\cdots$의 첫째항부터 제n항까지의 합 S_n을 자연수의 거듭제곱의 합을 이용하여 구하여라.

① a_n을 구히여라.

② S_n을 구하는 과정이다. □ 안에 알맞은 수를 써 넣어라.

$$\sum_{k=1}^{n} a_k=\sum_{k=1}^{n}\boxed{}=\sum_{k=1}^{n} k^2+\sum_{k=1}^{n}\boxed{}$$

$$=\frac{n(n+1)(2n+1)}{6}+\boxed{}$$

$$=\frac{\boxed{}(2n+1+3)}{6}$$

$$=\frac{n(n+1)\boxed{}}{3}$$

개념 09

04 다음을 구하여라.

(1) $\sum_{k=1}^{8} \frac{1}{k(k+1)}$

(2) $\sum_{k=1}^{8} \frac{1}{k(k+2)}$

(3) $\sum_{k=1}^{7} \frac{2}{(k+1)(k+3)}$

(4) $\sum_{k=1}^{20} \frac{1}{(2k-1)(2k+1)}$

(5) $\sum_{k=1}^{10} \frac{1}{(2k+3)(2k+5)}$

개념 10

05 다음 수열의 합을 구하여라.

(1) $\frac{1}{\sqrt{3}+1}+\frac{1}{\sqrt{4}+\sqrt{2}}+\frac{1}{\sqrt{5}+\sqrt{3}}+\cdots+\frac{1}{\sqrt{14}+\sqrt{12}}$

(2) $\frac{2}{\sqrt{3}+1}+\frac{2}{\sqrt{4}+\sqrt{2}}+\frac{2}{\sqrt{5}+\sqrt{3}}+\cdots+\frac{1}{\sqrt{100}+\sqrt{98}}$

(3) $\frac{1}{\sqrt{5}+\sqrt{3}}+\frac{1}{\sqrt{6}+\sqrt{4}}+\frac{1}{\sqrt{7}+\sqrt{5}}+\cdots+\frac{1}{\sqrt{55}+\sqrt{53}}$

개념 11

06 다음과 같은 수열 $\{a_n\}$에 대하여 다음을 구하여라.

$1, \frac{2}{1}, \frac{2}{2}, \frac{3}{1}, \frac{3}{2}, \frac{3}{3}, \frac{4}{1}, \frac{4}{2}, \frac{4}{3}, \frac{4}{4}, \cdots$

(1) 분자가 같은 항끼리 묶은 군수열

(2) 제 n군

(3) 제1군부터 제 n군까지의 항의 개수

(4) a_{25}

(5) $a_n=\frac{100}{33}$이 되는 n의 값

개념 12

수열의 귀납적 정의

(1) 수열의 귀납적 정의

수열 $\{a_n\}$을 ① a_1의 값, ② a_n과 a_{n+1} 사이의 관계식($n=1, 2, 3, \cdots$)을 가지고 정의할 때, 차례대로 모든항이 정해진다. $a_1 \to a_2 \to a_3 \to \cdots \to a_n \to a_{n+1} \to \cdots$

(2) 등차수열 $\{a_n\}$의 귀납적 정의

① 첫째항 a, 공차 d를 이용하면 나타낸 방법

$a_1=a,\ a_{n+1}=a_n+d\ (n=1, 2, 3, \cdots)$ 또는 $a_1=a,\ a_{n+1}-a_n+d\ (n=1, 2, 3, \cdots)$

② 등차중항을 이용하여 나타낸 방법

$a_1=a,\ a_{n+2}-a_{n+1}=a_{n+1}-a_n\ (n=1, 2, 3, \cdots)$또는 $a_1=a,\ 2a_{n+1}=a_n+a_{n+2}\ (n=1, 2, 3, \cdots)$

예 첫째항이 1이고 공차가 3인 등차수열을 귀납적으로 정의하면 $a_1=$ ☐, $a_{n+1}=$ ☐ $(n=1, 2, 3, \cdots)$

(3) 등비수열 $\{a_n\}$의 귀납적 정의

① 첫째항 a, 공차가 r 이용하여 나타낸 방법

$a_1=a,\ a_{n+1}=ra_n\ (n=1, 2, 3, \cdots)$ 또는 $a_1=a,\ \dfrac{a_{n+1}}{a_n}=r\ (n=1, 2, 3, \cdots)$

② 등비중항을 이용하여 나타낸 방법

$a_1=a,\ {a_{n+1}}^2=a_n a_{n+2}\ (n=1, 2, 3, \cdots)$또는 $a_1=a,\ \dfrac{a_{n+2}}{a_{n+1}}=\dfrac{a_{n+1}}{a_n}\ (n=1, 2, 3, \cdots)$

예 첫째항이 3이고 공비가 2인 등비수열을 귀납적으로 정의하면 $a_1=$ ☐, $a_{n+1}=$ ☐ $(n=1, 2, 3, \cdots)$

유형 수열의 귀납적 정의

- 수열 $\{a_n\}$을

① a_1의 값

② a_n과 a_{n+1} 사이의 관계식 $(n=1, 2, 3, \cdots)$로 정의할 때, n에 1, 2, 3, …을 차례로 대입하면 모든 항이 정해진다.

01 다음과 같이 귀납적으로 정의된 수열 $\{a_n\}$에서 제 5항을 구하여라.

(1) $\begin{cases} a_1=1 \\ a_{n+1}=a_n+7 \end{cases}$

(2) $\begin{cases} a_1=1,\ a_2=2 \\ a_{n+2}=a_{n+1}+a_n \end{cases}$

(3) $\begin{cases} a_1=1 \\ a_{n+1}=\dfrac{n}{n+1}a_n \end{cases}$

유형 등차수열의 귀납적 정의

- 첫째항이 a, 공차가 d인 등차수열 $\{a_n\}$

$a_1=a,\ a_{n+1}=a_n+d\ (n=1, 2, 3, \cdots)$

- 첫째항이 a인 등차수열 $\{a_n\}$

$a_1=a,\ a_{n+2}-a_{n+1}=a_{n+1}-a_n\ (n=1, 2, 3, \cdots)$

$a_1=a,\ 2a_{n+1}=a_n+a_{n+2}\ (n=1, 2, 3, \cdots)$

→ 공차 d를 구하여 일반항 a_n을 구한다.

02 다음 등차수열을 $\{a_n\}$이라 할 때, $\{a_n\}$을 귀납적으로 정의하여라.

(1) 첫째항이 1, 공차가 2

(2) 첫째항이 3, 공차가 4

(3) 첫째항이 4, 공차가 -3

03 다음과 같이 귀납적으로 정의된 수열 $\{a_n\}$에서 일반항 a_n을 구하여라. (단, $n=1, 2, 3, \cdots$)

(1) ① $a_1=5$, $a_{n+1}=a_n+2$

② $a_1=-2$, $a_{n+1}=a_n+3$

③ $a_1=-1$, $a_{n+1}=a_n-5$

(2) ① $a_1=3$, $a_2=6$, $a_{n+2}-a_{n+1}=a_{n+1}-a_n$

② $a_1=-2$, $a_2=5$, $a_{n+2}-a_{n+1}=a_{n+1}-a_n$

(3) ① $a_1=1$, $a_2=3$, $2a_{n+1}=a_n+a_{n+2}$

② $a_1=5$, $a_2=-1$, $2a_{n+1}=a_n+a_{n+2}$

유형 등비수열의 귀납적 정의

- 첫째항이 a이고 공비가 r인 등비수열 $\{a_n\}$

$a_1=a$, $a_{n+1}=ra_n$ $(n=1, 2, 3, \cdots)$

$a_1=a$, $\frac{a_{n+1}}{a_n}=r$ $(n=1, 2, 3, \cdots)$

- 첫째항이 a인 등비수열 $\{a_n\}$

$a_1=a$, $a_{n+1}{}^2=a_n a_{n+2}$ $(n=1, 2, 3, \cdots)$

$a_1=a$, $\frac{a_{n+2}}{a_{n+1}}=\frac{a_{n+1}}{a_n}$ $(n=1, 2, 3, \cdots)$

→ 공비 r를 구하여 일반항 a_n을 구한다.

04 다음 등비수열을 $\{a_n\}$이라 할 때, $\{a_n\}$을 귀납적으로 정의하여라.

(1) 첫째항이 1, 공비가 2

(2) 첫째항이 3, 공비가 4

(3) 첫째항이 2, 공비가 $\frac{1}{3}$

05 다음과 같이 귀납적으로 정의된 수열 $\{a_n\}$에서 일반항 a_n을 구하여라. (단, $n=1, 2, 3, \cdots$)

(1) ① $a_1=3$, $\frac{a_{n+1}}{a_n}=2$

② $a_1=-2$, $\frac{a_{n+1}}{a_n}=\frac{1}{3}$

③ $a_1=8$, $\frac{a_{n+1}}{a_n}=-\frac{1}{2}$

(2) ① $a_1=2$, $a_2=4$, $a_{n+1}{}^2=a_n a_{n+2}$

② $a_1=3$, $a_2=-12$, $a_{n+1}{}^2=a_n a_{n+2}$

(3) ① $a_1=-1$, $a_2=5$, $\frac{a_{n+2}}{a_{n+1}}=\frac{a_{n+1}}{a_n}$

② $a_1=4$, $a_2=\frac{1}{2}$, $\frac{a_{n+2}}{a_{n+1}}=\frac{a_{n+1}}{a_n}$

도전! 1등급

06 다음 수열을 $\{a_n\}$이라 할 때, $\{a_n\}$을 귀납적으로 바르게 정의한 것을 모두 고르면? (정답 2개)

$$100, 10, 1, \frac{1}{10}, \frac{1}{100}, \cdots$$

① $a_1=100$, $a_{n+1}=10a_n$ $(n=1, 2, 3, \cdots)$

② $a_1=100$, $a_{n+1}=\frac{1}{10}a_n$ $(n=1, 2, 3, \cdots)$

③ $a_1=10$, $\frac{a_{n+1}}{a_n}=10$ $(n=1, 2, 3, \cdots)$

④ $a_1=1$, $\frac{a_{n+1}}{a_n}=10$ $(n=1, 2, 3, \cdots)$

⑤ $a_1=100$, $\frac{a_{n+1}}{a_n}=\frac{1}{10}$ $(n=1, 2, 3, \cdots)$

여러 가지 수열의 귀납적 정의

(1) $a_{n+1}=a_n+f(n)$ 꼴의 귀납적 정의

$n=1, 2, 3, \cdots, n-1$을 차례로 대입한 식을 같은 변끼리 더한다.

$a_n=a_1+f(1)+f(2)+f(3)+\cdots+f(n-1)$

$$\begin{aligned} a_2&=a_1+f(1)\\ a_3&=a_2+f(2)\\ a_4&=a_3+f(3)\\ &\vdots\\ +\ a_n&=a_{n-1}+f(n-1)\\ \hline a_n&=a_1+f(1)+f(2)+f(3)+\cdots+f(n-1)\end{aligned}$$

(2) $a_{n+1}=a_nf(n)$ 꼴의 귀납적 정의

$n=1, 2, 3, \cdots, n-1$을 차례로 대입한 식을 같은 변끼리 곱한다.

$a_n=a_1f(1)f(2)f(3)\cdots f(n-1)$

$$\begin{aligned} a_2&=a_1f(1)\\ a_3&=a_2f(2)\\ a_4&=a_3f(3)\\ &\vdots\\ \times\ a_n&=a_{n-1}f(n-1)\\ \hline a_n&=a_1f(1)f(2)f(3)\cdots f(n-1)\end{aligned}$$

(3) $a_{n+1}=pa_n+q\,(p\neq1,\ pq\neq0)$ 꼴의 귀납적 정의

$a_{n+1}-\alpha=p(a_n-\alpha)$ (α는 상수) 꼴로 변형하면 $a_n-\alpha=(a_1-\alpha)p^{n-1}$ $\quad\therefore a_n=(a_1-\alpha)p^{n-1}+\alpha$

예 $a_{n+1}=2a_n+1$이면 $a_{n+1}+\square=\square(a_n+\square)$이므로 수열 $\{a_n+1\}$은 공비가 $\square$인 $\square$ 수열이다.

유형 $a_{n+1}=a_n+f(n)$ 꼴

- $n=1, 2, 3, \cdots, n-1$을 차례로 대입한 식을
  → 같은 변끼리 더한다.
  → $a_n=a_1+f(1)+f(2)+f(3)+\cdots+f(n-1)$

01 수열 $\{a_n\}$이 다음과 같이 귀납적으로 정의될 때, 일반항 a_n을 구하여라.

(1) $a_1=1,\ a_{n+1}=a_n+n$

(2) $a_1=3,\ a_{n+1}=a_n+2n$

(3) $a_1=1,\ a_{n+1}=a_n+2^n$

(4) $a_1=1,\ a_{n+1}=a_n+3^n$

(5) $a_1=1,\ a_{n+1}=a_n+\dfrac{1}{n(n+1)}$

(6) $a_1=2,\ a_{n+1}=a_n+n^2$

유형 $a_{n+1}=a_n f(n)$ 꼴

• $n=1, 2, 3, \cdots, n-1$을 차례로 대입한 등식을
➡ 같은 변끼리 곱한다.
➡ $a_n=a_1 f(1)f(2)f(3)\cdots f(n-1)$

02 수열 $\{a_n\}$이 다음과 같이 귀납적으로 정의할 때, 일반항 a_n을 구하여라.

(1) $a_1=1, \ a_{n+1}=\dfrac{n}{n+1}a_n$

(2) $a_1=2, \ a_{n+1}=\dfrac{n+1}{n+2}a_n$

(3) $a_1=1, \ a_{n+1}=2^n a_n$

(4) $a_1=1, \ a_{n+1}=3^n a_n$

(5) $a_1=3, \ a_{n+1}=\dfrac{\sqrt{n+1}}{\sqrt{n}}a_n$

유형 $a_{n+1}=pa_n+q$ 꼴 $(p\neq1, \ pq\neq0)$

• $a_{n+1}-\alpha=p(a_n-\alpha)$ ← $\alpha=\dfrac{q}{1-p}$ (α는 상수)
└→ $\{a_n-\alpha\}$는 공비가 p인 등비수열
➡ $a_n-\alpha=(a_1-\alpha)p^{n-1}$
➡ $a_n=(a_n-\alpha)p^{n-1}+\alpha$

03 수열 $\{a_n\}$이 다음과 같이 귀납적으로 정의될 때, 일반항 a_n을 구하여라.

(1) $a_1=2, \ a_{n+1}=2a_n+3$

(2) $a_1=2, \ a_{n+1}=3a_n-2$

(3) $a_1=1, \ a_{n+1}=4a_n+6$

도전! 1등급

04 수열 $\{a_n\}$이 다음 두 조건을 모두 만족시킬 때, $a_n=p\cdot q^{n-1}+r$이다. 이때 $p+2q+r$의 값은?

(가) $a_{n+1}=\dfrac{1}{2}a_n+1 \ (n=1, 2, 3, \cdots)$
(나) $a_1=8$

① 4 ② 5 ③ 9
④ 10 ⑤ 12

개념

14 수학적 귀납법

(1) 수학적 귀납법의 정의

자연수 n에 대한 명제 $p(n)$이 모든 자연수 n에 대하여 성립한다는 것을 증명하려면 다음 두 가지가 성립함을 보이면 된다.

(i) $n=1$일 때, 명제 $p(n)$이 성립한다.

(ii) $n=k$일 때, 명제 $p(n)$이 성립한다고 가정하면 $n=k+1$일 때도 명제 $p(n)$이 성립한다.

이와 같은 명제의 증명 방법을 수학적 귀납법이라고 한다.

(2) 수학적 귀납법의 응용

자연수 n에 대한 명제 $p(n)$이 $n \geq m$ (m은 자연수)인 모든 자연수 n에 대하여 성립함을 증명하려면 다음 두 가지가 성립함을 보이면 된다.

(i) $n=m$일 때, 명제 $p(n)$이 성립한다.

(ii) $n=k\ (k \geq m)$일 때, 명제 $p(n)$이 성립한다고 가정하면 $n=k+1$일 때도 명제 $p(n)$이 성립한다.

유형 수학적 귀납법

• (i) $n=1$일 때, 명제 $p(n)$이 성립함을 보인다.

(ii) $n=k$일 때, 명제 $p(n)$이 성립한다고 가정하면 $n=k+1$일 때도 명제 $p(n)$이 성립함을 보인다.

➡ $p(1)$이 참 → $p(2)$가 참 → $p(3)$이 참 → $p(4)$가 참 → ⋯ ← 도미노 현상

➡ 모든 자연수 n에 대하여 $p(n)$이 참

01 모든 자연수 n에 대하여 명제 $p(n)$이 다음 두 조건을 모두 만족시킬 때, 항상 참인 명제의 ( ) 안에 ○를 써넣어라.

(가) $p(1)$이 참이다.
(나) $p(n)$이 참이면 $p(2n)$이 참이다.

(1) $p(2)$ ( )

(2) $p(3)$ ( )

(3) $p(4)$ ( )

(4) $p(32)$ ( )

02 모든 자연수 n에 대하여 명제 $p(n)$이 다음 두 조건을 모두 만족시킬 때, 항상 참인 명제의 ( ) 안에 ○를 써넣어라.

(가) $p(1)$이 참이다.
(나) $p(n)$이 참이면 $p(n+2)$이 참이다.

(1) $p(2)$ ( )

(2) $p(3)$ ( )

(3) $p(4)$ ( )

(4) $p(7)$ ( )

(5) $p(20)$ ( )

(6) $p(63)$ ( )

유형 수학적 귀납법으로 등식 증명하기

• (i) $n=1$일 때, 명제 $p(n)$이 성립함을 보인다.
(ii) $n=k$일 때 성립하는 등식 $p(n)$의 양변에 $n=k+1$ 일 때의 항을 더하고 $p(n)$에 $n=k+1$을 대입한 등식, 즉 $p(k+1)$이 나오도록 유도한다.

03 모든 자연수 n에 대하여 다음 등식이 성립함을 수학적 귀납법으로 증명하는 과정의 빈칸을 채워라.

(1) $1+2+3+\cdots+n=\frac{n(n+1)}{2}$

(i) $n=1$일 때, (좌변)$=\square$, (우변)$=\frac{1\cdot 2}{2}=\square$
이므로 주어진 등식이 성립한다.
(ii) $n=k$일 때, 주어진 등식이 성립한다고 가정하면
$1+2+3+\cdots+\square=\square$
이 식의 양변에 $\square$을 더하면
$1+2+3+\cdots+k+\square$
$=\frac{k(k+1)}{2}+\square=\square$
이므로 $n=\square$일 때도 주어진 등식은 성립한다.
따라서 (i), (ii)에 의하여 주어진 등식은 모든 자연수 n에 대하여 성립한다.

(2) $1+3+5+\cdots+(2n-1)=n^2$

(i) $n=1$일 때, (좌변)$=\square$, (우변)$=1^2=\square$
이므로 주어진 등식이 성립한다.
(ii) $n=k$일 때, 주어진 등식이 성립한다고 가정하면
$1+3+5+\cdots+\square=\square$
이 식의 양변에 $\square$을 더하면
$1+3+5+\cdots+(\square)+(2k+1)$
$=k^2+(\square)=\square$
이므로 $n=\square$일 때도 주어진 등식은 성립한다.
따라서 (i), (ii)에 의하여 주어진 등식은 모든 자연수 n에 대하여 성립한다.

(3) $n\geq 2$인 모든 자연수 n에 대하여
$\left(1+\frac{1}{2}\right)\left(1+\frac{1}{3}\right)\left(1+\frac{1}{4}\right)\cdots\left(1+\frac{1}{n}\right)=\frac{n+1}{2}$

(i) $n=$ (가) 일 때,
(좌변)$=1+\frac{1}{2}=\frac{3}{2}$, (우변)$=\frac{2+1}{2}=\frac{3}{2}$
이므로 주어진 등식이 성립한다.
(ii) $n=k$일 때, 주어진 등식이 성립한다고 가정하면
$\left(1+\frac{1}{2}\right)\left(1+\frac{1}{3}\right)\left(1+\frac{1}{4}\right)\cdots\left(1+\frac{1}{k}\right)=\frac{k+1}{2}$
이 식의 양변에 (나) 를 곱하면
$\left(1+\frac{1}{2}\right)\left(1+\frac{1}{3}\right)\left(1+\frac{1}{4}\right)\cdots\left(1+\frac{1}{k}\right)\cdot$ (나)
$=\frac{k+1}{2}\cdot$ (나) $=\frac{(\text{(다)})+1}{2}$
이므로 $n=k+1$일 때도 주어진 등식은 성립한다.
따라서 (i), (ii)에 의하여 주어진 등식은 $n\geq 2$인 모든 자연수 n에 대하여 성립한다.

위의 증명과정에서 (가), (나), (다)에 들어갈 알맞은 수 또는 식을 차례로 찾은 것은?

① 1, $1+\frac{1}{k+1}$, $k+1$ ② 1, $1+\frac{1}{k+1}$, $k+2$
③ 2, $1+\frac{1}{k+1}$, $k+1$ ④ 2, $1+\frac{1}{k+1}$, $k+2$
⑤ 2, $1+\frac{1}{k+2}$, $k+2$

04 다음은 아래의 등식이 성립함을 수학적 귀납법으로 증명하는 과정이다.

(1) 모든 자연수 n에 대하여

$$1^2+2^2+3^2+\cdots+n^2=\frac{n(n+1)(2n+1)}{6}$$

(i) $n=1$일 때, (좌변)$=1$, (우변)$=1$이므로 주어진 등식이 성립한다.

(ii) $n=k$일 때, 주어진 등식이 성립한다고 가정하면

$$1^2+2^2+3^2+\cdots+k^2=\frac{k(k+1)(2k+1)}{6}$$

이 식의 양변에 (가) 를 더하면

$$1^2+2^2+3^2+\cdots+k^2+\boxed{(가)}$$

$$=\frac{k(k+1)(2k+1)}{6}+\boxed{(가)}=\boxed{(나)}$$

이므로 $n=k+1$일 때도 주어진 등식은 성립한다.

따라서 (i), (ii)에 의하여 주어진 등식은 모든 자연수 n에 대하여 성립한다.

위의 증명과정에서 (가), (나)에 들어갈 알맞은 식을 차례로 $f(k)$, $g(k)$라고 할 때, $f(3)+g(2)$의 값을 구하여라.

(2) 모든 자연수 n에 대하여

$$1\cdot2+2\cdot3+3\cdot4+\cdots+n(n+1)=\frac{n(n+1)(n+2)}{3}$$

(i) $n=1$일 때,

(좌변)$=1\cdot2=2$, (우변)$=\frac{1\cdot2\cdot3}{3}=2$

이므로 주어진 등식이 성립한다.

(ii) $n=k$일 때, 주어진 등식이 성립한다고 가정하면

$$1\cdot2+2\cdot3+3\cdot4+\cdots+k(k+1)=\frac{k(k+1)(k+2)}{3}$$

위의 식의 양변에 (가) 를 더하면

$$1\cdot2+2\cdot3+3\cdot4+\cdots+k(k+1)+\boxed{(가)}$$

$$=\frac{k(k+1)(k+2)}{3}+\boxed{(가)}$$

$$=\boxed{(나)}$$

이므로 $n=k+1$일 때도 주어진 등식이 성립한다. 따라서 (i), (ii)에 의하여 주어진 등식은 모든 자연수 n에 대하여 성립한다.

위의 증명과정에서 (가), (나)에 들어갈 식을 각각 $f(k)$, $g(k)$라고 할 때, $f(4)+g(6)$의 값을 구하여라.

(3) 모든 자연수 n에 대하여

$$\frac{1}{1\times3}+\frac{1}{3\times5}+\frac{1}{5\times7}+\cdots+\frac{1}{(2n-1)(2n+1)}=\frac{n}{2n+1}$$

(i) $n=1$일 때,

(좌변)$=\frac{1}{1\times3}=\frac{1}{3}$, (우변)$=\frac{1}{2\times1+1}=\frac{1}{3}$

이므로 주어진 등식이 성립한다.

(ii) $n=k$일 때, 주어진 등식이 성립한다고 가정하면

$$\frac{1}{1\times3}+\frac{1}{3\times5}+\cdots+\frac{1}{(2k-1)(2k+1)}=\frac{k}{2k+1}$$

이 식의 양변에 (가) 를 더하면

$$\frac{1}{1\times3}+\frac{1}{3\times5}+\cdots+\frac{1}{(2k-1)(2k+1)}+\boxed{(가)}$$

$$=\frac{k}{2k+1}+\boxed{(가)}=\boxed{(나)}$$

이므로 $n=k+1$일 때도 주어진 등식은 성립한다. 따라서 (i), (ii)에 의하여 주어진 등식은 모든 자연수 n에 대하여 성립한다.

위의 증명과정에서 (가), (나)에 들어갈 식을 각각 $f(k)$, $g(k)$라고 할 때, 다음 물음에 답하여라.

① $f(k)$, $g(k)$를 각각 구하여라.

② $f(4)\cdot\frac{1}{g(4)}$ 값을 구하여라.

05 다음은 아래의 부등식이 성립함을 수학적 귀납법으로 증명하는 과정이다.

⑴ $n \geq 5$인 자연수 n에 대하여

$$2^n > n^2$$

(i) $n=5$일 때, (좌변)$=2^5=32$, (우변)$=5^2=25$ 이므로 주어진 부등식이 성립한다.

(ii) $n=k(k\geq5)$일 때, 주어진 부등식이 성립한다고 가정하면,

$$2^k > k^2$$

위 식의 양변에 $\boxed{\quad}$ 를 곱하면,

$$\boxed{\quad} > 2k^2 \cdots ㉠$$

이 때 $k\geq5$이면,

$2k^2-(k+1)^2=(\boxed{\quad})^2-2>0$

$\therefore 2k^2>(\boxed{\quad})^2 \cdots ㉡$

㉠, ㉡에 의하여 $2^{k+1}>(k+1)^2$

이므로 $n=k+1$일 때도 주어진 부등식은 성립한다. 따라서 (i), (ii)에 의하여 주어진 부등식은 $n\geq5$인 자연수 n에 대하여 성립한다.

⑵ $h>0$일 때, $n\geq2$인 모든 자연수는 n에 대하여

$$(1+h)^n>1+nh$$

(i) $n=2$일 때,
(좌변)$=(1+h)^2=1+2h+h^2$, (우변)$=1+2h$
$h^2>0$이므로 주어진 부등식이 성립한다.

(ii) $n=k(k\geq2)$일 때, 주어진 부등식이 성립한다고 가정하면,

$$(1+h)^k>(1+kh)$$

위 식의 양변에 $\boxed{\quad}$ 를 곱하면,

$(1+h)^{k+1}>(1+kh)(\boxed{\quad}) \cdots ㉠$

이 때,

$(1+kh)(1+h)$

$=1+(k+1)h+kh^2>1+(\boxed{\quad})h \cdots ㉡$

㉠, ㉡에 의하여 $(1+h)^{k+1}>1+(\boxed{\quad})h$

이므로 $n=k+1$일 때도 주어진 부등식이 성립한다. 따라서 (i), (ii)에 의하여 주어진 부등식은 $n\geq2$인 자연수 n에 대하여 성립한다.

도전! 1등급

06 다음 아래의 부등식이 성립함을 수학적 귀납법으로 증명하는 과정이다.

$n\geq2$인 자연수 n에 대하여

$$1+\frac{1}{2^2}+\frac{1}{3^2}+\cdots+\frac{1}{n^2}<2-\frac{1}{n}$$

(i) $n=2$일 때,

(좌변)$=1+\frac{1}{2^2}=\frac{5}{4}$, (우변)$=2-\frac{1}{2}=\frac{3}{2}$

이므로 주어진 부등식이 성립한다.

(ii) $n=k(k\geq2)$일 때, 주어진 부등식이 성립한다고 가정하면,

$$1+\frac{1}{2^2}+\frac{1}{3^2}+\cdots+\frac{1}{k^2}<2-\frac{1}{k}$$

위 식의 양변에 $\boxed{(가)}$를 더하면

$$1+\frac{1}{2^2}+\frac{1}{3^2}+\cdots+\frac{1}{k^2}+\boxed{(가)}<2-\frac{1}{k}+\frac{1}{(k+1)^2}\cdots ㉠$$

이 때,

$2-\frac{1}{k}+\frac{1}{(k+1)^2}-\left(2-\frac{1}{k+1}\right)$

$=-\frac{1}{k}+\frac{1}{(k+1)^2}+\frac{1}{k+1}$

$=\frac{-1}{k(k+1)^2}<0$

이므로, $2-\frac{1}{k}+\frac{1}{(k+1)^2}<2-\boxed{(나)}\cdots ㉡$

㉠, ㉡에 의하여

$$1+\frac{1}{2^2}+\frac{1}{3^2}+\cdots+\frac{1}{k^2}+\frac{1}{(k+1)^2}<2-\frac{1}{k+1}$$

이므로 $n=k+1$일 때도 주어진 부등식이 성립한다. 따라서 (i), (ii)에 의하여 주어진 부등식은 $n\geq2$인 자연수 n에 대하여 성립한다.

위의 증명과정에서 (가), (나)에 들어갈 식을 각각 $f(k)$, $g(k)$라고 할 때, $g(3)\cdot\frac{1}{f(5)}$의 값은?

① 36 ② 27 ③ 18
④ 9 ⑤ 3

개념 12

01 다음 등차수열을 $\{a_n\}$이라 할 때, $\{a_n\}$을 귀납적으로 정의하여라.

(1) 첫째항이 10, 공차가 -3

(2) 첫째항이 4, 공차가 1

(3) 첫째항이 -5, 공차가 -4

개념 12

02 다음과 같이 귀납적으로 정의된 수열 $\{a_n\}$에서 일반항 a_n을 구하여라. (단, $n=1, 2, 3, \cdots$)

(1) $a_1=2,\ a_{n+1}=a_n-4$

(2) $a_1=2,\ a_2=4,\ 2a_{n+1}=a_n+a_{n+2}$

(3) $a_1=5\ a_2=2,\ a_{n+2}-a_{n+1}=a_{n+1}-a_n$

(4) $a_1=6,\ a_2=12,\ {a_{n+1}}^2=a_na_{n+2}$

(5) $a_1=4,\ a_2=-12,\ \dfrac{a_{n+1}}{a_{n+2}}=\dfrac{a_n}{a_{n+1}}$

개념 13

03 수열 $\{a_n\}$이 다음과 같이 귀납적으로 정의될 때, 일반항 a_n을 구하여라.

(1) $a_1=1,\ a_{n+1}=2a_n-2$

(2) $a_1=3,\ a_{n+1}=5a_n+12$

(3) $a_1=5,\ a_{n+1}=a_n+4n$

(4) $a_1=1,\ a_{n+1}=a_n+n^2+1$

개념 13

04 다음을 구하여라.

(1) $a_1=2,\ a_{n+1}=\dfrac{n+2}{n+1}a_n\ (n=1,\ 2,\ 3,\ \cdots)$으로 정의된 수열 $\{a_n\}$의 제20항을 구하여라.

(2) $a_1=1,\ a_{n+1}=5^n a_n\ (n=1,\ 2,\ 3,\ \cdots)$으로 정의된 수열 $\{a_n\}$의 제11항을 구하여라.

(3) 수열 $\{a_n\}$이 $a_1=3$, $a_{n+1}=2a_n+1$ $(n=1, 2, 3, \cdots)$ 일 때, a_5을 구하여라.

(4) 수열 $\{a_n\}$이 $a_1=1$, $a_{n+1}=2-3a_n$ $(n=1, 2, 3, \cdots)$ 일 때, a_4-a_3을 구하여라.

개념 14

05 모든 자연수 n에 대하여 명제 $p(n)$이 다음 두 조건을 모두 만족시킬 때, 항상 참인 명제의 (　　) 안에 ○를 써넣어라.

> (가) $p(1)$이 참이다.
> (나) $p(n)$이 참이면 $p(n+3)$이 참이다.

(1) $p(4)$ (　　　)

(2) $p(6)$ (　　　)

(3) $p(13)$ (　　　)

(4) $p(20)$ (　　　)

(5) $p(100)$ (　　　)

개념 14

06 다음은 아래의 부등식이 성립함을 수학적 귀납법으로 증명하는 과정이다.

$n\geq 2$인 자연수 n에 대하여

$$1+\frac{1}{2}+\frac{1}{3}+\cdots+\frac{1}{n}>\frac{2n}{n+1}$$

> (i) $n=2$일 때,
> $(\text{좌변})=1+\frac{1}{2}=\frac{3}{2}$, $(\text{우변})=\frac{2\times 2}{2+1}=\frac{4}{3}$
> 이므로 주어진 부등식이 성립한다.
> (ii) $n=k(k\geq 2)$일 때, 주어진 부등식이 성립한다고 가정하면,
> $$1+\frac{1}{2}+\frac{1}{3}+\cdots+\frac{1}{k}>\frac{2k}{k+1}$$
> 이 식의 양변에 $\boxed{(가)}$를 더하면
> $$1+\frac{1}{2}+\frac{1}{3}+\cdots+\frac{1}{k}+\boxed{(가)}>\frac{2k}{k+1}+\frac{1}{k+1}\cdots ㉠$$
> 이 때,
> $$\frac{2k}{k+1}+\boxed{(가)}-\boxed{(나)}=\frac{(2k+1)(k+2)-2(k+1)^2}{(k+1)(k+2)}>0$$
> $$=\frac{k}{(k+1)(k+2)}>0$$
> 이므로, $\frac{2k}{k+1}+\frac{1}{k+1}>\boxed{(나)}\cdots ㉡$
> ㉠, ㉡에 의하여
> $$1+\frac{1}{2}+\frac{1}{3}+\cdots+\frac{1}{k}+\frac{1}{k+2}>\frac{2(k+1)}{k+2}$$
> 이므로 $n=k+1$일 때도 주어진 부등식이 성립한다. 따라서 (i), (ii)에 의하여 주어진 부등식은 $n\geq 2$인 자연수 n에 대하여 성립한다.

위의 증명과정에서 (가), (나)에 들어갈 식을 각각 $f(k)$, $g(k)$라고 할 때, $f(5)\cdot g(2)$의 값을 구하려고 한다. 다음 물음에 답하여라.

① $f(k)$, $g(k)$를 각각 구하여라.

② $f(5)\cdot g(2)$ 값을 구하여라.

01 일반항이 $a_n=3n+4$인 수열의 공차와 일반항이 $b_n=1-5n$인 수열의 공차의 합은?

① -2 ② -1 ③ 0
④ 1 ⑤ 2

02 제 5항이 58이고, 제 9항이 42인 등차수열 $\{a_n\}$에서 처음으로 양수가 아닌 항은 제 몇 항인가?

① 제13항 ② 제15항 ③ 제17항
④ 제20항 ⑤ 제23항

03 등차수열 $\{a_n\}$에서 첫째항부터 제4항까지의 합이 26, 제 n항부터 제$(n-3)$항까지의 합은 134이다. 첫째항부터 제 n항까지의 합 S_n이 260이 될 때, 자연수 n의 값은?

① 11 ② 13 ③ 15
④ 17 ⑤ 20

04 3과 30 사이에 8개의 수를 넣어서 만든 등차수열의 모든 항의 합은?

① 160 ② 165 ③ 170
④ 175 ⑤ 180

05 함수 $f(x)=1+x+x^2+\cdots+x^{20}$ 일 때, $f(5)$의 값은?

① $\frac{4^{21}-1}{5}$ ② $\frac{5^{20}-1}{5}$ ③ $\frac{5^{21}-1}{4}$
④ $\frac{4^{21}-1}{4}$ ⑤ $\frac{5^{21}-5}{4}$

06 첫째항부터 제 4항까지의 합이 2, 제 5항부터 제 8항까지의 합이 6인 등비수열이 있다. 이 수열의 첫째항부터 제12항까지의 합은? (단, 공비는 실수이다.)

① 20 ② 22 ③ 26
④ 28 ⑤ 30

07 두 수 2와 18사이에 실수 x_1, x_2, x_3, $\cdots$ x_6 를 넣어서 만든 2, x_1, x_2, x_3, $\cdots$ x_6, 18가 이 순서대로 등비수열을 이룰 때, x_1부터 x_6까지의 곱 $x_1x_2x_3x_4x_5x_6$의 값은?

① 6^6 ② 6^8 ③ 3^6
④ 2^{10} ⑤ 2^{12}

08 세 수 a, $a+b$, $2a-b$은 이 순서대로 등차수열을 이루고, 세 수 1, $a-1$, $3b+1$은 이 순서대로 공비가 양수인 등비수열을 이룬다. 이 때 a^2+b^2의 값은?

① 20 ② 18 ③ 15
④ 12 ⑤ 10

09 수열 $\{a_n\}$의 첫째항부터 제 n항까지의 합 S_n이

$S_n=3n^2-n+k^2-k-2$일 때 이 수열은 첫째항부터 등차수열을 이룬다. 이 때, 양수 k의 값은?

① 3 ② 2 ③ 1
④ 0 ⑤ -1

10 올해 초 A회사에서 퇴직한 사람이 일시불로 3000만원의 퇴직금을 받을 예정이다. 올해 말부터 매년 a만 원씩 19회에 걸쳐 나누어 받고 싶다고 할 때, a의 값을 구하려고 한다. 다음 물음에 답하여라.
(단, 연이율 5%의 복리이고, $1.05^{19}=2.5$로 계산한다.)

(1) 퇴직금 3000만원의 19년 후의 원리합계

(2) 매년 말 a만 원씩 19년 동안 적립한 금액의 원리합계

(3) (1)과 (2)에서 구한 원리합계가 같아지는 a만 원

11 $1+\dfrac{1}{1+2}+\dfrac{1}{1+2+3}+\cdots+\dfrac{1}{1+2+3+\cdots+30}$의 값은?

① $\dfrac{30}{31}$ ② $\dfrac{30}{29}$ ③ $\dfrac{61}{30}$
④ $\dfrac{60}{31}$ ⑤ $\dfrac{31}{30}$

12 $\displaystyle\sum_{k=1}^{n}\frac{1}{\sqrt{k}+\sqrt{k+1}}=20$이 되는 n의 값은?

① 120 ② 121 ③ 301
④ 399 ⑤ 440

13 함수 $f(x)=\displaystyle\sum_{k=1}^{5}(k^2+2xk+x^2)$이 최솟값일 때의 x값과 함숫값의 합을 구하여라.

14 수열 $\{a_n\}$이 다음 두 조건을 모두 만족시킬 때, $a_n=pq^{n-1}+r$이다. 이때 $3p+2q+r$의 값은?

> (가) $a_{n+1}=6-\frac{1}{2}a_n$ $(n=1, 2, 3, \cdots)$
> (나) $a_1=5$

① 4 ② 6 ③ 9
④ 10 ⑤ 11

15 다음은 $n\geq2$인 모든 자연수 n에 대하여 부등식
$$(a+b)^n>a^n+b^n \ (a, b\text{는 양수})$$
이 성립함을 수학적 귀납법으로 증명한 것이다.

> (i) $n=2$일 때,
> (좌변)$=(a+b)^2$
> $=a^2+2ab+b^2>a^2+b^2=$(우변)
> 이므로 주어진 부등식이 성립한다.
> (ii) $n=k(k\geq2)$일 때, 주어진 부등식이 성립한다고 가정하면
> $$(a+b)^k>a^k+b^k$$
> 위 식의 양변에 [(가)]을 곱하면
> $$(a+b)^{(나)}>(a^k+b^k)((가))\cdots ㉠$$
> 이 때, $a+b>0$이므로
> $(a^k+b^k)((가))-((다))$
> $=a^{k+1}+b^{k+1}+a^kb+ab^k-((다))$
> $=a^kb+ab^k>0\cdots ㉡$
> ㉠, ㉡에 의하여
> $$(a+b)^{(나)}>a^{k+1}+b^{k+1}$$
> 이므로 $n=k+1$일 때도 주어진 부등식은 성립한다. 따라서 (i), (ii)에 의하여 주어진 부등식은 $n\geq2$인 자연수 n에 대하여 성립한다.

위의 증명 과정에서 (나), (다)에 들어갈 식을 각각 $f(k)$, $g(k)$라고 할 때, 다음 물음에 답하여라.

(1) (가), (나), (다)에 들어갈 식을 차례로 구한 것은?

① $a-b$, k, a^k+b^k
② $a-b$, $k+1$, a^k+b^k
③ $a+b$, $k+1$, $a^{k+1}+b^{k+1}$
④ $a+b$, $k+1$, $(a+b)^{k+1}$
⑤ $a+b$, $k+1$, $a^{k+2}+b^{k+2}$

(2) $a=2$, $b=3$일 때, $\dfrac{g(2)}{f(4)}$의 값을 구하여라.

상용로그표(1)

수	0	1	2	3	4	5	6	7	8	9
1.0	.0000	.0043	.0086	.0128	.0170	.0212	.0253	.0294	.0334	.0374
1.1	.0414	.0453	.0492	.0531	.0569	.0607	.0645	.0682	.0719	.0755
1.2	.0792	.0828	.0864	.0899	.0934	.0969	.1004	.1038	.1072	.1106
1.3	.1139	.1173	.1206	.1239	.1271	.1303	.1335	.1367	.1399	.1430
1.4	.1461	.1492	.1523	.1553	.1584	.1614	.1644	.1673	.1703	.1732
1.5	.1761	.1790	.1818	.1847	.1875	.1903	.1931	.1959	.1987	.2014
1.6	.2041	.2068	.2095	.2122	.2148	.2175	.2201	.2227	.2253	.2279
1.7	.2304	.2330	.2355	.2380	.2405	.2430	.2455	.2480	.2504	.2529
1.8	.2553	.2577	.2601	.2625	.2648	.2672	.2695	.2718	.2742	.2765
1.9	.2788	.2810	.2833	.2856	.2878	.2900	.2923	.2945	.2967	.2989
2.0	.3010	.3032	.3054	.3075	.3096	.3118	.3139	.3160	.3181	.3201
2.1	.3222	.3243	.3263	.3284	.3304	.3324	.3345	.3365	.3385	.3404
2.2	.3424	.3444	.3464	.3483	.3502	.3522	.3541	.3560	.3579	.3598
2.3	.3617	.3636	.3655	.3674	.3692	.3711	.3729	.3747	.3766	.3784
2.4	.3802	.3820	.3838	.3856	.3874	.3892	.3909	.3927	.3945	.3962
2.5	.3979	.3997	.4014	.4031	.4048	.4065	.4082	.4099	.4116	.4133
2.6	.4150	.4166	.4183	.4200	.4216	.4232	.4249	.4265	.4281	.4298
2.7	.4314	.4330	.4346	.4362	.4378	.4393	.4409	.4425	.4440	.4456
2.8	.4472	.4487	.4502	.4518	.4533	.4548	.4564	.4579	.4594	.4609
2.9	.4624	.4639	.4654	.4669	.4683	.4698	.4713	.4728	.4742	.4757
3.0	.4771	.4786	.4800	.4814	.4829	.4843	.4857	.4871	.4886	.4900
3.1	.4914	.4928	.4942	.4955	.4969	.4983	.4997	.5011	.5024	.5038
3.2	.5051	.5065	.5079	.5092	.5105	.5119	.5132	.5145	.5159	.5172
3.3	.5185	.5198	.5211	.5224	.5237	.5250	.5263	.5276	.5289	.5302
3.4	.5315	.5328	.5340	.5353	.5366	.5378	.5391	.5403	.5416	.5428
3.5	.5441	.5453	.5465	.5478	.5490	.5502	.5514	.5527	.5539	.5551
3.6	.5563	.5575	.5587	.5599	.5611	.5623	.5635	.5647	.5658	.5670
3.7	.5682	.5694	.5705	.5717	.5729	.5740	.5752	.5763	.5775	.5786
3.8	.5798	.5809	.5821	.5832	.5843	.5855	.5866	.5877	.5888	.5899
3.9	.5911	.5922	.5933	.5944	.5955	.5966	.5977	.5988	.5999	.6010
4.0	.6021	.6031	.6042	.6053	.6064	.6075	.6085	.6096	.6107	.6117
4.1	.6128	.6138	.6149	.6160	.6170	.6180	.6191	.6201	.6212	.6222
4.2	.6232	.6243	.6253	.6263	.6274	.6284	.6294	.6304	.6314	.6325
4.3	.6335	.6345	.6355	.6365	.6375	.6385	.6395	.6405	.6415	.6425
4.4	.6435	.6444	.6454	.6464	.6474	.6484	.6493	.6503	.6513	.6522
4.5	.6532	.6542	.6551	.6561	.6571	.6580	.6590	.6599	.6609	.6618
4.6	.6628	.6637	.6646	.6656	.6665	.6675	.6684	.6693	.6702	.6712
4.7	.6721	.6730	.6739	.6749	.6758	.6767	.6776	.6785	.6794	.6803
4.8	.6812	.6821	.6830	.6839	.6848	.6857	.6866	.6875	.6884	.6893
4.9	.6902	.6911	.6920	.6928	.6937	.6946	.6955	.6964	.6972	.6981
5.0	.6990	.6998	.7007	.7016	.7024	.7033	.7042	.7050	.7059	.7067
5.1	.7076	.7084	.7093	.7101	.7110	.7118	.7126	.7135	.7143	.7152
5.2	.7160	.7168	.7177	.7185	.7193	.7202	.7210	.7218	.7226	.7235
5.3	.7243	.7251	.7259	.7267	.7275	.7284	.7292	.7300	.7308	.7316
5.4	.7324	.7332	.7340	.7348	.7356	.7364	.7372	.7380	.7388	.7396

상용로그표(2)

수	0	1	2	3	4	5	6	7	8	9
5.5	.7404	.7412	.7419	.7427	.7435	.7443	.7451	.7459	.7466	.7474
5.6	.7482	.7490	.7497	.7505	.7513	.7520	.7528	.7536	.7543	.7551
5.7	.7559	.7566	.7574	.7582	.7589	.7597	.7604	.7612	.7619	.7627
5.8	.7634	.7642	.7649	.7657	.7664	.7672	.7679	.7686	.7694	.7701
5.9	.7709	.7716	.7723	.7731	.7738	.7745	.7752	.7760	.7767	.7774
6.0	.7782	.7789	.7796	.7803	.7810	.7818	.7825	.7832	.7839	.7846
6.1	.7853	.7860	.7868	.7875	.7882	.7889	.7896	.7903	.7910	.7917
6.2	.7924	.7931	.7938	.7945	.7952	.7959	.7966	.7973	.7980	.7987
6.3	.7993	.8000	.8007	.8014	.8021	.8028	.8035	.8041	.8048	.8055
6.4	.8062	.8069	.8075	.8082	.8089	.8096	.8102	.8109	.8116	.8122
6.5	.8129	.8136	.8142	.8149	.8156	.8162	.8169	.8176	.8182	.8189
6.6	.8195	.8202	.8209	.8215	.8222	.8228	.8235	.8241	.8248	.8254
6.7	.8261	.8267	.8274	.8280	.8287	.8293	.8299	.8306	.8312	.8319
6.8	.8325	.8331	.8338	.8344	.8351	.8357	.8363	.8370	.8376	.8382
6.9	.8388	.8395	.8401	.8407	.8414	.8420	.8426	.8432	.8439	.8445
7.0	.8451	.8457	.8463	.8470	.8476	.8482	.8488	.8494	.8500	.8506
7.1	.8513	.8519	.8525	.8531	.8537	.8543	.8549	.8555	.8561	.8567
7.2	.8573	.8579	.8585	.8591	.8597	.8603	.8609	.8615	.8621	.8627
7.3	.8633	.8639	.8645	.8651	.8657	.8663	.8669	.8675	.8681	.8686
7.4	.8692	.8698	.8704	.8710	.8716	.8722	.8727	.8733	.8739	.8745
7.5	.8751	.8756	.8762	.8768	.8774	.8779	.8785	.8791	.8797	.8802
7.6	.8808	.8814	.8820	.8825	.8831	.8837	.8842	.8848	.8854	.8859
7.7	.8865	.8871	.8876	.8882	.8887	.8893	.8899	.8904	.8910	.8915
7.8	.8921	.8927	.8932	.8938	.8943	.8949	.8954	.8960	.8965	.8971
7.9	.8976	.8982	.8987	.8993	.8998	.9004	.9009	.9015	.9020	.9025
8.0	.9031	.9036	.9042	.9047	.9053	.9058	.9063	.9069	.9074	.9079
8.1	.9085	.9090	.9096	.9101	.9106	.9112	.9117	.9122	.9128	.9133
8.2	.9138	.9143	.9149	.9154	.9159	.9165	.9170	.9175	.9180	.9186
8.3	.9191	.9196	.9201	.9206	.9212	.9217	.9222	.9227	.9232	.9238
8.4	.9243	.9248	.9253	.9258	.9263	.9269	.9274	.9279	.9284	.9289
8.5	.9294	.9299	.9304	.9309	.9315	.9320	.9325	.9330	.9335	.9340
8.6	.9345	.9350	.9355	.9360	.9365	.9370	.9375	.9380	.9385	.9390
8.7	.9395	.9400	.9405	.9410	.9415	.9420	.9425	.9430	.9435	.9440
8.8	.9445	.9450	.9455	.9460	.9465	.9469	.9474	.9479	.9484	.9489
8.9	.9494	.9499	.9504	.9509	.9513	.9518	.9523	.9528	.9533	.9538
9.0	.9542	.9547	.9552	.9557	.9562	.9566	.9571	.9576	.9581	.9586
9.1	.9590	.9595	.9600	.9605	.9609	.9614	.9619	.9624	.9628	.9633
9.2	.9638	.9643	.9647	.9652	.9657	.9661	.9666	.9671	.9675	.9680
9.3	.9685	.9689	.9694	.9699	.9703	.9708	.9713	.9717	.9722	.9727
9.4	.9731	.9736	.9741	.9745	.9750	.9754	.9759	.9763	.9768	.9773
9.5	.9777	.9782	.9786	.9791	.9795	.9800	.9805	.9809	.9814	.9818
9.6	.9823	.9827	.9832	.9836	.9841	.9845	.9850	.9854	.9859	.9863
9.7	.9868	.9872	.9877	.9881	.9886	.9890	.9894	.9899	.9903	.9908
9.8	.9912	.9917	.9921	.9926	.9930	.9934	.9939	.9943	.9948	.9952
9.9	.9956	.9961	.9965	.9969	.9974	.9978	.9983	.9987	.9991	.9996

제10회 대한민국 브랜드 대상
국무총리상 수상!

선행학습 · **보충**학습의 **강자!**

자신감

정답 및 해설

고등수학 I

(주)에듀왕
www.왕수학.com

선행학습 · 보충학습의 강자!

자신감

정답 및 해설

고등수학 I

1 지수와 로그

I 지수함수와 로그함수

개념 01 거듭제곱과 지수법칙

6쪽

예 2^5 / $3\times3\times3\times3$

예 2 / 3

예 2^5 / 2^6 / 2^3 / 3^4 / 1 / 1 / 1 / 2

01 (1) a^7 (2) a^7 (3) a^{10} (4) a^{13}

02 (1) a^{12} (2) a^{20} (3) a^{20} (4) a^{49}

03 (1) a^4b^4 (2) $a^{10}b^5$ (3) $8a^9b^{12}$ (4) $729a^{12}b^{30}$

04 (1) $\frac{a^4}{b^4}$ (2) $\frac{a^6}{8b^3}$ (3) $\frac{9a^2}{b^6}$ (4) $\frac{32a^5}{243b^{25}}$

05 (1) a^3 (2) 1 (3) $\frac{1}{a^4}$ (3) ab^4 (5) $\frac{1}{a^2b^6}$

도전! 1등급 **06** ⑤

03 (2) (주어진 식)$=(a^2)^5b^5=a^{10}b^5$

(3) (주어진 식)$=2^3(a^3)^3(b^4)^3=8a^9b^{12}$

(4) (주어진 식)$=3^6(a^2)^6(b^5)^6=729a^{12}b^{30}$

04 (2) (주어진 식)$=\frac{(a^2)^3}{(2b)^3}=\frac{(a^2)^3}{2^3b^3}=\frac{a^6}{8b^3}$

(3) (주어진 식)$=\frac{(3a)^2}{(b^3)^2}=\frac{3^2a^2}{b^6}=\frac{9a^2}{b^6}$

(4) (주어진 식)$=\frac{(2a)^5}{(3b^5)^5}=\frac{2^5a^5}{3^5(b^5)^5}=\frac{32a^5}{243b^{25}}$

05 (1) (주어진 식)$=a^{5-2}=a^3$

(3) (주어진 식)$=\frac{1}{a^{9-5}}=\frac{1}{a^4}$

(4) (주어진 식)$=a^3b^6\div a^2b^2=a^{3-2}b^{6-2}=ab^4$

(5) (주어진 식)$=a^{10}b^2\div a^{12}b^8=\frac{1}{a^{12-10}}\cdot\frac{1}{b^{8-2}}=\frac{1}{a^2b^6}$

06 $a=2^4$, $b=a^3=(2^4)^3=2^{12}$

따라서 $ab=2^4\cdot2^{12}=2^{4+12}=2^{16}$이므로 $n=16$이다.

개념 02 거듭제곱근

8쪽

예 $x^2=1$ / ±1 / $x^3=1$ / 1 / $\frac{-1\pm\sqrt{3}i}{2}$

예 2 / 1

01 (1) $\sqrt{2}$, $-\sqrt{2}$ (2) $\sqrt{3}$, $-\sqrt{3}$ (3) 2, -2 (4) $2\sqrt{2}$, $-2\sqrt{2}$ (5) 3, -3 (6) $2\sqrt{3}$, $-2\sqrt{3}$

02 (1) 1, $\frac{-1\pm\sqrt{3}i}{2}$ (2) -1, $\frac{1\pm\sqrt{3}i}{2}$ (3) 2, $-1\pm\sqrt{3}i$ (4) -2, $1\pm\sqrt{3}i$

03 (1) $\sqrt[4]{5}$, $-\sqrt[4]{5}$ (2) $\sqrt[4]{16}$, $-\sqrt[4]{16}$ (3) $\sqrt[4]{81}$, $-\sqrt[4]{81}$ (4) $\sqrt[6]{625}$, $-\sqrt[6]{625}$ (5) $\sqrt[6]{25}$, $-\sqrt[6]{25}$ (6) $\sqrt[6]{729}$, $-\sqrt[6]{729}$ (7) $\sqrt[6]{64}$, $-\sqrt[6]{64}$

04 (1) $\sqrt[3]{-6}$ (2) $\sqrt[3]{8}$ (3) $\sqrt[3]{-27}$ (4) $\sqrt[5]{10}$ (5) $\sqrt[5]{32}$ (6) $\sqrt[5]{-243}$ (7) $\sqrt[5]{-343}$

05 (1) × (2) × (3) ○ (4) × (5) ○ (6) × (7) ○

06 (1) × (2) × (3) × (4) × (5) ○ (6) × (7) ○

07 (1) × (2) ○ (3) × (4) ○ (5) ○ (6) × (7) ○ (8) ×

08 (1) 0 (2) 1 (3) 2 (4) 1 (5) 1 (6) 0

도전! 1등급 **09** ②

02 (3) 2, $\frac{-2\pm2\sqrt{3}i}{2}=-1\pm\sqrt{3}i$

(4) -2, $\frac{2\pm2\sqrt{3}i}{2}=1\pm\sqrt{3}i$

05 (1) 음수의 제곱근 중 실근은 없다.

(2) 실수 1개, 허수 2개로 세제곱근은 모두 3개이다.

(3) 16의 네제곱근 중 실수인 것은 ±2로 2개이고 허수인 것은 $\pm2i$로 2개이다. 따라서 모두 4개이다.

(4) 0의 네제곱근은 0, 1개이다.

(5) $\pm\sqrt[6]{5}$, 2개이다.

(6) 81의 네제곱근 중 실수는 3, -3이다.

06 (1) 16의 제곱근은 4, -4이다.
(2) 실수 1개, 허수 2개로 세제곱근은 모두 3개이다.
(3) 음수의 네제곱근 중 실근은 없다.
(4) 0의 세제곱근은 0이므로 1개이다.
(6) -8의 세제곱근 중 실수인 것은 -2뿐이므로 1개이다.

08 (1) -3의 제곱근 중 실수는 없다. 0개
(2) -4의 세제곱근 중 실수인 것은 $\sqrt[3]{-4}$, 1개
(3) 5의 네제곱근 중 실수인 것은 $\sqrt[4]{5}$, $-\sqrt[4]{5}$, 2개
(4) 0의 다섯제곱근 중 실수는 0, 1개
(5) $\sqrt[2017]{2016}$, 1개

09 $f(5, 5)$는 5의 다섯제곱근 중 실수인 것의 개수이므로
$f(5, 5)=1$
$f(-3, 4)$는 -3의 네제곱근 중 실수인 것의 개수이므로
$f(-3, 4)=0$
$f(0, 3)$은 0의 세제곱근 중 실수인 것의 개수이므로
$f(0, 3)=1$
$\therefore f(5, 5)+f(-3, 4)+f(0, 3)=1+0+1=2$

개념 03 거듭제곱근의 성질

12쪽

예 2 / 2 / 2
예 $\sqrt[3]{6}$ / $\sqrt[4]{8}$
예 $\sqrt[3]{4}$ / $\sqrt[4]{4}$
예 4 / 27 / 64
예 6 / 2
예 2 / 2 / 3
예 2 / 2 / 2 / -2

01 (1) 3 (2) 5 (3) 7 (4) 9 (5) 10 (6) 11
02 (1) 3 (2) 2 (3) 10 (4) 2
03 (1) 10 (2) $\frac{1}{3}$ (3) 5 (4) $\frac{1}{3}$ (5) 2 (6) $\frac{1}{2}$
04 (1) 5 (2) 3 (3) 10 (4) 5 (5) 4 (6) $\frac{1}{3}$
05 (1) 2 (2) 5 (3) $\frac{1}{3}$ (4) 2 (5) 3 (6) 5
06 (1) 100 (2) $\frac{1}{4}$ (3) 2 (4) 125 (5) 3 (6) 9
07 (1) 3 / -3 (2) 5 / 5 (3) 6 / -6 (4) 4 / 4 (5) 10 / -10
08 (1) 3 (2) 12 (3) 14 (4) 3
도전! 1등급 **09** ⑤ **10** ①

02 (1) (주어진 식) $=\sqrt[3]{3\times9}=\sqrt[3]{27}=\sqrt[3]{3^3}=3$
(2) (주어진 식) $=\sqrt[4]{2\times8}=\sqrt[4]{16}=\sqrt[4]{2^4}=2$
(3) (주어진 식) $=\sqrt[5]{100\times1000}=\sqrt[5]{100000}=\sqrt[5]{10^5}=10$
(4) (주어진 식) $=\sqrt[6]{4\times16}=\sqrt[6]{64}=\sqrt[6]{2^6}=2$

03 (1) (주어진 식) $=\sqrt[3]{\frac{10000}{10}}=\sqrt[3]{1000}=\sqrt[3]{10^3}=10$
(2) (주어진 식) $=\sqrt[3]{\frac{3}{81}}=\sqrt[3]{\frac{1}{27}}=\sqrt[3]{\left(\frac{1}{3}\right)^3}=\frac{1}{3}$
(3) (주어진 식) $=\sqrt[4]{\frac{3125}{5}}=\sqrt[4]{625}=\sqrt[4]{5^4}=5$
(4) (주어진 식) $=\sqrt[5]{\frac{3}{729}}=\sqrt[5]{\frac{1}{243}}=\sqrt[5]{\left(\frac{1}{3}\right)^5}=\frac{1}{3}$
(5) (주어진 식) $=\sqrt[6]{\frac{256}{4}}=\sqrt[6]{64}=\sqrt[6]{2^6}=2$
(6) (주어진 식) $=\sqrt[8]{\frac{4}{1024}}=\sqrt[8]{\frac{1}{256}}=\sqrt[8]{\left(\frac{1}{2}\right)^8}=\frac{1}{2}$

04 (1) (주어진 식) $=\sqrt[4]{25^2}=\sqrt[4]{(5^2)^2}=\sqrt[4]{5^4}=5$
(2) (주어진 식) $=\sqrt[6]{9^3}=\sqrt[6]{(3^2)^3}=\sqrt[6]{3^6}=3$
(3) (주어진 식) $=\sqrt[8]{100^4}=\sqrt[8]{(10^2)^4}=\sqrt[8]{10^8}=10$
(4) (주어진 식) $=\sqrt[9]{125^3}=\sqrt[9]{(5^3)^3}=\sqrt[9]{5^9}=5$
(5) (주어진 식) $=\sqrt[9]{8^6}=\sqrt[9]{(2^3)^6}=\sqrt[9]{2^{18}}=\sqrt[9]{4^9}=4$
(6) (주어진 식) $=\sqrt[10]{\left(\frac{1}{243}\right)^2}=\sqrt[10]{\left\{\left(\frac{1}{3}\right)^5\right\}^2}=\sqrt[10]{\left(\frac{1}{3}\right)^{10}}=\frac{1}{3}$

05 (1) (주어진 식) $=\sqrt[2\times3]{64}=\sqrt[6]{2^6}=2$
(2) (주어진 식) $=\sqrt[2\times2]{625}=\sqrt[4]{625}=\sqrt[4]{5^4}=5$
(3) (주어진 식) $=\sqrt[3\times2]{\frac{1}{729}}=\sqrt[6]{\left(\frac{1}{3}\right)^6}=\frac{1}{3}$
(4) (주어진 식) $=\sqrt[2\times2\times2]{2^8}=\sqrt[8]{2^8}=2$
(5) (주어진 식) $=\sqrt[3\times3\times3]{3^{27}}=\sqrt[27]{3^{27}}=3$
(6) (주어진 식) $=\sqrt[4\times3\times2]{5^{24}}=\sqrt[24]{5^{24}}=5$

06 (1) (주어진 식) $=\sqrt[2\times2]{(10^4)^2}=\sqrt[2]{10^4}=\sqrt{(10^2)^2}=10^2=100$
(2) (주어진 식) $=\sqrt[2\times2]{\left(\frac{1}{2}\right)^{2\times4}}=\sqrt{\left(\frac{1}{2}\right)^4}=\frac{1}{4}$
(3) (주어진 식) $=\sqrt[2\times3]{8^2}=\sqrt[3]{8}=\sqrt[3]{2^3}=2$
(4) (주어진 식) $=\sqrt[2\times2]{25^{2\times3}}=\sqrt[2]{25^3}=\sqrt{(5^2)^3}$
$=\sqrt{(5^3)^2}=5^3=125$

(5) (주어진 식)$={}^{2\times6}\sqrt{9^6}=\sqrt{9}=\sqrt{3^2}=3$

(6) (주어진 식)$={}^{4\times2}\sqrt{81^4}=\sqrt{81}=\sqrt{9^2}=9$

08 (1) (주어진 식)$={}^{3\times4}\sqrt{9^4}\times{}^{3\times2}\sqrt{3^2}=\sqrt[3]{9}\times\sqrt[3]{3}$
$=\sqrt[3]{27}=\sqrt[3]{3^3}=3$

(2) (주어진 식)$=\sqrt[4]{256}\times\sqrt[6]{729}=\sqrt[4]{4^4}\times\sqrt[6]{3^6}$
$=4\times3=12$

(3) (주어진 식)$=\sqrt[3]{2^6}\times{}^{2\times2}\sqrt{16^2}-\sqrt[5]{2^5}$
$=\sqrt[3]{(2^2)^3}\times\sqrt{16}-2$
$=2^2\times4-2=14$

(4) (주어진 식)$=\sqrt[3]{9\times3}-\sqrt[8]{81}+\sqrt[4]{3^2}$
$=\sqrt[3]{3^3}-{}^{2\times4}\sqrt{3^4}+{}^{2\times2}\sqrt{3^2}$
$=3-\sqrt{3}+\sqrt{3}=3$

09 (주어진 식)$=(\sqrt[3]{4}-\sqrt[3]{3})(\sqrt[3]{4^2}+\sqrt[3]{4\times3}+\sqrt[3]{3^2})$
$=(\sqrt[3]{4}-\sqrt[3]{3})\{(\sqrt[3]{4})^2+\sqrt[3]{4}\times\sqrt[3]{3}+(\sqrt[3]{3})^2\}$
$=(\sqrt[3]{4})^3-(\sqrt[3]{3})^3=4-3=1$

10 $\sqrt{ab^2}\div\sqrt[6]{a^3b^4}\times\sqrt[12]{a^4b^7}=\frac{\sqrt{ab^2}\times\sqrt[12]{a^4b^7}}{\sqrt[6]{a^3b^4}}=\frac{\sqrt[12]{a^6b^{12}}\times\sqrt[12]{a^4b^7}}{\sqrt[6]{a^3b^4}}$
$=\frac{\sqrt[12]{(a^6b^{12})\times(a^4b^7)}}{\sqrt[6]{a^3b^4}}=\frac{\sqrt[12]{a^{10}b^{19}}}{\sqrt[6]{a^3b^4}}$
$=\frac{\sqrt[12]{a^{10}b^{19}}}{\sqrt[12]{a^6b^8}}=\sqrt[12]{\frac{a^{10}b^{19}}{a^6b^8}}=\sqrt[12]{a^4b^{11}}$

$\therefore n-x+y=12-4+11=19$

개념 04 지수의 확장

16쪽

(1) 예 1 / $\frac{1}{2^2}$ / $\frac{1}{4}$

(2) 예 3 / 2 / $\sqrt{2}$ / $\sqrt[3]{2}$

01 (1) 1 (2) 1 (3) 1 (4) 1 (5) 1

02 (1) $\frac{1}{9}$ (2) $\frac{1}{1024}$ (3) $\frac{1}{625}$ (4) $-\frac{1}{1000}$

03 (1) $\sqrt[5]{2}$ (2) $\sqrt[6]{3}$ (3) $\sqrt[4]{8}$ (4) $\sqrt[8]{10}$

04 (1) $2^{\frac{4}{5}}$ (2) $3^{\frac{2}{7}}$ (3) $4^{-\frac{5}{8}}$ (4) $10^{-\frac{4}{9}}$

05 (1) $5^{\frac{1}{x}}$ (2) $4^{\frac{1}{x}}$ (3) $8^{\frac{1}{x}}$ (4) $12^{\frac{1}{x}}$ (5) $7^{\frac{1}{x}}$ (6) $11^{\frac{1}{x}}$ (7) $28^{\frac{1}{x}}$

06 (1) $a^{\frac{5}{6}}$ (2) $\frac{1}{\sqrt[12]{a}}$ (3) $a^{3\sqrt{2}}$

07 (1) $\frac{1}{\sqrt[4]{a}}$ (2) $\frac{1}{\sqrt[10]{a^{11}}}$ (3) $a^{\sqrt{3}}$

08 (1) a (2) $\frac{1}{a^2}$ (3) $a^{\frac{\sqrt{2}}{2}}$ (4) a^9

09 (1) $a^2b^{\sqrt{6}}$ (2) $\frac{a^2}{b^3}$ (3) $\frac{1}{a^{2\sqrt{2}}b^{\sqrt{2}}}$ (4) $\frac{b^6}{a^4}$

10 (1) $\frac{1}{\sqrt{2}}$ (2) $\sqrt[6]{3^7}$ (3) $2^{\sqrt{5}}$ (4) $\frac{1}{9}$ (5) $\frac{4}{5}$ (6) $\sqrt[24]{3}$

11 (1) $a^{\frac{1}{6}}$ (2) $a^{\frac{7}{8}}$ (3) $2a^{\frac{7}{12}}$

도전! 1등급 **12** ③

02 (1) $3^{-2}=\frac{1}{3^2}=\frac{1}{9}$

(2) $2^{-10}=\frac{1}{2^{10}}=\frac{1}{1024}$

(3) $(-5)^{-4}=\frac{1}{(-5)^4}=\frac{1}{5^4}=\frac{1}{625}$

(4) $(-10)^{-3}=\frac{1}{(-10)^3}=\frac{1}{-1000}=-\frac{1}{1000}$

05 (1) $(2^x)^{\frac{1}{x}}=5^{\frac{1}{x}}$, $2=5^{\frac{1}{x}}$

(6) $(10^x)^{\frac{1}{x}}=11^{\frac{1}{x}}$, $10=11^{\frac{1}{x}}$

(7) $(25^x)^{\frac{1}{x}}=28^{\frac{1}{x}}$, $25=28^{\frac{1}{x}}$

06 (1) (주어진 식)$=a^{\frac{1}{2}+\frac{1}{3}}=a^{\frac{5}{6}}$

(2) (주어진 식)$=a^{-\frac{3}{4}+\frac{2}{3}}=a^{\frac{-9+8}{12}}=a^{-\frac{1}{12}}=\frac{1}{a^{\frac{1}{12}}}=\frac{1}{\sqrt[12]{a}}$

(3) (주어진 식)$=a^{\sqrt{2}+2\sqrt{2}}=a^{3\sqrt{2}}$

07 (1) (주어진 식)$=a^{\frac{1}{4}-\frac{1}{2}}=a^{-\frac{1}{4}}=\frac{1}{a^{\frac{1}{4}}}=\frac{1}{\sqrt[4]{a}}$

(2) (주어진 식)$=a^{-\frac{3}{5}-\frac{1}{2}}=a^{\frac{-6-5}{10}}=a^{-\frac{11}{10}}=\frac{1}{a^{\frac{11}{10}}}=\frac{1}{\sqrt[10]{a^{11}}}$

(3) (주어진 식)$=a^{3\sqrt{3}-2\sqrt{3}}=a^{\sqrt{3}}$

08 (1) (주어진 식)$=(a^{\frac{1}{3}})^3=a^{\frac{1}{3}\times3}=a$

(2) (주어진 식)$=(a^{-\sqrt{2}})^{\sqrt{2}}=a^{-\sqrt{2}\times\sqrt{2}}=a^{-2}=\frac{1}{a^2}$

(3) (주어진 식)$=(a^{\frac{1}{2}})^{\sqrt{2}}=a^{\frac{1}{2}\times\sqrt{2}}=a^{\frac{\sqrt{2}}{2}}$

(4) (주어진 식)$=(a^{3\sqrt{3}})^{\sqrt{3}}=a^{3\sqrt{3}\times\sqrt{3}}=a^9$

09 (1) (주어진 식)$=a^{\sqrt{2}\times\sqrt{2}}\times b^{\sqrt{3}\times\sqrt{2}}=a^2b^{\sqrt{6}}$

(2) (주어진 식) $=a^{\frac{1}{3}\times 6}b^{\left(-\frac{1}{2}\right)\times 6}=a^2b^{-3}=\frac{a^2}{b^3}$

(3) (주어진 식) $=a^{\frac{1}{\sqrt{2}}\times(-4)}b^{\frac{1}{2\sqrt{2}}\times(-4)}$

$=a^{-2\sqrt{2}}b^{-\sqrt{2}}=\frac{1}{a^{2\sqrt{2}}b^{\sqrt{2}}}$

(4) (주어진 식) $=a^{-\frac{2}{5}\times 10}b^{\frac{3}{5}\times 10}=a^{-4}b^6=\frac{b^6}{a^4}$

10 (1) (주어진 식) $=2^{\frac{1}{6}}\times(2^2)^{-\frac{1}{3}}=2^{\frac{1}{6}}\times 2^{-\frac{2}{3}}$

$=2^{\frac{1}{6}-\frac{2}{3}}=2^{-\frac{1}{2}}=\frac{1}{2^{\frac{1}{2}}}=\frac{1}{\sqrt{2}}$

(2) (주어진 식) $=3^{\frac{3}{2}}\div\sqrt[6]{3^2}=3^{\frac{3}{2}}\div 3^{\frac{1}{3}}=3^{\frac{3}{2}-\frac{1}{3}}=3^{\frac{7}{6}}=\sqrt[6]{3^7}$

(3) (주어진 식) $=\{(2^3)^{\frac{5}{3}}\}^{\frac{1}{\sqrt{5}}}=(2^5)^{\frac{1}{\sqrt{5}}}=2^{\sqrt{5}}$

(4) (주어진 식) $=\{3^2\times(3^{\frac{1}{2}})^4\}^{-\frac{1}{2}}=(3^2)^{-\frac{1}{2}}\times(3^2)^{-\frac{1}{2}}$

$=3^{-1}\times 3^{-1}=3^{-2}=\frac{1}{9}$

(5) (주어진 식) $=\left\{\left(\frac{2}{5}\right)^2\right\}^{\frac{2}{3}\times\frac{3}{4}}\times\left\{\left(\frac{1}{2}\right)^2\right\}^{\frac{2}{5}\times\left(-\frac{5}{4}\right)}$

$=\left(\frac{2}{5}\right)^{2\times\frac{2}{3}\times\frac{3}{4}}\times\left(\frac{1}{2}\right)^{2\times\frac{2}{5}\times\left(-\frac{5}{4}\right)}$

$=\frac{2}{5}\times\left(\frac{1}{2}\right)^{-1}=\frac{2}{5}\times 2=\frac{4}{5}$

(6) (주어진 식) $=3^{\frac{1}{2}\times\frac{3}{2}}\div 3^{\frac{5}{4}\times\frac{2}{3}}\times 3^{\frac{3}{4}\times\frac{1}{6}}$

$=3^{\frac{3}{4}}\div 3^{\frac{5}{6}}\times 3^{\frac{1}{8}}=3^{\frac{3}{4}-\frac{5}{6}+\frac{1}{8}}$

$=3^{\frac{18-20+3}{24}}=3^{\frac{1}{24}}=\sqrt[24]{3}$

11 (1) $\sqrt[3]{\sqrt{a}}=(\sqrt{a})^{\frac{1}{3}}=a^{\frac{1}{2}\times\frac{1}{3}}=a^{\frac{1}{6}}$

(2) $(a\sqrt{a\sqrt{a}})^{\frac{1}{2}}=\{a(a\sqrt{a})^{\frac{1}{2}}\}^{\frac{1}{2}}=\{a(a\cdot a^{\frac{1}{2}})^{\frac{1}{2}}\}^{\frac{1}{2}}$

$=\{a(a^{\frac{1}{2}}\cdot a^{\frac{1}{4}})\}^{\frac{1}{2}}=(a\cdot a^{\frac{3}{4}})^{\frac{1}{2}}=(a^{\frac{7}{4}})^{\frac{1}{2}}=a^{\frac{7}{8}}$

(3) $(8a\sqrt{a\sqrt{a}})^{\frac{1}{3}}=\{8a(a\sqrt{a})^{\frac{1}{2}}\}^{\frac{1}{3}}=\{8a(a\cdot a^{\frac{1}{2}})^{\frac{1}{2}}\}^{\frac{1}{3}}$

$=\{8a(a^{\frac{3}{2}})^{\frac{1}{2}}\}^{\frac{1}{3}}=(8a\cdot a^{\frac{3}{4}})^{\frac{1}{3}}=(2^3\cdot a^{\frac{7}{4}})^{\frac{1}{3}}=2a^{\frac{7}{12}}$

12 $\sqrt{a\sqrt[3]{a^3\sqrt[5]{a^3}}}=\{a(a^3\times a^{\frac{3}{5}})^{\frac{1}{3}}\}^{\frac{1}{2}}=\{a(a^{3+\frac{3}{5}})^{\frac{1}{3}}\}^{\frac{1}{2}}$

$=\{a(a^{\frac{18}{5}})^{\frac{1}{3}}\}^{\frac{1}{2}}=(a\times a^{\frac{18}{5}\times\frac{1}{3}})^{\frac{1}{2}}$

$=(a\times a^{\frac{6}{5}})^{\frac{1}{2}}=(a^{1+\frac{6}{5}})^{\frac{1}{2}}$

$=(a^{\frac{11}{5}})^{\frac{1}{2}}=a^{\frac{11}{5}\times\frac{1}{2}}=a^{\frac{11}{10}}$

$\therefore k=\frac{11}{10}$

개념 05 거듭제곱근의 대소 비교

20쪽

예 12 / 4/ 16 / 125

01 (1) $\sqrt{2}<\sqrt[3]{3}$ (2) $\sqrt[3]{4}>\sqrt[6]{10}$

(3) $\sqrt{\sqrt{3}}>\sqrt{\sqrt[5]{7}}$ (4) $\sqrt[3]{3\sqrt{2}}<\sqrt{2\sqrt{2}}$

02 (1) $\sqrt[6]{5}>\sqrt[12]{15}$ (2) $\sqrt[3]{5}>\sqrt[4]{6}$

(3) $\sqrt[3]{3}>\sqrt[5]{4}$ (4) $\sqrt[4]{10}>\sqrt[3]{5}$

03 (1) $\sqrt[3]{2}<\sqrt[6]{5}<\sqrt[4]{3}$

(2) $\sqrt[12]{7}<\sqrt[6]{5}<\sqrt[3]{3}$

(3) $\sqrt[6]{3}<\sqrt{2}<\sqrt[3]{4}$

(4) $\sqrt[6]{6\sqrt{6}}<\sqrt{2\sqrt{2}}<\sqrt[3]{3\sqrt{3}}$

(5) $\sqrt[3]{\frac{1}{3}}<\sqrt[6]{\frac{1}{5}}<\sqrt[4]{\frac{1}{2}}$

04 (1) $3\sqrt{2}$ (2) $3\sqrt{2}$

도전! 1등급 **05** ①

01 (1) $\sqrt{2}=\sqrt[6]{2^3}=\sqrt[6]{8}$

$\sqrt[3]{3}=\sqrt[6]{3^2}=\sqrt[6]{9}$

(2) $\sqrt[3]{4}=\sqrt[6]{4^2}=\sqrt[6]{16}$

(3) $\sqrt{\sqrt{3}}=\sqrt[4]{3}=\sqrt[20]{3^5}=\sqrt[20]{243}$

$\sqrt{\sqrt[5]{7}}=\sqrt[10]{7}=\sqrt[20]{7^2}=\sqrt[20]{49}$

(4) $\sqrt[3]{3\sqrt{2}}=\sqrt[6]{3^2\cdot 2}=\sqrt[12]{18^2}=\sqrt[12]{324}$

$\sqrt{2\sqrt{2}}=\sqrt[4]{2^2\cdot 2}=\sqrt[12]{8^3}=\sqrt[12]{512}$

02 (1) $\sqrt[6]{5}=5^{\frac{1}{6}}=5^{\frac{2}{12}}=(5^2)^{\frac{1}{12}}=25^{\frac{1}{12}}$

$\sqrt[12]{15}=15^{\frac{1}{12}}$

(2) $\sqrt[3]{5}=5^{\frac{1}{3}}=5^{\frac{4}{12}}=(5^4)^{\frac{1}{12}}=625^{\frac{1}{12}}$

$\sqrt[4]{6}=6^{\frac{1}{4}}=6^{\frac{3}{12}}=(6^3)^{\frac{1}{12}}=216^{\frac{1}{12}}$

(3) $\sqrt[3]{3}=3^{\frac{1}{3}}=3^{\frac{5}{15}}=(3^5)^{\frac{1}{15}}=243^{\frac{1}{15}}$

$\sqrt[5]{4}=4^{\frac{1}{5}}=4^{\frac{3}{15}}=(4^3)^{\frac{1}{15}}=64^{\frac{1}{15}}$

(4) $\sqrt[4]{10}=10^{\frac{1}{4}}=10^{\frac{3}{12}}=(10^3)^{\frac{1}{12}}=1000^{\frac{1}{12}}$

$\sqrt[3]{5}=5^{\frac{1}{3}}=5^{\frac{4}{12}}=(5^4)^{\frac{1}{12}}=625^{\frac{1}{12}}$

03 (1) $\sqrt[3]{2}=\sqrt[12]{2^4}=\sqrt[12]{16}$

$\sqrt[4]{3}=\sqrt[12]{3^3}=\sqrt[12]{27}$

$\sqrt[6]{5}=\sqrt[12]{5^2}=\sqrt[12]{25}$

(4) $\sqrt[6]{6\sqrt{6}}=\sqrt[12]{6^3}=\sqrt[12]{216}$

$\sqrt{2\sqrt{2}}=\sqrt[4]{2^3}=\sqrt[12]{8^3}=\sqrt[12]{512}$

$\sqrt[3]{3\sqrt{3}}=\sqrt[6]{3^3}=\sqrt[12]{27^2}=\sqrt[12]{729}$

(5) $\sqrt[4]{\frac{1}{2}}=2^{-\frac{1}{4}}=2^{-\frac{3}{12}}=(2^{-3})^{\frac{1}{12}}=\left(\frac{1}{8}\right)^{\frac{1}{12}}$

$\sqrt[3]{\frac{1}{3}}=3^{-\frac{1}{3}}=3^{-\frac{4}{12}}=(3^{-4})^{\frac{1}{12}}=\left(\frac{1}{81}\right)^{\frac{1}{12}}$

$\sqrt[6]{\frac{1}{5}}=5^{-\frac{1}{6}}=5^{-\frac{2}{12}}=(5^{-2})^{\frac{1}{12}}=\left(\frac{1}{25}\right)^{\frac{1}{12}}$

04 (1) $A-B=\sqrt{2}-2\sqrt{2}=-\sqrt{2}<0$ $\therefore A<B$

$B-C=\sqrt[6]{8^3}-\sqrt[6]{9^2}>0$ $\therefore B>C$

$A-C=\sqrt[6]{2^3}-\sqrt[6]{9^2}<0$ $\therefore A<C$

$A<C<B$이므로 가장 큰 수와 가장 작은 수의 합은

$B+A=\sqrt{8}+\sqrt{2}=3\sqrt{2}$

(2) $A-B=\sqrt{2}-2\sqrt[4]{4}=\sqrt{2}-2\sqrt{2}$

$=-\sqrt{2}<0$ $\therefore A<B$

$B-C=2\sqrt[4]{4}-(\sqrt[6]{8}+1)$

$=2\sqrt{2}-(\sqrt{2}+1)=\sqrt{2}-1>0$ $\quad\therefore B>C$

$A-C=\sqrt{2}-(\sqrt{2}+1)=-1<0$ $\quad\therefore A<C$

$A<C<B$이므로 가장 큰 수와 가장 작은 수의 합은

$B+A=2\sqrt[4]{4}+\sqrt{2}=2\sqrt{2}+\sqrt{2}=3\sqrt{2}$

05 $A-B=2\sqrt[3]{3}-1-3\sqrt[3]{3}=-1-\sqrt[3]{3}<0$

$\therefore A<B$

$B-C=3\sqrt[3]{3}-(3+\sqrt[3]{3})=2\sqrt[3]{3}-3=\sqrt[3]{2^3\cdot 3}-\sqrt[3]{3^3}<0$

$B<C$

$\therefore A<B<C$

개념 06 지수법칙의 활용

22쪽

예 2 / 3 / $\frac{1}{3}$

01 (1) $a^{\frac{1}{2}}b^{\frac{1}{4}}$ (2) $a^{\frac{2}{5}}b^{\frac{3}{10}}$ (3) $ab^{\frac{1}{3}}$

02 (1) 125 (2) 9 (3) 4

03 (1) $a-a^{-1}$ (2) $2a+2a^{-1}$ (3) 4 (4) $a+b$ (5) $\frac{5}{3}$

04 (1) 11 (2) $3\sqrt{13}$ (3) 13 (4) $10\sqrt{13}$ (5) 36

05 (1) 9 (2) ±4 (3) $\frac{15}{4}$ (4) 52

06 (1) $\frac{1}{2}$ (2) $\frac{4}{5}$ (3) $\frac{3}{8}$ (4) $\frac{13}{15}$

07 (1) 3 (2) 4 (3) $\frac{48}{7}$ (4) $\frac{17}{4}$

08 (1) 1 (2) 2 (3) 5

도전! 1등급 **09** ③

01 (1) $a=2^{\frac{1}{4}}$, $b=3^{\frac{1}{2}}$이므로

$\sqrt[8]{6}=\sqrt[8]{2\cdot 3}=2^{\frac{1}{8}}\cdot 3^{\frac{1}{8}}=(2^{\frac{1}{4}})^{\frac{1}{2}}\cdot(3^{\frac{1}{2}})^{\frac{1}{4}}=a^{\frac{1}{2}}b^{\frac{1}{4}}$

(2) $a=9^{\frac{1}{4}}$, $b=5^{\frac{1}{3}}$이므로

$\sqrt[10]{45}=\sqrt[10]{9\cdot 5}=9^{\frac{1}{10}}\cdot 5^{\frac{1}{10}}=(9^{\frac{1}{4}})^{\frac{4}{10}}\cdot(5^{\frac{1}{3}})^{\frac{3}{10}}=a^{\frac{2}{5}}b^{\frac{3}{10}}$

(3) $a=3^{\frac{1}{3}}$, $b=(2^2)^{\frac{1}{4}}=2^{\frac{1}{2}}$이므로

$\sqrt[6]{18}=\sqrt[6]{3^2\cdot 2}=3^{\frac{1}{3}}\cdot 2^{\frac{1}{6}}=(3^{\frac{1}{3}})\cdot(2^{\frac{1}{2}})^{\frac{1}{3}}=ab^{\frac{1}{3}}$

02 (1) $9^x=5$이므로, $3^{2x}=5$

$\left(\frac{1}{27}\right)^{-2x}=(3^{-3})^{-2x}=3^{6x}=(3^{2x})^3=5^3=125$

(2) $8^{2x}=3$이므로 $2^{6x}=3$

$16^{3x}=(2^4)^{3x}=2^{12x}=(2^{6x})^2=3^2=9$

(3) $\left(\frac{1}{27}\right)^x=2$이므로 $3^{-3x}=2$

$\left(\frac{1}{9}\right)^{3x}=(3^{-2})^{3x}=3^{-6x}=(3^{-3x})^2=2^2=4$

03 (1) (주어진 식)$=a^{\frac{2}{2}}-a^{-\frac{2}{2}}=a-a^{-1}$

(2) (주어진 식)$=(a+2a^{\frac{1}{2}}a^{-\frac{1}{2}}+a^{-1})+(a-2a^{\frac{1}{2}}a^{-\frac{1}{2}}+a^{-1})$

$=2a+2a^{-1}$

(3) (주어진 식)$=(a+2a^{\frac{1}{2}}a^{-\frac{1}{2}}+a^{-1})-(a-2a^{\frac{1}{2}}a^{-\frac{1}{2}}+a^{-1})$

$=4a^{\frac{1}{2}}a^{-\frac{1}{2}}=4$

(4) (주어진 식)$=(a^{\frac{1}{3}})^3+(b^{\frac{1}{3}})^3=a+b$

(5) (주어진 식)$=(2^{\frac{1}{2}}-3^{-\frac{1}{2}})(2^{\frac{1}{2}}+3^{-\frac{1}{2}})=2-3^{-1}$

$=2-\frac{1}{3}=\frac{5}{3}$

04 (1) $a+a^{-1}=(a^{\frac{1}{2}}-a^{-\frac{1}{2}})^2+2a^{\frac{1}{2}}a^{-\frac{1}{2}}=3^2+2=11$

(2) $a+a^{-1}=11$이므로

$(a-a^{-1})^2=(a+a^{-1})^2-4a\cdot a^{-1}=11^2-4=117$

$a-a^{-1}=\sqrt{117}=3\sqrt{13}$ ($\because a>1$)

(3) $(a^{\frac{1}{2}}+a^{-\frac{1}{2}})^2=(a^{\frac{1}{2}}-a^{-\frac{1}{2}})^2+4a^{\frac{1}{2}}a^{-\frac{1}{2}}=3^2+4=13$

(4) $(a^{\frac{1}{2}}+a^{-\frac{1}{2}})^2=13$, $a^{\frac{1}{2}}+a^{-\frac{1}{2}}=\sqrt{13}$ ($\because a>1$)이므로

$a^{\frac{3}{2}}+a^{-\frac{3}{2}}=(a^{\frac{1}{2}}+a^{-\frac{1}{2}})^3-3\cdot a^{\frac{1}{2}}\cdot a^{-\frac{1}{2}}(a^{\frac{1}{2}}+a^{-\frac{1}{2}})$

$=\sqrt{13^3}-3\sqrt{13}=10\sqrt{13}$

(5) $a^{\frac{3}{2}}-a^{-\frac{3}{2}}=(a^{\frac{1}{2}}-a^{-\frac{1}{2}})^3+3\cdot a^{\frac{1}{2}}\cdot a^{-\frac{1}{2}}(a^{\frac{1}{2}}-a^{-\frac{1}{2}})$

$=3^3+3\cdot 3=36$

05 (1) $x+x^{-1}=(x^{\frac{1}{2}}-x^{-\frac{1}{2}})^2+2=25+2=27$

$\therefore \frac{1}{3}(x+x^{-1})=9$

(2) $x^2+x^{-2}=(x-x^{-1})^2+2\cdot x\cdot x^{-1}=18$

$(x-x^{-1})^2+2=18$, $(x-x^{-1})^2=16$

$\therefore x-x^{-1}=\pm4$

(3) $(a^{\frac{1}{4}}-a^{-\frac{1}{4}})(a^{\frac{1}{4}}+a^{-\frac{1}{4}})(a^{\frac{1}{2}}+a^{-\frac{1}{2}})(a+a^{-1})$

$=(a^{\frac{2}{4}}-a^{-\frac{2}{4}})(a^{\frac{1}{2}}+a^{-\frac{1}{2}})(a+a^{-1})$

$=(a^{\frac{2}{2}}-a^{-\frac{2}{2}})(a+a^{-1})$

$=a^2-a^{-2}=2^2-2^{-2}=\frac{15}{4}$

(4) $a^{\frac{3}{2}}+a^{-\frac{3}{2}}=(a^{\frac{1}{2}})^3+(a^{-\frac{1}{2}})^3$

$=(a^{\frac{1}{2}}+a^{-\frac{1}{2}})^3-3a^{\frac{1}{2}}a^{-\frac{1}{2}}(a^{\frac{1}{2}}+a^{-\frac{1}{2}})$

$=4^3-3\cdot 4=52$

06 (1) $\frac{a^x(a^x-a^{-x})}{a^x(a^x+a^{-x})}=\frac{a^{2x}-1}{a^{2x}+1}=\frac{3-1}{3+1}=\frac{1}{2}$

(2) $\frac{a^x(a^{3x}-a^{-x})}{a^x(a^{3x}+a^{-x})}=\frac{a^{4x}-1}{a^{4x}+1}=\frac{3^2-1}{3^2+1}=\frac{4}{5}$

(3) $\dfrac{a^{4x}(a^{2x}+a^{-2x})}{a^{4x}(a^{4x}-a^{-4x})}=\dfrac{a^{6x}+a^{2x}}{a^{8x}-1}=\dfrac{3^3+3}{3^4-1}=\dfrac{30}{80}=\dfrac{3}{8}$

(4) $\dfrac{a^{5x}(a^{x}-a^{-5x})}{a^{5x}(a^{x}+a^{-3x})}=\dfrac{a^{6x}-1}{a^{6x}+a^{2x}}=\dfrac{3^3-1}{3^3+3}=\dfrac{26}{30}=\dfrac{13}{15}$

07 (1) $\dfrac{2^x(2^x+2^{-x})}{2^x(2^x-2^{-x})}=\dfrac{2^{2x}+1}{2^{2x}-1}=-2$를 정리하면,

$2^{2x}+1=-2\cdot 2^{2x}+2$, $3\cdot 2^{2x}=1$, $\quad\therefore 2^{2x}=\dfrac{1}{3}$

$4^{-x}=(2^{2x})^{-1}=\left(\dfrac{1}{3}\right)^{-1}=3$

(2) $\dfrac{3^x(3^x-3^{-x})}{3^x(3^x+3^{-x})}=\dfrac{3^{2x}-1}{3^{2x}+1}=\dfrac{1}{3}$를 정리하면,

$3\cdot 3^{2x}-3=3^{2x}+1$, $2\cdot 3^{2x}=4$, $\quad\therefore 3^{2x}=2$

$9^{2x}=3^{4x}=(3^{2x})^2=2^2=4$

(3) $\dfrac{5^x(5^x-5^{-x})}{5^x(5^x+5^{-x})}=\dfrac{5^{2x}-1}{5^{2x}+1}=\dfrac{3}{4}$를 정리하면,

$3\cdot 5^{2x}+3=4\cdot 5^{2x}-4$, $\quad\therefore 5^{2x}=7$

$25^x-25^{-x}=5^{2x}-5^{-2x}=7-\dfrac{1}{7}=\dfrac{48}{7}$

(4) $\dfrac{6^x(6^x+6^{-x})}{6^x(6^x-6^{-x})}=\dfrac{6^{2x}+1}{6^{2x}-1}=-\dfrac{5}{3}$를 정리하면,

$-3\cdot 6^{2x}-3=5\cdot 6^{2x}-5$, $8\cdot 6^{2x}=2$, $\quad\therefore 6^{2x}=\dfrac{1}{4}$

$36^x+36^{-x}=6^{2x}+6^{-2x}=\dfrac{1}{4}+4=\dfrac{17}{4}$

08 (1) $3=12^{\frac{1}{x}}$, $4=12^{\frac{1}{y}}$이므로

$12^{\frac{1}{x}}\times 12^{\frac{1}{y}}=12^{\frac{1}{x}+\frac{1}{y}}=3\cdot 4=12 \quad \therefore \dfrac{1}{x}+\dfrac{1}{y}=1$

(2) $4^x=25^y=10$에서 $4=10^{\frac{1}{x}}$, $25=10^{\frac{1}{y}}$이므로

$10^{\frac{1}{x}}\times 10^{\frac{1}{y}}=10^{\frac{1}{x}+\frac{1}{y}}=4\cdot 25=10^2 \quad \therefore \dfrac{1}{x}+\dfrac{1}{y}=2$

(3) $6^y=(2^x)^y=2^{xy}=32$, $2^{xy}=2^5 \quad \therefore xy=5$

09 $3^x=25^y=15$에서 $3=15^{\frac{1}{x}}$, $25=5^2=15^{\frac{1}{y}}$이므로

$15^{\frac{4}{x}}\times 15^{\frac{2}{y}}=15^{\frac{4}{x}+\frac{2}{y}}=3^4\cdot 5^4=15^4 \quad \therefore \dfrac{4}{x}+\dfrac{2}{y}=4$

$12^y=(5^x)^y=5^{xy}=\sqrt{125}$, $5^{xy}=5^{\frac{3}{2}} \quad \therefore xy=\dfrac{3}{2}$

$ab=4\cdot\dfrac{3}{2}=6$

개념 07 로그의 뜻

26쪽

예 $\log_2 8$ / $\log_3 9$

예 $x>0$, $x\neq 0$ / $x>2$

01 (1) 3, 5 (2) 10, 46 (3) 25, 4
(4) a, $a+2$ (5) $x-3$, $5-x$

02 (1) $4=\log_2 16$ (2) $3=\log_3 27$
(3) $5=\log_4 1024$ (4) $-5=\log_2 \dfrac{1}{32}$
(5) $0=\log_5 1$
(6) $0=\log_{10} 1$
(7) $\dfrac{1}{2}=\log_3 \sqrt{3}$
(8) $\dfrac{1}{3}=\log_5 \sqrt[3]{5}$
(9) $\dfrac{2}{3}=\log_7 \sqrt[3]{49}$
(10) $-2=\log_{\frac{1}{5}} 25$
(11) $-3=\log_{\frac{1}{4}} 64$
(12) $-6=\log_{\frac{1}{2}} 64$

03 (1) $2^6=64$ (2) $3^4=81$
(3) $5^{-2}=\dfrac{1}{25}$ (4) $10^{\frac{3}{2}}=10\sqrt{10}$
(5) $5^{\frac{1}{2}}=\sqrt{5}$ (6) $\left(\dfrac{1}{2}\right)^{-4}=16$
(7) $3^{\frac{1}{3}}=\sqrt[3]{3}$

04 (1) 2 (2) 4 (3) -3
(4) -2 (5) -5 (6) -4
(7) 1

05 (1) 32 (2) $\sqrt[3]{5}$ (3) $\dfrac{1}{4}$
(4) 25 (5) 1 (6) 7
(7) $\dfrac{1}{2}$

06 (1) $2<x<3$ 또는 $x>3$
(2) $-\dfrac{1}{2}<x<0$ 또는 $x>0$
(3) $x<2$ 또는 $2<x<3$
(4) $\dfrac{3}{2}<x<2$ 또는 $x>2$
(5) $-12<x<-9$ 또는 $x>-9$
(6) $x>3$ (7) $x<5$
(8) $x>-\dfrac{1}{3}$ (9) $-2<x<-1$
(10) $-6<x<5$ (11) $-1<x<3$

도전! 1등급 **07** ①, ②

04 (1) $\log_3 9=x$로 놓으면 로그의 정의에 의하여

$3^x=9$, $3^x=3^2 \quad \therefore x=2$

(2) $\log_2 16=x$로 놓으면 로그의 정의에 의하여

$2^x=16$, $2^x=2^4$, $2^x=2^4 \quad \therefore x=4$

(3) $\log_2 \dfrac{1}{8}=x$로 놓으면 로그의 정의에 의하여

$2^x=\dfrac{1}{8}$, $2^x=2^{-3} \quad \therefore x=-3$

(4) $\log_{10} 0.01=x$로 놓으면 로그의 정의에 의하여

$10^x=0.01$, $10^x=10^{-2} \quad \therefore x=-2$

(5) $\log_{0.5} 32=x$로 놓으면 로그의 정의에 의하여

$0.5^x=32$, $\left(\dfrac{1}{2}\right)^x=2^5$, $2^{-x}=2^5 \quad \therefore x=-5$

(6) $\log_{\sqrt{0.25}} 16=x$로 놓으면 로그의 정의에 의하여

$(0.25)^{\frac{x}{2}}=16$, $\left(\frac{1}{4}\right)^{\frac{x}{2}}=4^2$, $2^{-x}=2^4$ $\therefore x=-4$

(7) $\log_9 \sqrt[3]{729}=x$로 놓으면 로그의 정의에 의하여

$9^x=\sqrt[3]{729}$, $9^x=\sqrt[3]{9^3}$, $9^x=9$ $\therefore x=1$

05 (4) $(\sqrt{5})^4=x$, $(5^{\frac{1}{2}})^4=5^2=25$ $\therefore x=25$

(5) $5^0=x$ $\therefore x=1$

(6) $x^2=49$, $x=\pm 7$이지만,

$x>0$이므로 $x=7$

(7) $x^3=\frac{1}{8}$, $x=\frac{1}{2}$

06 (1) $x-2>0$, $x-2\neq 1$ $\therefore 2<x<3$ 또는 $x>3$

(6) $x-3>0$ $\therefore x>3$

(9) 진수 조건에서 $-x^2-3x-2>0$

$x^2+3x+2=(x+1)(x+2)<0$

$\therefore -2<x<-1$

(10) 진수 조건에서 $-x^2-x+30>0$

$x^2+x-30=(x-5)(x+6)<0$

$\therefore -6<x<5$

(11) 진수 조건에서 $-2x^2+4x+6>0$

$-2x^2+4x+6=-2(x+1)(x-3)>0$

$\therefore -1<x<3$

07 $x+3>0$, $x+3\neq 1$

$\therefore$ $-3<x<-2$ 또는 $x>-2$ ⋯㉠

$8-2x>0$, $x<4$ ⋯㉡

㉠, ㉡의 공통 범위를 구하면

$-3<x<-2$ 또는 $-2<x<4$

개념 08 로그의 성질 Ⅰ

30쪽

예 0 / 1

예 $\log_2 3$

예 $\log_2 3$

예 4

01 (1) 0 (2) 0 (3) 0 (4) 0 (5) 0

02 (1) 1 (2) 1 (3) 1 (4) 1 (5) 1

03 (1) 3 (2) 4 (3) $\frac{1}{2}$ (4) -1 (5) 3 (6) $-\frac{3}{2}$ (7) $\frac{1}{2}$

04 (1) 1 (2) 2 (3) 4 (4) -2 (5) 2 (6) 3 (7) -3

05 (1) ① $a+b$ ② $b+1$ ③ $a+1$ ④ $2b+1$

(2) ① $2a+1$ ② $a+b+1$ ③ $b+2$ ④ $a+2b$

06 (1) 1 (2) -3 (3) 2 (4) -2 (5) 4 (6) -2

07 (1) ① $a-b$ ② $1-a$ ③ $b-1$ ④ $3a-2$

(2) ① $b-3$ ② $2-2a$ ③ $a-b-1$ ④ $a-b+1$

08 (1) 11 (2) 1 (3) 2 (4) $\frac{3}{2}$ (5) $\frac{1}{2}$

도전! 1등급 **09** ④

03 (1) (주어진 식)$=\log_2 2^3=3\log_2 2=3\cdot 1=3$

(2) (주어진 식)$=\log_3 3^4=4\log_3 3=4\cdot 1=4$

(3) (주어진 식)$=\log_5 5^{\frac{1}{2}}=\frac{1}{2}\log_5 5=\frac{1}{2}\cdot 1=\frac{1}{2}$

(4) (주어진 식)$=\log_{10}\frac{1}{10}=\log_{10}10^{-1}=-1\cdot\log_{10}10$

$=-1\cdot 1=-1$

(5) (주어진 식)$=\log_{\sqrt{2}}(\sqrt{2})^3=3\log_{\sqrt{2}}\sqrt{2}=3\cdot 1=3$

(6) (주어진 식)$=\log_2(\sqrt{8})^{-1}=\log_2\left(2^{\frac{3}{2}}\right)^{-1}=-\frac{3}{2}$

(7) (주어진 식)$=\frac{3}{2}\log_6 6^{\frac{1}{3}}=\frac{3}{2}\times\frac{1}{3}\log_6 6=\frac{1}{2}$

04 (1) $\log_6 2+\log_6 3=\log_6(2\times 3)=\log_6 6=1$

(2) $\log_9 3+\log_9 27=\log_9(3\times 27)=\log_9 81$

$=\log_9 9^2=2\log_9 9=2$

(3) $\log_2 64+\log_2\frac{1}{4}=\log_2(64\times\frac{1}{4})=\log_2 16$

$=\log_2 2^4=4\log_2 2=4$

(4) $\log_3\frac{3}{2}+\log_3\frac{2}{27}=\log_3\left(\frac{3}{2}\times\frac{2}{27}\right)=\log_3\frac{1}{9}$

$=\log_3 3^{-2}=-2\log_3 3=-2$

(5) $\log_3\frac{3}{4}+2\log_3\sqrt{12}=\log_3\frac{3}{4}+\log_3 12$에서

$\log_3\left(\frac{3}{4}\times 12\right)=\log_3 9=\log_3 3^2=2\log_3 3=2$

(6) $\log_5\frac{5}{9}+4\log_5\sqrt{15}=\log_5\frac{5}{9}+\log_5(\sqrt{15})^4$에서

$\log_5\left(\frac{5}{9}\times 15^2\right)=\log_5 125=\log_5 5^3=3\log_5 5=3$

(7) $\log_2 0.5+\log_2 0.25=\log_2\frac{1}{2}+\log_2\frac{1}{4}$에서

$\log_2\left(\frac{1}{2}\times\frac{1}{4}\right)=\log_2\frac{1}{8}=\log_2 2^{-3}=-3\log_2 2=-3$

05 (1) ① (주어진 식)$=\log_{10}(2\cdot3)=\log_{10}2+\log_{10}3=a+b$
② (주어진 식)$=\log_{10}(3\cdot10)=\log_{10}3+\log_{10}10=b+1$
③ (주어진 식)$=\log_{10}(2\cdot10)=\log_{10}2+\log_{10}10=a+1$
④ (주어진 식)$=\log_{10}(9\cdot10)=\log_{10}9+\log_{10}10$
$=\log_{10}3^2+1=2\log_{10}3+1=2b+1$
(2) ① (주어진 식)$=\log_3(2^2\times3)$
$=\log_3 2^2+\log_3 3$
$=2\log_3 2+\log_3 3=2a+1$
② (주어진 식)$=\log_3(2\cdot3\cdot5)$
$=\log_3 2+\log_3 3+\log_3 5=a+b+1$
③ (주어진 식)$=\log_3(3^2\times5)=\log_3 5+\log_3 3^2$
$=\log_3 5+2\log_3 3=b+2$
④ (주어진 식)$=\log_3(2\times5^2)=\log_3 2+\log_3 5^2$
$=\log_3 2+2\log_3 5=a+2b$

06 (1) (주어진 식)$=\log_5\frac{10}{2}=\log_5 5=1$
(2) (주어진 식)$=\log_2\frac{3}{24}=\log_2\frac{1}{8}=\log_2 2^{-3}=-3$
(3) (주어진 식)$=\log_3 72-\log_3 2^3=\log_3\frac{72}{8}$
$=\log_3 9=\log_3 3^2=2$
(4) (주어진 식)$=\log_2 9-\log_2(\sqrt{6})^4=\log_2 9-\log_2 6^2$
$=\log_2\frac{9}{36}=\log_2\frac{1}{4}=\log_2 2^{-2}=-2$
(5) (주어진 식)$=\log_3 2^3+\log_3\left(\frac{8}{81}\right)^{-1}$
$=\log_3 8+\log_3\frac{81}{8}$
$=\log_3\left(8\times\frac{81}{8}\right)=\log_3 81=\log_3 3^4=4$
(6) (주어진 식)$=\log_3(\sqrt{3})^{-1}+\log_3(\sqrt{27})^{-1}$
$=\log_3\left(\frac{1}{\sqrt{3}}\times\frac{1}{\sqrt{27}}\right)$
$=\log_3\frac{1}{9}=\log_3 3^{-2}=-2$

07 (1) ① (주어진 식)$=\log_{10}2-\log_{10}3=a-b$
② (주어진 식)$=\log_{10}\frac{10}{2}=\log_{10}10-\log_{10}2=1-a$
③ (주어진 식)$=\log_{10}3-\log_{10}10=b-1$
④ (주어진 식)$=\log_{10}\frac{8}{100}=\log_{10}2^3-\log_{10}10^2$
$=3\log_{10}2-2\log_{10}10=3a-2$
(2) ① (주어진 식)$=\log_2 5-\log_2 8=\log_2 5-3\log_2 2=b-3$
② (주어진 식)$=\log_2 4-\log_2 9=\log_2 2^2-\log_2 3^2$
$=2\log_2 2-2\log_2 3=2-2a$
③ (주어진 식)$=\log_2\frac{3}{10}=\log_2 3-\log_2 10$
$=\log_2 3-\log_2(5\times2)$
$=\log_2 3-(\log_2 5+\log_2 2)$
$=\log_2 3-\log_2 5-\log_2 2=a-b-1$
④ (주어진 식)$=\log_2\frac{12}{10}=\log_2\frac{6}{5}=\log_2 6-\log_2 5$
$=\log_2 2+\log_2 3-\log_2 5=1+a-b$

08 (1) (주어진 식)$=(2^2)^{\frac{3}{2}}+\log_3 3^3=2^{2\times\frac{3}{2}}+3\log_3 3$
$=8+3=11$
(2) (주어진 식)$=\log_2\sqrt{\frac{4}{5}}+\log_2\sqrt{5}=\log_2\left(\sqrt{\frac{4}{5}}\times\sqrt{5}\right)$
$=\log_2\sqrt{4}=\log_2 2=1$
(3) (주어진 식)$=\log_3 12+\log_3 8^{-1}+\log_3(\sqrt{6})^2$
$=\log_3\left(\frac{12\times6}{8}\right)=\log_3 9=\log_3 3^2=2$
(4) (주어진 식)$=\log_2(\sqrt{2})^4+\log_2\sqrt{3}+\log_2(\sqrt{6})^{-1}$
$=\log_2\left(\frac{2^2\times\sqrt{3}}{\sqrt{6}}\right)=\log_2 2\sqrt{2}=\log_2 2^{\frac{3}{2}}=\frac{3}{2}$
(5) (주어진 식)$=\log_5\sqrt{3}+\log_5\left(\frac{1}{5}\right)^{-1}+\log_5(\sqrt{15})^{-1}$
$=\log_5\left(\frac{\sqrt{3}\times5}{\sqrt{15}}\right)=\log_5\sqrt{5}=\frac{1}{2}\log_5 5=\frac{1}{2}$

09 $\log_2 240=\log_2(2^4\cdot3\cdot5)$
$=\log_2 2^4+\log_2 3+\log_2 5$
$=4\log_2 2+\log_2 3+\log_2 5$
$=4+a+b$

개념 09 로그의 성질 II

34쪽

예 $\log_5 3$ / $\log_2 3$
예 1 / $\log_3 4$
예 $\frac{2}{3}$
예 $\log_3 2$ / 5
예 $\log_2 3$

01 x, y, x, xy

02 (1) $\frac{\log_2 5}{\log_2 3}$ (2) $\frac{3\log_3 2}{2\log_3 5}$
(3) $\frac{\log_5 3}{2\log_5 2}$ (4) $\frac{3\log_2 3}{\log_2 5}$
(5) $\frac{1+2\log_3 5}{2\log_3 5}$

03 (1) $\frac{b}{a}$ (2) $\frac{2a}{b}$
(3) $\frac{3a}{a+b}$ (4) $\frac{2a+b}{a+1}$
(5) $\frac{a+b}{2a}$ (6) $\frac{2a+2}{b+1}$

04 x, a^x, x, 1, $\log_b a$

05 (1) 1　(2) 1　(3) 3
(4) 1　(5) 8

06 a^m, n, m, $\frac{n}{m}$

07 (1) $\frac{5}{3}$　(2) $\frac{3}{2}$　(3) -2
(4) $-\frac{3}{2}$　(5) 4　(6) $\frac{1}{4}$
(7) $-\frac{1}{4}$　(8) $-\frac{1}{3}$　(9) $-\frac{2}{3}$
(10) -6

08 $\log_c b$, $b^{\log_c a}$

09 (1) 16　(2) 125　(3) 5
(4) 100　(5) 125

10 (1) 10　(2) 8　(3) $\sqrt{3}$
(4) 4　(5) $\frac{1}{5}$　(6) 5

도전! 1등급 **11** ④

02 (2) $\log_5 8=\frac{\log_3 8}{\log_3 5}=\frac{3\log_3 2}{2\log_3 5}$

(3) $\log_4 3=\frac{\log_5 3}{\log_5 4}=\frac{\log_5 3}{2\log_5 2}$

(4) $\log_5 27=\frac{\log_2 27}{\log_2 5}=\frac{\log_2 3^3}{\log_2 5}=\frac{3\log_2 3}{\log_2 5}$

(5) $\log_{25} 75=\frac{\log_3 (3\times 5^2)}{\log_3 5^2}=\frac{\log_3 3+2\log_3 5}{2\log_3 5}$
$=\frac{1+2\log_3 5}{2\log_3 5}$

03 (1) (주어진 식)$=\frac{\log_5 3}{\log_5 2}=\frac{b}{a}$

(2) (주어진 식)$=\frac{\log_5 4}{\log_5 3}=\frac{\log_5 2^2}{\log_5 3}=\frac{2\log_5 2}{\log_5 3}=\frac{2a}{b}$

(3) (주어진 식)$=\frac{\log_5 8}{\log_5 6}=\frac{\log_5 2^3}{\log_5 (2\cdot 3)}=\frac{3\log_5 2}{\log_5 2+\log_5 3}$
$=\frac{3a}{a+b}$

(4) (주어진 식)$=\frac{\log_5 12}{\log_5 10}=\frac{\log_5 (2^2\cdot 3)}{\log_5 (2\cdot 5)}$
$=\frac{2\log_5 2+\log_5 3}{\log_5 2+\log_5 5}=\frac{2a+b}{a+1}$

(5) (주어진 식)$=\frac{\frac{1}{2}\log_5 6}{\log_5 2}=\frac{\log_5 2+\log_5 3}{2\log_5 2}=\frac{a+b}{2a}$

(6) (주어진 식)$=\frac{\log_5 10}{\frac{1}{2}\log_5 15}=\frac{2\log_5 10}{\log_5 15}$
$=\frac{2(\log_5 2+\log_5 5)}{\log_5 3+\log_5 5}=\frac{2(\log_5 2+1)}{\log_5 3+1}$
$=\frac{2a+2}{b+1}$

05 (3) (주어진 식)$=\log_2 3\cdot\log_3 2^3=\log_2 3\cdot 3\log_3 2=3$

(5) (주어진 식)$=\log_5 3^2\cdot\log_3 7^2\cdot\log_7 5^2$
$=2\log_5 3\cdot 2\log_3 7\cdot 2\log_7 5$
$=8$

07 (1) (주어진 식)$=\log_{2^3} 2^5=\frac{5}{3}\log_2 2=\frac{5}{3}$

(4) (주어진 식)$=\log_{3^{-2}} 3^3=-\frac{3}{2}\log_3 3=-\frac{3}{2}$

(7) (주어진 식)$=\log_{\frac{1}{4}}\sqrt{2}=\log_{2^{-2}} 2^{\frac{1}{2}}=\frac{\frac{1}{2}}{-2}=-\frac{1}{4}$

09 (1) (주어진 식)$=4^{\log_3 9}=4^{2\log_3 3}=4^2=16$

(3) (주어진 식)$=(\sqrt{5})^{\log_{10} 100}=(\sqrt{5})^{2\log_{10} 10}=(\sqrt{5})^2=5$

10 (6) (주어진 식)$=10-5=5$

11 $8^x=25$에서 $x=\log_8 25$, $5^y=4$에서 $y=\log_5 4$이므로
$xy=\log_8 25\cdot\log_5 4=\frac{\log_2 25}{\log_2 8}\times\frac{\log_2 4}{\log_2 5}$
$=\frac{2\log_2 5}{3\log_2 2}\times\frac{2\log_2 2}{\log_2 5}=\frac{4}{3}$

개념 10 로그의 성질을 이용한 식의계산

38쪽

예 $\frac{4}{3}$
예 2 / 6 / $-\log_2 6$

01 (1) 2　(2) 2　(3) 19
(4) $A<B$　(5) $C<B<A$

02 (1) ① -1　② 1　③ 2
(2) ① 30　② 10　③ 7
(3) $a=-2$, $b=\frac{3}{4}$

도전! 1등급 **03** ①　**04** ⑤

01 (1) $16^x=25^y=20$의 각변에 밑이 10인 로그를 취하면,
$x\log_{10} 16=y\log_{10} 25=\log_{10} 20$
$x=\frac{\log_{10} 20}{\log_{10} 16}$, $y=\frac{\log_{10} 20}{\log_{10} 25}$
$\therefore \frac{1}{x}+\frac{1}{y}=\frac{\log_{10} 16}{\log_{10} 20}+\frac{\log_{10} 25}{\log_{10} 20}=\frac{\log_{10} (16\times 25)}{\log_{10} 20}$
$=\frac{\log_{10} 20^2}{\log_{10} 20}=\frac{2\log_{10} 20}{\log_{10} 20}=2$

(2) $\log_a x=3$에서 $\frac{1}{\log_x a}=3$이므로 $\log_x a=\frac{1}{3}$
$\log_a x=6$에서 $\frac{1}{\log_x b}=6$이므로 $\log_x b=\frac{1}{6}$
$\therefore \log_{ab} x=\frac{1}{\log_x ab}=\frac{1}{\log_x a+\log_x b}=\frac{1}{\frac{1}{3}+\frac{1}{6}}=2$

(3) $\log_x 27=3$, $\log_{\frac{1}{4}} y=2$

$x^3=27$ $\therefore x=3$,

$y=\left(\frac{1}{4}\right)^2=2^{-4}=\frac{1}{16}$

$\therefore x+\frac{1}{y}=3+16=19$

(4) $A=\log_3 4=\log_3 \sqrt{16}$

$B=\log_4 8=\frac{3}{2}\log_2 2=\log_3 3^{\frac{3}{2}}=\log_3 \sqrt{27}$

$\log_3 \sqrt{16} < \log_3 \sqrt{27}$

(5) $A=\log_{\sqrt{2}} 3=\log_2 9=\log_2 \sqrt{81}$

$B=\log_2 5=\log_2 \sqrt{25}$

$C=\log_4 10=\log_2 \sqrt{10}$

$\log_2 \sqrt{10} < \log_2 \sqrt{25} < \log_2 \sqrt{81}$

$\therefore C<B<A$

02 (1) ① 근과 계수와의 관계에 의하여 $\alpha+\beta=4$, $\alpha\beta=2$

$\log_2 \frac{\alpha\beta}{\alpha+\beta}=\log_2 \frac{2}{4}=\log_2 2^{-1}=-1$

② $\log_2 (\alpha^{-1}+\beta^{-1})=\log_2 \left(\frac{1}{\alpha}+\frac{1}{\beta}\right)=\log_2 \left(\frac{\alpha+\beta}{\alpha\beta}\right)$

$=\log_2 \frac{4}{2}=1$

③ $\alpha^2+\beta^2=(\alpha+\beta)^2-2\alpha\beta=4^2-2\cdot 2=12$

$\log_2 \left(\frac{\alpha^2+\beta^2}{3}\right)=\log_2\left(\frac{12}{3}\right)=\log_2 4=2$

(2) ① 근과 계수와의 관계에 의하여

$\log_2 a+\log_2 b=-8$, $\log_2 a\cdot\log_2 b=2$

$$\log_a b+\log_b a=\frac{\log_2 b}{\log_2 a}+\frac{\log_2 a}{\log_2 b}$$
$$=\frac{(\log_2 a)^2+(\log_2 a)^2}{\log_2 a\cdot\log_2 b}$$
$$=\frac{(\log_2 a+\log_2 b)^2-2\log_2 a\cdot\log_2 b}{\log_2 a\cdot\log_2 b}$$
$$=\frac{(-8)^2-2\cdot 2}{2}=\frac{60}{2}=30$$

② 근과 계수와의 관계에 의하여

$\log_2 a+\log_2 b=6$, $\log_2 a\cdot\log_2 b=3$

$$\log_a b+\log_b a=\frac{\log_2 b}{\log_2 a}+\frac{\log_2 a}{\log_2 b}$$
$$=\frac{(\log_2 a)^2+(\log_2 a)^2}{\log_2 a\cdot\log_2 b}$$
$$=\frac{(\log_2 a+\log_2 b)^2-2\log_2 a\cdot\log_2 b}{\log_2 a\cdot\log_2 b}$$
$$=\frac{6^2-2\cdot 3}{3}=\frac{30}{3}=10$$

③ 근과 계수와의 관계에 의하여

$\log_2 a+\log_2 b=3$, $\log_2 a\cdot\log_2 b=1$

$$\log_a b+\log_b a=\frac{\log_2 b}{\log_2 a}+\frac{\log_2 a}{\log_2 b}$$
$$=\frac{(\log_2 a)^2+(\log_2 a)^2}{\log_2 a\cdot\log_2 b}$$
$$=\frac{(\log_2 a+\log_2 b)^2-2\log_2 a\cdot\log_2 b}{\log_2 a\cdot\log_2 b}$$
$$=\frac{3^2-2\cdot 1}{1}=7$$

(3) 근과 계수와의 관계에 의하여

$-a=\log_3 \sqrt{3}+\log_3 3\sqrt{3}=\log_3 (\sqrt{3}\cdot 3\sqrt{3})$

$=\log_3 3^2=2\log_3 3=2$ $\therefore a=-2$

$b=\log_3 \sqrt{3}\cdot\log_3 3\sqrt{3}=\log_3 3^{\frac{1}{2}}\cdot\log_3 3^{\frac{3}{2}}=\frac{1}{2}\times\frac{3}{2}=\frac{3}{4}$

$\therefore b=\frac{3}{4}$

03 $\log_b(a+c)(a-c)=2$

$\log_b(a^2-c^2)=\log_b b^2$

$a^2-c^2=b^2$ $\therefore a^2=c^2+b^2$

따라서 삼각형 ABC는 $\angle A=90^\circ$ 인 직각삼각형이다.

04 $x^3=\left(4^{\frac{1}{3}}-4^{-\frac{1}{3}}\right)^3=4-3(4^{\frac{1}{3}}-4^{-\frac{1}{3}})-4^{-1}$에서

$x=4^{\frac{1}{3}}-4^{-\frac{1}{3}}$를 대입하면, $x^3=4-3x-\frac{1}{4}$

양변에 4를 곱하면, $4x^3=16-12x-1$ 이므로

$\therefore 4x^3+12x=15$

개념 11 상용로그

40쪽

예 $\log 5$ / $\log 1000$ / 3

예 0.0043 / 0.4099 / 0.9978

01	(1) 4	(2) -2	(3) $\frac{3}{2}$
	(4) $-\frac{2}{3}$		
02	(1) 0.6243	(2) 0.2967	(3) 0.7284
	(4) 0.9138		
03	(1) 1.5647	(2) 2.5647	(3) 3.5647
04	(1) -0.1433	(2) -1.1433	(3) -2.1433
05	(1) 1.15	(2) 2.81	(3) 4.23
	(4) 5.66	(5) 8.32	(6) 9.67

도전! 1등급 **06** ②

01 (1) (주어진 식)$=\log 10^4=4$

(2) (주어진 식)$=\log 10^{-2}=-2$

(3) (주어진 식)$=\log 1000^{\frac{1}{2}}=\log 10^{\frac{3}{2}}=\frac{3}{2}$

(4) (주어진 식)$=\log \frac{1}{100^{\frac{1}{3}}}=\log \frac{1}{10^{\frac{2}{3}}}=\log 10^{-\frac{2}{3}}=-\frac{2}{3}$

03 (1) $\log 36.7=\log(3.67\times10)=\log 3.67+\log 10$
$=0.5647+1=1.5647$

04 (1) $\log 0.719=\log\left(7.19\times\frac{1}{10}\right)=\log 7.19+\log 10^{-1}$
$=0.8567-1=-0.1433$

06 $\log 6190=\log(6.19\times1000)=\log 6.19+3=3.7917$
$\therefore x=3.7917$
$-1.2083=-2+0.7917$이므로
$\log y=-2+0.7917=\log\frac{1}{100}+\log 6.19=\log 0.0619$
$\therefore y=0.0619$
$\therefore x+y=3.7917+0.0619=3.8536$

개념 12 상용로그의 정수 부분과 소수 부분

42쪽

예 배열 / 위치 / 0.0899
예 2
예 3

01 (1) 0, 0.5490 (2) 1, 0.7551
(3) 2, 0.8993 (4) 3, 0.9112
02 (1) −1, 0.1492 (2) −2, 0.4362
(3) −4, 0.8797 (4) −7, 0.6946
03 (1) 4자리 (2) 1자리
(3) 7자리 (4) 11자리
04 (1) 3째 자리 (2) 1째 자리
(3) 8째 자리 (4) 13째 자리
05 ㄱ, ㄷ, ㅁ
06 (2) ○ (4) ○
도전! 1등급 **07** ③

02 (1) $-0.8508=-1+(1-0.8508)=-1+0.1492$
(2) $-1.5638=-1-0.5638=-1-1+(1-0.5638)$
$=-2+0.4362$

04 (1) $\log A=-2.0799=-2-0.0799$
$=-2-1+(1-0.0799)=-3+0.9201$

07 $\log 5^{10}=10\log 5=10\log\frac{10}{2}=10(1-\log 2)$
$=10(1-0.3010)=10\times0.6990=6.99$
따라서 5^{10}은 7자리의 정수이다.

必 개념 정복

44~47쪽

01 (1) a^5b^{10} (2) $27a^6b^{15}$
(3) a^3b^3 (4) $\frac{b^2}{a^2}$
02 (1) $-3,\ \frac{3\pm3\sqrt{3}i}{2}$ (2) $4,\ -2\pm2\sqrt{3}i$
(3) $9,\ \frac{-9\pm9\sqrt{3}i}{2}$ (4) $-10,\ 5\pm5\sqrt{3}i$
03 (1) 10 (2) $\frac{1}{4}$
(3) 5 (4) $\frac{1}{2}$
04 (1) 3 (2) −3
(3) 0.4 (4) −2
05 (1) $-\frac{1}{100000}$ (2) $\frac{1}{4}$
(3) $\frac{9}{16}$ (4) 1
(5) $\frac{1}{3}$ (6) 25
(7) $\frac{1}{125}$ (8) $\frac{4}{3}$
(9) $15^{\sqrt{5}}$ (10) 9
06 (1) 27 (2) 14
(3) 8 (4) $\frac{5}{2}$
07 (1) ① $1<x<2$ 또는 $x>2$
② $-2<x<-\frac{5}{3}$ 또는 $x>-\frac{5}{3}$
(2) ① $x>\frac{1}{2}$ ② $x<4$
08 (1) $a+\frac{1}{2}b$ (2) $\frac{1}{2}(a+b)$
(3) $-2a+b+1$ (4) $\frac{2b}{a+1}$
09 (1) $\frac{3}{2}$ (2) $\frac{1}{3}$
(3) −2 (4) 10
(5) 5
10 (1) 2 (2) $A>B$
(3) ① −1 ② 1 ③ −2
(4) $-\frac{26}{5}$
11 (1) 2 (2) −4
(3) $\frac{3}{2}$ (4) 1
12 (1) −0.7595 (2) 4.2405
(3) −2.7595 (4) 2.2405
13 −20, −9.542, −10, 10

01 (3) (주어진 식)$=a^6b^4\div a^3b=a^{6-3}b^{4-1}=a^3b^3$
(4) (주어진 식)$=a^2b^8\div a^4b^6=\frac{1}{a^{4-2}}\cdot b^{8-6}=\frac{b^2}{a^2}$

02 (2) 4, $\frac{-4\pm4\sqrt{3}i}{2}=-2\pm2\sqrt{3}i$

03 (1) (주어진 식)$=\sqrt[3]{100\times10}=\sqrt[3]{1000}=\sqrt[3]{10^3}=10$

(4) (주어진 식)$=\sqrt[4\times3]{\left(\frac{1}{4}\right)^6}=\sqrt[12]{\left\{\left(\frac{1}{2}\right)^2\right\}^6}=\sqrt[12]{\left(\frac{1}{2}\right)^{12}}=\frac{1}{2}$

05 (4) $3^{-2}\div3^2\times3^4=3^{-2-2+4}=3^0=1$

(5) $3^{\frac{1}{2}}\times3^{-\frac{3}{2}}=3^{\frac{1}{2}+(-\frac{3}{2})}=3^{-1}=\frac{1}{3}$

(8) $(3^{-\frac{1}{2}}\times2)^2=3^{-1}\times2^2=\frac{4}{3}$

(9) $3^{\sqrt{5}}\times5^{\sqrt{5}}=15^{\sqrt{5}}$

(10) $3^{\sqrt{2}+1}\div3^{\sqrt{2}-1}=3^{\sqrt{2}+1-(\sqrt{2}-1)}=3^2=9$

06 (1) $4^x=3$이므로 $2^{2x}=3$

$\left(\frac{1}{64}\right)^{-x}=(2^{-6})^{-x}=2^{6x}=(2^{2x})^3=3^3=27$

(2) $a^{\frac{3}{2}}-a^{-\frac{3}{2}}=(a^{\frac{1}{2}}-a^{-\frac{1}{2}})^3+3\cdot a^{\frac{1}{2}}\cdot a^{-\frac{1}{2}}(a^{\frac{1}{2}}-a^{-\frac{1}{2}})$

$=2^3+3\cdot2=14$

(3) $\frac{3^x(3^x+3^{-x})}{3^x(3^x-3^{-x})}=\frac{3^{2x}+1}{3^{2x}-1}=\frac{5}{3}$를 정리하면,

$3\cdot3^{2x}+3=5\cdot3^{2x}-5$, $2\cdot3^{2x}=8$ $\quad\therefore 3^{2x}=4$

$\therefore 3^{3x}=(3^{2x})^{\frac{3}{2}}=4^{\frac{3}{2}}=2^{2\times\frac{3}{2}}=2^3=8$

(4) $8^y=(3^x)^y$ ➡ $3^{xy}=\sqrt{243}$ ➡ $3^{xy}=3^{\frac{5}{2}}$ $\quad\therefore xy=\frac{5}{2}$

07 (1) ① $x-1>0$, $x-1\neq1$ $\quad\therefore 1<x<2$ 또는 $x>2$

② $3x+6>0$, $3x+6\neq1$

$\therefore -2<x<-\frac{5}{3}$ 또는 $x>-\frac{5}{3}$

(2) ① $2x-1>0$ $\quad\therefore x>\frac{1}{2}$

② $4-x>0$ $\quad\therefore x<4$

08 (1) (주어진 식)$=\log_3 5+\log_3\sqrt{7}$

$=\log_3 5+\frac{1}{2}\log_3 7=a+\frac{1}{2}b$

(2) (주어진 식)$=\log_3(5\cdot7)^{\frac{1}{2}}=\frac{1}{2}(\log_3 5+\log_3 7)$

$=\frac{1}{2}(a+b)$

(3) (주어진 식)$=\log_3 21-\log_3 25$

$=\log_3 3+\log_3 7-2\log_3 5=-2a+b+1$

(4) (주어진 식)$=\frac{\log_3 49}{\log_3(3\cdot5)}=\frac{2\log_3 7}{\log_3 3+\log_3 5}=\frac{2b}{1+a}$

10 (1) $6^x=24^y=12$의 각 변에 상용로그를 취하면

$x\log 6=y\log 24=\log 12$

$x=\frac{\log 12}{\log 6}$, $y=\frac{\log 12}{\log 24}$

$\therefore \frac{1}{x}+\frac{1}{y}=\frac{\log 6}{\log 12}+\frac{\log 24}{\log 12}=\frac{\log(6\times24)}{\log 12}=\frac{\log 12^2}{\log 12}$

$=2$

(2) $A=\log_4 8=\frac{3}{2}\log_2 2=\log_5 5^{\frac{3}{2}}=\log_5\sqrt{125}$

$B=\log_5 9=\log_5\sqrt{81}$

$\log_4 8>\log_5 9$

(3) ① 근과 계수와의 관계에 의하여 $\alpha\beta=\frac{1}{2}$

$\therefore \log_2\alpha\beta=\log_2\frac{1}{2}=-1$

② 근과 계수와의 관계에 의하여 $\alpha+\beta=\frac{3}{2}$, $\alpha\beta=\frac{1}{2}$

$\therefore \log_3\frac{\alpha+\beta}{\alpha\beta}=\log_3 3=1$

③ $\alpha^2+\beta^2=(\alpha+\beta)^2-2\alpha\beta=\left(\frac{3}{2}\right)^2-2\cdot\frac{1}{2}=\frac{5}{4}$

$\therefore \log_2\left(\frac{\alpha^2+\beta^2}{5}\right)=\log_2\frac{1}{4}=-2$

(4) 근과 계수와의 관계에 의하여

$\log_2 a+\log_2 b=-4$, $\log_2 a\cdot\log_2 b=-5$

$\log_a b+\log_b a=\frac{\log_2 b}{\log_2 a}+\frac{\log_2 a}{\log_2 b}$

$=\frac{(\log_2 a)^2+(\log_2 b)^2}{\log_2 a\cdot\log_2 b}$

$=\frac{(-4)^2-2\cdot(-5)}{-5}=-\frac{26}{5}$

12 (1) $\log 0.174=\log\left(1.74\times\frac{1}{10}\right)=\log 1.74+\log 10^{-1}$

$=0.2405-1=-0.7595$

(2) $\log 17400=\log(1.74\times10000)=\log 1.74+\log 10^4$

$=0.2405+4=4.2405$

개념 13 지수함수의 뜻과 그래프

48쪽

(3) ② 증가 / 감소

01 (1) ○ (2) × (3) ○ (4) × (5) ×

02 (1) 27 (2) 1 (3) $\frac{1}{3}$ (4) 27 (5) 9

03 (1)

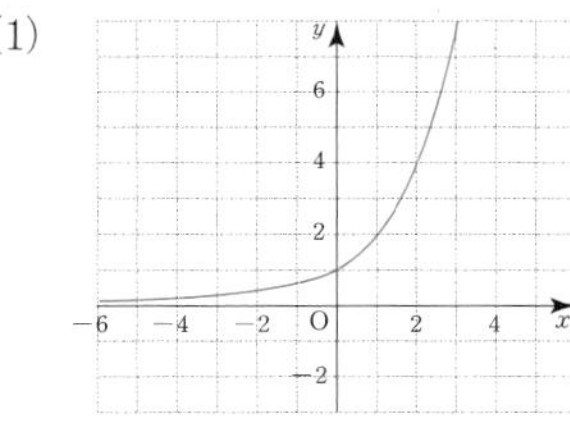

(2)

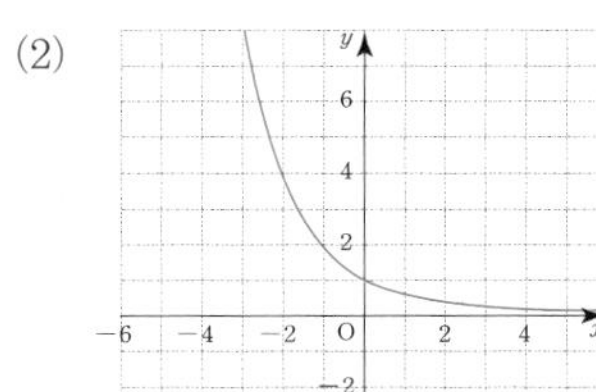

(3)

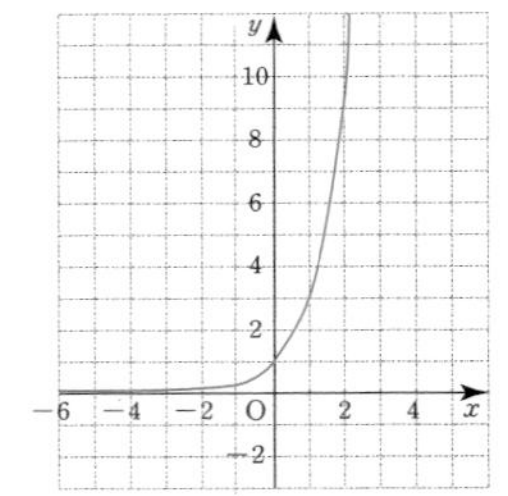

(4)

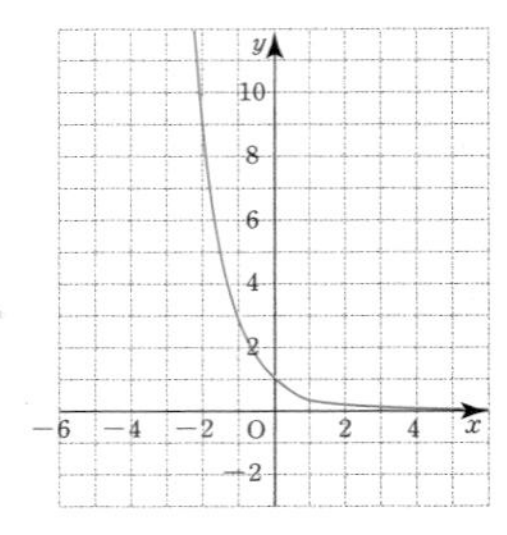

04 (1) ○ (2) × (3) ×

(4) ○ (5) ○

도전! 1등급 **05** 3

02 (3) $f(-1)=3^{-1}=\frac{1}{3}$

(4) $f(1)=3,\ f(2)=3^2=9$

$\therefore\ f(1)f(2)=3\cdot 9=27$

(5) $\frac{f(5)}{f(3)}=\frac{3^5}{3^3}=3^2=9$

05 $\frac{f(4)}{f(1)}=\frac{a^4}{a}=a^3$

$f(k)=a^k=a^3$이므로

$\therefore\ k=3$

개념 14 지수함수 그래프의 평행이동과 대칭이동

50쪽

(2) $y=-a^x$

(4) $-a^{-x}$

01 (1) ① $y=2^{x-1}+2$

②

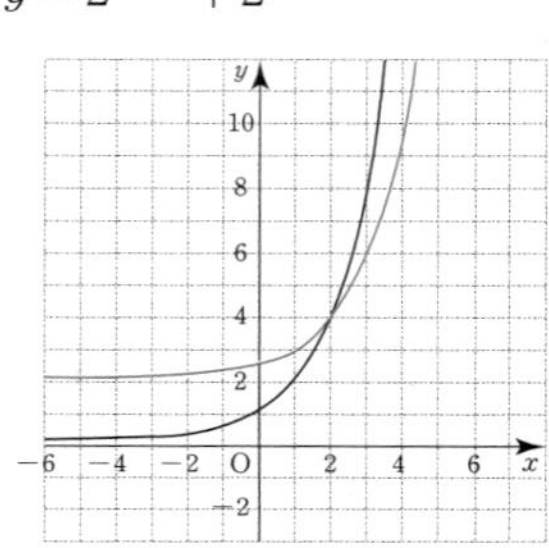

③ $y=2$

(2) ① $y=\left(\frac{1}{2}\right)^{x+1}-2$

②

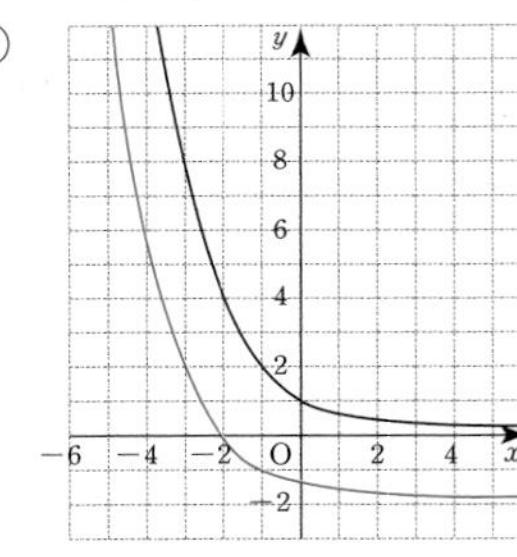

③ $y=-2$

(3) ① $y=3^{x+1}+3$

②

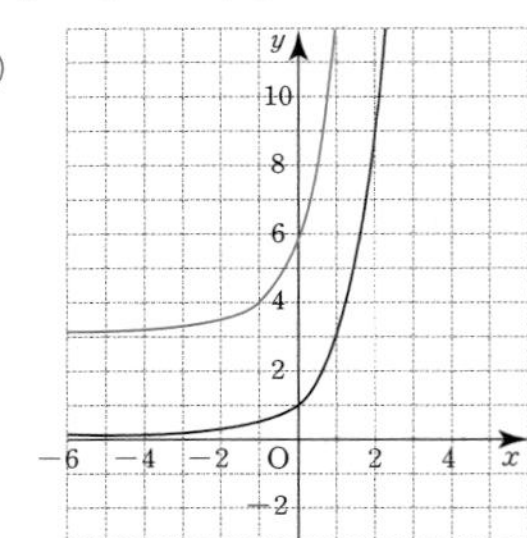

③ $y=3$

02 (1) $y=-2^x$

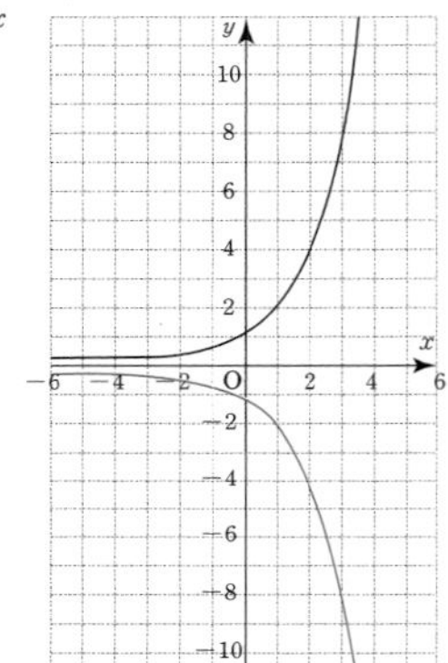

(2) $y=2^{-x}$

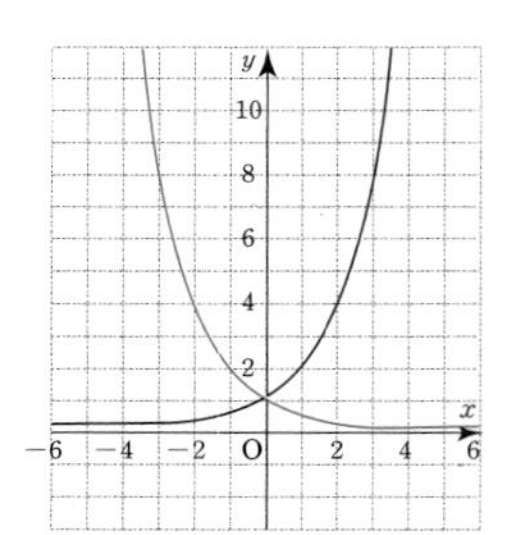

(3) $y=-2^{-x}$

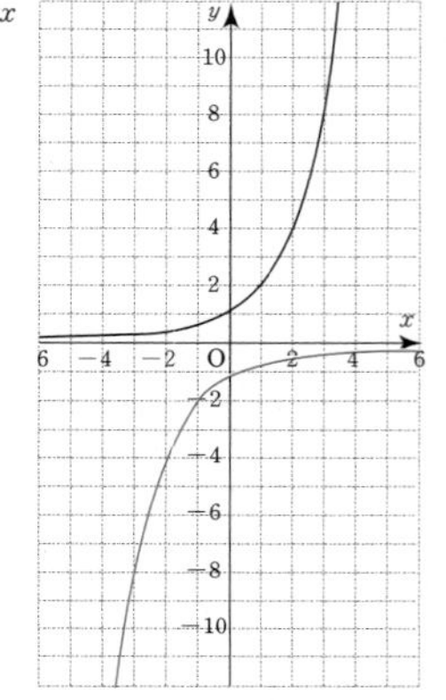

03 3

도전! 1등급 **04** ③

03 지수함수 $y=a^x$의 그래프를 x축의 방향으로 3만큼, y축의 방향으로 -1만큼 평행이동하면

$y=a^{x-3}-1 \quad \therefore y=a^{x-3}-1$

$y=a^{x-3}-1$의 그래프를 x축에 대하여 대칭이동하면

$-y=a^{x-3}-1 \quad \therefore y=-a^{x-3}+1$

이 그래프가 점$(4, -2)$을 지나므로

$-2=-a^{4-3}+1, \ -a=-3 \quad \therefore a=3$

04 $y=4^x=2^{2x}$이고

$y=8(4^x-1)=2^3(2^{2x}-1)$

$=2^{2x+3}-8=2^{2(x+\frac{3}{2})}-8$

$\therefore m=-\frac{3}{2}, \ n=-8$

$\therefore m\times n=\left(-\frac{3}{2}\right)\times(-8)=12$

개념 15 지수함수의 최댓값과 최솟값

52쪽

(2) ① a^m

② 최대 / 최소

01 (1) $\sqrt{27}>\sqrt[3]{3^4}$ (2) $2^{0.3}<\sqrt[4]{8}$

(3) $\left(\frac{1}{9}\right)^{\frac{1}{4}}>\left(\sqrt{\frac{1}{3}}\right)^3$

02 (1) $M=4, \ m=\frac{1}{4}$ (2) $M=28, \ m=\frac{4}{3}$

(3) $M=7, \ m=\frac{13}{4}$

03 (1) 32 (2) $\frac{1}{9}$

(3) $\frac{1}{25}$ (4) $\frac{1}{10^4}$

04 (1) 최댓값:36, 최솟값:0

(2) 최댓값:9, 최솟값:-27

도전! 1등급 **05** ④

01 (1) $\sqrt{27}=\sqrt{3^3}=3^{\frac{3}{2}}, \ \sqrt[3]{3^4}=3^{\frac{4}{3}}$이고, $\frac{3}{2}>\frac{4}{3}$

이 때, 함수 $y=3^x$는 x의 값이 증가하면 y의 값도 증가하므로, $3^{\frac{3}{2}}>3^{\frac{4}{3}}$

(2) $2^{0.3}=2^{\frac{3}{10}}, \ \sqrt[4]{8}=\sqrt[4]{2^3}=2^{\frac{3}{4}}$이고, $\frac{3}{10}<\frac{3}{4}$

이 때, 함수 $y=2^x$는 x의 값이 증가하면 y의 값도 증가하므로, $2^{\frac{3}{10}}<2^{\frac{3}{4}}$

(3) $\left(\frac{1}{9}\right)^{\frac{1}{4}}=\left(\frac{1}{3}\right)^{\frac{1}{2}}, \ \left(\sqrt{\frac{1}{3}}\right)^3=\left(\frac{1}{3}\right)^{\frac{3}{2}}$이고, $\frac{1}{2}<\frac{3}{2}$

이 때, 함수 $y=\left(\frac{1}{3}\right)^x$는 x의 값이 증가하면 y의 값은 감소하므로, $\left(\frac{1}{3}\right)^{\frac{1}{2}}>\left(\frac{1}{3}\right)^{\frac{3}{2}}$

02 (1) $y=2^x$은 밑이 2이므로 증가함수

$x=2$일 때, 최댓값 $\therefore M=2^2=4$

$x=-2$일 때, 최솟값 $\therefore m=2^{-2}=\frac{1}{4}$

(2) $y=3^{x+1}+1$은 밑이 3이므로 증가함수

$x=2$일 때, 최댓값 $\therefore M=3^{2+1}+1=28$

$x=-2$일 때, 최솟값 $\therefore m=3^{-2+1}+1=\frac{4}{3}$

(3) $y=\left(\frac{1}{2}\right)^x+3$은 밑이 $\frac{1}{2}$이므로 감소함수

$x=-2$일 때, 최댓값 $\therefore M=\left(\frac{1}{2}\right)^{-2}+3=7$

$x=2$일 때, 최솟값 $\therefore m=\left(\frac{1}{2}\right)^2+3=\frac{13}{4}$

03 (1) $f(x)=x^2-2x-1=(x-1)^2-2$로 놓으면

$-1\le x\le 4$에서 $f(-1)=2, f(1)=-2, f(4)=7$

$\therefore -2\le f(x)\le 7$

$y=2^{x^2-2x-1}=2^{f(x)}$에서

$\therefore f(4)=7$일 때, 최댓값 $M=2^7=128$

$\therefore f(1)=-2$일 때, 최솟값 $m=2^{-2}=\frac{1}{4}$

$\therefore M\times m=32$

(2) $f(x)=-x^2+4x-3=-(x-2)^2+1$로 놓으면

$0\le x\le 3$에서 $f(0)=-3, f(2)=1, f(3)=0$

$\therefore -3\le f(x)\le 1$

$y=3^{-x^2+4x-3}=3^{f(x)}$에서

$\therefore f(2)=1$일 때, 최댓값 $M=3^1=3$

$\therefore f(0)=-3$일 때, 최솟값 $m=3^{-3}=\frac{1}{27}$

$\therefore M\times m=\frac{1}{9}$

(3) $f(x)=x^2-2x=(x-1)^2-1$로 놓으면

$-1\le x\le 2$에서 $f(-1)=3, f(1)=-1, f(2)=0$

$\therefore -1\le f(x)\le 3$

$y=\left(\frac{1}{5}\right)^{x^2-2x}=\left(\frac{1}{5}\right)^{f(x)}$에서

$\therefore f(1)=-1$일 때, 최댓값 $M=\left(\frac{1}{5}\right)^{-1}=5$

$\therefore f(-1)=3$일 때, 최솟값 $m=\left(\frac{1}{5}\right)^3=\frac{1}{125}$

$\therefore M\times m=\frac{1}{25}$

(4) $f(x)=-x^2-3x-1=-\left(x+\frac{3}{2}\right)^2+\frac{5}{4}$로 놓으면

$-1\le x\le 1$에서 $f(-1)=1$, $f(1)=-5$

$\therefore -5\le f(x)\le 1$

$y=10^{-x^2-3x-1}=10^{f(x)}$에서

$\therefore f(-1)=1$일 때, 최댓값 $M=10$

$\therefore f(1)=-5$일 때, 최솟값 $m=10^{-5}$

$\therefore M\times m=10^{-4}=\frac{1}{10^4}$

04 (1) $y=4^x-2^{x+2}+4=(2^x)^2-2^2\times 2^x+4$

$2^x=t(t>0)$로 치환하면 $y=t^2-4t+4=(t-2)^2$

이 때, $-2\le x\le 3$에서 $2^{-2}\le 2^x\le 2^3$ $\therefore \frac{1}{4}\le t\le 8$

따라서 $t=8$일 때, 최댓값이 36이고,

$t=2$일 때, 최솟값은 0

(2) $y=6\cdot 3^x-9^x=6\cdot 3^x-(3^x)^2$

$3^x=t(t>0)$로 치환하면 $y=6t-t^2=-(t-3)^2+9$

이 때, $1\le x\le 2$에서 $3^1\le 3^x\le 3^2$ $\therefore 3\le t\le 9$

따라서 $t=3$일 때, 최댓값이 9이고,

$t=9$일 때, 최솟값은 -27

05 $y=2^x\cdot 5^{-x}+1=\left(\frac{2}{5}\right)^x+1$에서

밑이 $\frac{2}{5}$이므로 $y=\left(\frac{2}{5}\right)^x+1$에서

$x=-1$일 때, 최댓값 $b=\left(\frac{2}{5}\right)^{-1}+1=\frac{5}{2}+1=\frac{7}{2}$

$x=1$일 때, 최솟값 $a=\frac{2}{5}+1=\frac{7}{5}$

$\therefore \frac{a}{b}=\frac{\frac{7}{5}}{\frac{7}{2}}=\frac{2}{5}$

개념 16 로그함수의 뜻과 그래프

54쪽

예 $\log_2 x$

(3) ② 증가 / 감소

01 (1) $\{x\mid x>-2\}$ (2) $\{x\mid x<3,\ x\neq 2\}$

(3) $\{x\mid 2<x<3\}$

02 (1) ① $g(x)=\log_{\frac{1}{2}} x\,(x>0)$

② -1

(2) ① $g(x)=\log_4(x+2)-2\ (x>-2)$

② -1

03 (1)

(2)

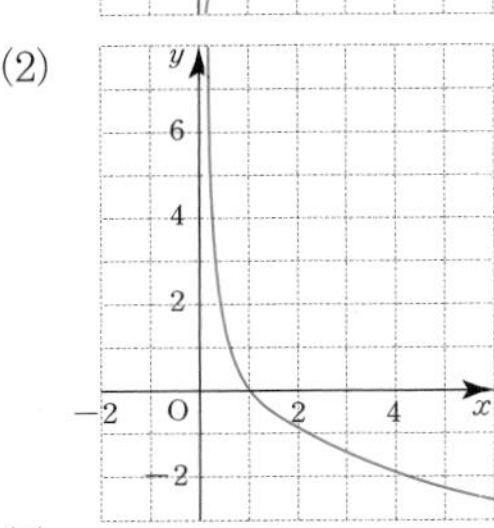

(3)

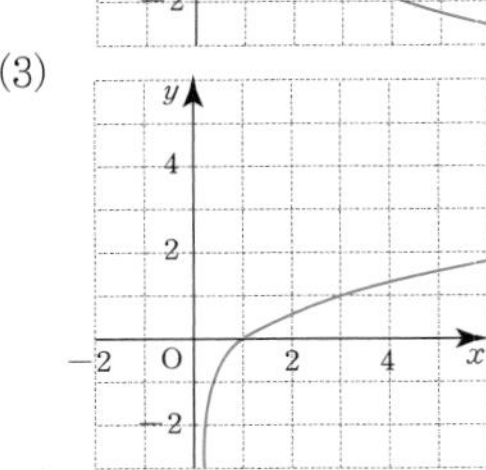

(4)

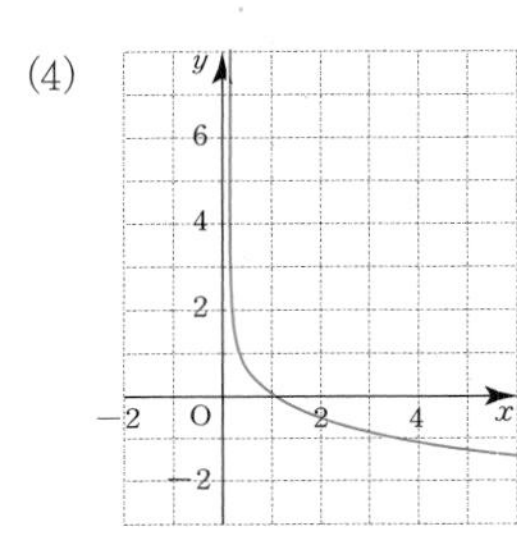

04 (1) ○ (2) ○ (3) ○

(4) × (5) ○

도전! 1등급 **05** 6

01 (1) 로그의 진수 조건에서 $x+2>0$이므로 $\{x\mid x>-2\}$

(2) 로그의 밑 조건에서 $3-x>0$, $3-x\neq 1$이므로

$\{x\mid x<3,\ x\neq 2\}$

(3) 로그의 밑 조건에서 $x-2>0$, $x-2\neq 1$이므로

$x>2,\ x\neq 3$ ⋯ ㉠

진수조건에서 $-x^2+9>0$, $(x-3)(x+3)<0$

$-3<x<3$ ⋯ ㉡

㉠, ㉡에 의해서 $\{x\mid 2<x<3\}$

02 (1) ① $f:\{x\mid x$는 실수$\}\to\{y\mid y>0\}$ 일대일 함수

$y=\left(\frac{1}{2}\right)^x$에서 $x=\log_{\frac{1}{2}} y$이고 x와 y를 서로 바꾸면

$g(x)=\log_{\frac{1}{2}} x\,(x>0)$

② $g(2)=\log_{\frac{1}{2}} 2=-1$

(2) ① $f:\{x\mid x$는 실수$\}\to\{y\mid y>-2\}$ 일대일 함수

$y=4^{(x+2)}-2$에서 $x+2=\log_4(y+2)$
x와 y를 서로 바꾸면 구하는 역함수는
$g(x)=\log_4(x+2)-2\ (x>-2)$
② $\therefore g(2)=\log_4 4-2=1-2=-1$

04 (4) 밑이 3이므로 x의 값이 증가하면 y의 값도 증가한다.

05 (1) $\overline{\text{OA}}=\log_3 a$, $\overline{\text{OB}}=\log_3 2$
$\overline{\text{AB}}=\overline{\text{OA}}-\overline{\text{OB}}=\log_3 \dfrac{a}{2}=1$
이므로 $\dfrac{a}{2}=3^1 \quad \therefore a=6$

로그함수 그래프의 평행이동과 대칭이동

56쪽

(2) $y=-\log_a x$
(4) $-\log_a(-x)$

01 (1)

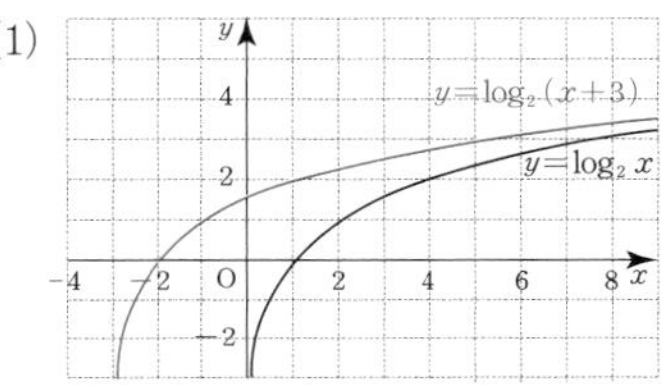

① -3 ② $x=-3$

(2)

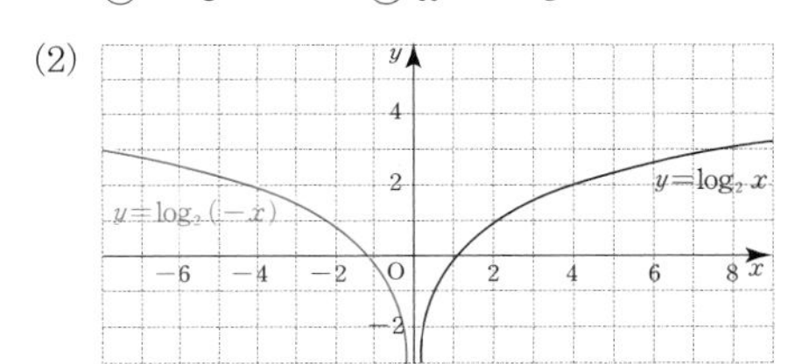

① 0 ② $x=0$

(3)

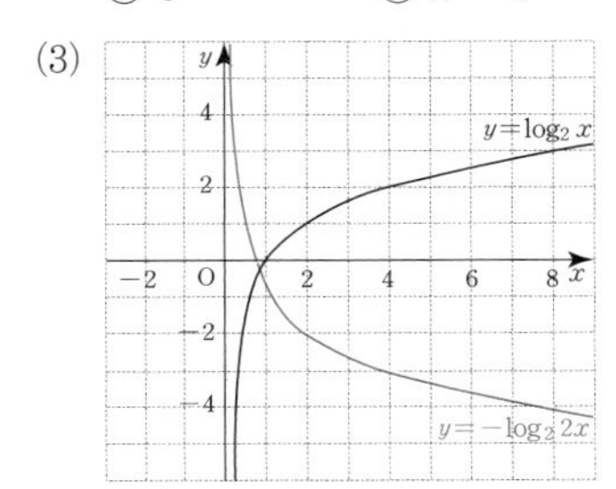

① $x>0$ ② $x=0$

(4)

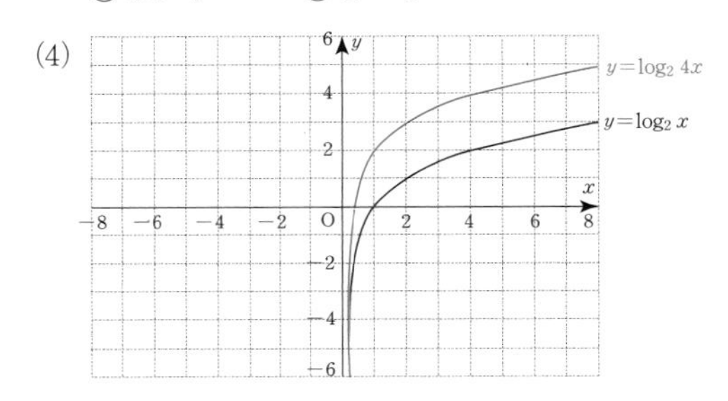

① $x>0$ ② $x=0$

02 (1) $y=-\log_2(x+3)+4$ (2) 0
(3) 1 (4) 10

03 (1) ○ (2) ○ (3) ×
(4) ○ (5) × (6) ○

도전! 1등급 **04** ④

01 (1) $y=\log_2(x+3)$의 그래프는 $y=\log_2 x$ 그래프를 x축 방향으로 -3만큼 평행이동한 것이다.
(2) $y=\log_2(-x)$의 그래프는 $y=\log_2 x$ 그래프를 y축에 대하여 대칭 이동한 것이다.
(3) $y=-\log_2 2x \Leftrightarrow y=-\log_2 x-1$이므로
$y=-\log_2 2x$의 그래프는 $y=\log_2 x$의 그래프를 x축에 대하여 대칭이동한 후, y축의 방향으로 -1만큼 평행이동한 것이다.
(4) $y=\log_2 4x \Leftrightarrow y=\log_2 x+2$이므로
$y=\log_2 4x$의 그래프는 $y=\log_2 x$의 그래프를 y축의 방향으로 2만큼 평행이동한 것이다.

02 (1) $y=\log_2 x$의 그래프를
x축에 대하여 대칭이동하면 $y=-\log_2 x$
x축의 방향으로 -3만큼, y축의 방향으로 4만큼 평행이동
$y-4=-\log_2(x+3)$, $\quad \therefore y=-\log_2(x+3)+4$
(2) 주어진 함수를 y축으로 대칭이동하면 $y=\log_3(-x-2)$
로그의 진수조건에 의하여 $-x-2>0$, $x<-2$이므로
y축으로 대칭이동한 그래프의 점근선은 $x=-2$
$k=-2$이므로 $\therefore k^2-4=0$
(3) $y=\log_{\frac{1}{2}} 4x=-\log_2 4x=-(\log_2 4+\log_2 x)$
$=-\log_2 x-2$
x축의 방향으로 5만큼, y축의 방향으로-2만큼 평행이동하면,
$y+2=-\log_2(x-5)-2$
$y=-\log_2(x-5)-4$의 그래프와 일치하므로
$a=5$, $b=-4$
$\therefore a+b=1$
(4) x축의 방향으로 2만큼 평행이동하면 $y=\log_5(x-2)$
직선 $y=x$에 대하여 대칭이동은
로그의 정의에 의하여 $5^y=x-2$이고, x와 y를 서로 바꾸면
$\therefore y=5^x+2$의 그래프와 일치하므로 $a=5$, $b=2$
$\therefore ab=10$

03 (2) $y=\log_a 3x=\log_a 3+\log_a x$
(3) $y=3\log_a x=\log_a x^3$

(5) $y=\log_a \frac{1}{x}=\log_a x^{-1}=-\log_a x$이므로

$y=\log_a \frac{1}{x}$는 x축에 대하여 대칭이동한 그래프이다.

(6) $y=\log_{\frac{1}{a}}(-x)=\log_{a^{-1}}(-x)=-\log_a(-x)$이므로

$y=\log_{\frac{1}{a}}(-x)$는 원점에 대하여 대칭이동한 그래프이다.

04 $y=\log_5 x$의 그래프를 x축의 방향으로 m만큼 평행이동시킨 함수 $y=\log_5(x-m)$의 그래프가 점$(9, 2)$를 지나므로

$2=\log_5(9-m)$, $9-m=25$, $\therefore m=-16$

함수 $y=\log_a x$의 그래프도 점$(9, 2)$를 지나므로

$2=\log_a 9$, $a^2=9$ $\therefore a=3$ $(\because a>0)$

$\therefore a-m=3-(-16)=19$

개념 18 로그함수의 최댓값과 최솟값

58쪽

(2) ① $\log_a n$

② 최대 / 최소

01 (1) $>$ (2) $<$ (3) $>$

02 (1) $M=3$, $m=1$ (2) $M=1$, $m=0$ (3) $M=2$, $m=\log_3 5$

03 (1) 1 (2) $2\log_3 5$ (3) $\log_3 7-1$ (4) 2

04 (1) $M=14$, $m=5$ (2) $M=26$, $m=6$

도전! 1등급 **05** ⑤

01 (1) $-\log_3 \frac{1}{6}=\log_3 6$이고

$y=\log_3 x$는 밑이 3이므로 x의 값이 증가하면 y의 값도 증가 $\therefore \log_3 7>\log_3 \frac{1}{6}$

(2) $y=\log_{\frac{1}{2}} x$는 밑이 $\frac{1}{2}$이므로 x의 값이 증가하면 y의 값은 감소 $\therefore \log_{\frac{1}{2}} 4<\log_{\frac{1}{2}} \frac{1}{5}$

(3) $3\log_2 5=\log_2 125$, $2\log_2 10=\log_2 100$이고

$y=\log_2 x$는 밑이 2이므로 x의 값이 증가하면 y의 값도 증가

$\therefore 3\log_2 5>2\log_2 10$

02 (1) 주어진 함수의 밑이 2이므로

x의 값이 증가하면 y의 값도 증가하는 증가함수

$x=3$일 때, 최댓값 $\therefore M=\log_2(3\cdot3-1)=\log_2 8=3$

$x=1$일 때, 최솟값 $\therefore m=\log_2(3-1)=\log_2 2=1$

(2) 주어진 함수의 밑이 $\frac{1}{2}$이므로

x의 값이 증가하면 y의 값은 감소하는 감소함수

$x=5$일 때, 최댓값

$\therefore M=\log_{\frac{1}{2}}(5-3)+2=-\log_2 2+2=1$

$x=7$일 때, 최솟값

$\therefore m=\log_{\frac{1}{2}}(7-3)+2=-\log_2 4+2=0$

(3) 주어진 함수의 밑이 3이므로

x의 값이 증가하면 y의 값도 증가하는 증가함수

$x=4$일 때, 최댓값 $\therefore M=\log_3(2\cdot4+1)=\log_3 9=2$

$x=2$일 때, 최솟값 $\therefore m=\log_3(2\cdot2+1)=\log_3 5$

03 (1) $f(x)=x^2-4x+5=(x-2)^2+1$로 놓으면

$1\le x\le 2$에서 $f(x)$의 최솟값 $f(2)=1$, 최댓값 $f(1)=2$이다.

$y=\log_2(x^2-4x+5)=\log_2 f(x)$의 밑이 2이므로 증가함수

$\therefore f(1)=2$일 때, 최댓값 $M=1$

$\therefore f(2)=1$일 때, 최솟값 $m=0$

$\therefore M+m=1+0=1$

(2) $f(x)=-x^2-2x+8=-(x+1)^2+9$로 놓으면

$-3\le x\le 0$에서 $f(x)$의 최솟값 $f(-3)=5$

최댓값 $f(-1)=9$이다.

$y=\log_3(-x^2-2x+8)=\log_3 f(x)$의 밑이 3이므로 증가함수

$\therefore f(-1)=9$일 때, 최댓값 $M=\log_3 9=2$

$\therefore f(-3)=5$일 때, 최솟값 $m=\log_3 5$

$\therefore M\times m=2\log_3 5$

(3) $2x^2+8x+6=2(x+2)^2-2$로 놓으면

$2\le x\le 4$에서 $f(x)$의 최솟값 $f(2)=2(2+2)^2-2=30$

최댓값 $f(4)=2(4+2)^2-2=70$이다.

$y=\log_{\frac{1}{3}}(2x^2+8x+6)=\log_{\frac{1}{3}} f(x)$의 밑이 $\frac{1}{3}$이므로 감소함수

$\therefore f(2)=30$일 때, 최댓값 $M=\log_{\frac{1}{3}} 30$,

$\therefore f(4)=70$일 때, 최솟값 $m=\log_{\frac{1}{3}} 70$

$\therefore M-m=\log_{\frac{1}{3}} 30-(\log_{\frac{1}{3}} 70)=\log_{\frac{1}{3}} \frac{30}{70}$

$=-\log_3 \frac{3}{7}=-(\log_3 3-\log_3 7)=-1+\log_3 7$

(4) $f(x)=x(x-2)+6=(x-1)^2+5$로 놓으면

$-4\le x\le 3$에서 $f(x)$의 최솟값 $f(1)=5$

최댓값 $f(-4)=(-4-1)^2+5=30$이다.

$y=\log_6\{x(x-2)+6\}=\log_6 f(x)$의 밑이 6이므로 증가함수

$f(-4)=30$일 때, 최댓값 $M=\log_6 30$,

$f(1)=5$일 때, 최솟값 $m=\log_6 5$

$\therefore 2(M-m)^2=2(\log_6 30-\log_6 5)^2=2\cdot1^2=2$

04 (1) 로그의 성질을 이용하여 주어진 식을 변형하면,

$y=(\log_2 x)^2-\log_2(4x)^2+10$

$=(\log_2 x)^2-2(\log_2 4+\log_2 x)+10$

$=(\log_2 x)^2-2\log_2 x+6$

$\log_2 x=t$로 놓으면 $1\le x\le 16$에서

$\log_2 1 \le \log_2 x \le \log_2 16 \quad \therefore 0 \le t \le 4$

주어진 함수는

$y = t^2 - 2t + 6 = (t-1)^2 + 5$

$t=4$일 때, 최댓값은 $\therefore M=14$,

$t=1$일 때, 최솟값은 $\therefore m=5$

(2) 로그의 성질을 이용하여 주어진 식을 변형하면,

$y = (\log_3 x)^2 + 3\log_3 x^2 - 1 = (\log_3 x)^2 + 6\log_3 x - 1$

$\log_3 x = t$로 놓으면 $3 \le x \le 27$에서

$\log_3 3 \le \log_3 x \le \log_3 27 \quad \therefore 1 \le t \le 3$

주어진 함수는

$y = t^2 + 6t - 1 = (t+3)^2 - 10$

$t=3$일 때, 최댓값은 $\therefore M=26$,

$t=1$일 때, 최솟값은 $\therefore m=6$

05 주어진 함수의 밑이 2이므로 x가 증가하면 y도 증가하는 증가함수

$x=4$일 때, 최댓값 $b = \log_2(4+4) = \log_2 8 = 3$

$x=-2$일 때, 최솟값 $a = \log_2(-2+4) = \log_2 2 = 1$

$\therefore ab = 3$

개념 19 지수함수 활용 – 미지수를 포함한 지수방정식

60쪽

예 3^4 / 3

예 9^x / 7

01 (1) $x=\frac{3}{2}$ (2) $x=-2$

(3) $x=-\frac{1}{2}$ (4) $x=3$

(5) $x=1$ (6) $x=-1$ 또는 $x=2$

(7) $x=-2$ (8) $x=-4$ 또는 $x=1$

02 (1) $x=1$ 또는 $x=2$ (2) $x=0$ 또는 $x=4$

(3) $x=2$ (4) $x=-1$

03 (1) $x=1$ 또는 $x=3$ (2) $x=0$ 또는 $x=2$

(3) $x=-1$ 또는 $x=3$ (4) $x=\frac{7}{3}$ 또는 $x=2$

도전! 1등급 **04** ③

01 (1) $4^{2x} = 4^3 \Leftrightarrow 2x = 3 \quad \therefore x = \frac{3}{2}$

(2) $2^{2x+1} = 2^{-3} \Leftrightarrow 2x+1 = -3 \Leftrightarrow 2x = -4 \quad \therefore x = -2$

(3) $5^{2+x} = 5^{\frac{3}{2}} \Leftrightarrow 2+x = \frac{3}{2} \quad \therefore x = -\frac{1}{2}$

(4) $3^{\frac{1}{2}(x+1)} = 3^2 \Leftrightarrow \frac{1}{2}(x+1) = 2 \Leftrightarrow x+1 = 4 \quad \therefore x = 3$

(5) $2^{2(2x+1)} = 2^4 \times 2^{x+1} \Leftrightarrow 2(2x+1) = 4+x+1$

$\Leftrightarrow 4x+2 = x+5$

$\Leftrightarrow 3x = 3 \quad \therefore x = 1$

(6) $3^{x^2-3} = 3^{\frac{1}{2}(2x-2)} \Leftrightarrow x^2 - 3 = \frac{1}{2}(2x-2) \Leftrightarrow x^2 - 3 = x - 1$

$\Leftrightarrow x^2 - x - 2 = 0 \Leftrightarrow (x+1)(x-2) = 0$

$\therefore x = -1$ 또는 $x = 2$

(7) $5^{4+x} = \left(\frac{1}{25}\right)^{x+1} \Leftrightarrow 5^{4+x} = 5^{-2(x+1)} \Leftrightarrow 4+x = -2x-2$

$\Leftrightarrow 3x = -6 \quad \therefore x = -2$

(8) $\left(\frac{3}{4}\right)^{4-x-x^2} = \left(\frac{3}{4}\right)^{2x} \Leftrightarrow -x^2 - x + 4 = 2x$

$\Leftrightarrow x^2 + 3x - 4 = 0$

$\Leftrightarrow (x-1)(x+4) = 0$

$\therefore x = -4$ 또는 $x = 1$

02 (1) $2^x = t\,(t>0)$으로 놓으면 $2^{-x} = \frac{1}{t}$

주어진 방정식은 $t + \frac{8}{t} = 6 \Leftrightarrow t^2 + 8 = 6t$

$\Leftrightarrow t^2 - 6t + 8 = 0$

$(t-2)(t-4) = 0 \quad \therefore t=2$ 또는 $t=4$

따라서 $2^x = 2$ 또는 $2^x = 2^2$ 이므로 $\therefore x=1$ 또는 $x=2$

(2) $(\sqrt{3})^x = 3^{\frac{x}{2}} = t\,(t>0)$으로 놓으면 $(\sqrt{3})^{-x} = \frac{1}{t}$

주어진 방정식은

$(\sqrt{3})^x + (\sqrt{3})^{4-x} = 10 \Leftrightarrow t + \frac{9}{t} = 10 \Leftrightarrow t^2 - 10t + 9 = 0$,

$(t-1)(t-9) = 0 \quad \therefore t=1$ 또는 $t=9$

따라서 $3^{\frac{x}{2}} = 3^0$ 또는 $3^{\frac{x}{2}} = 3^2$ 이므로 $\therefore x=0$ 또는 $x=4$

(3) $3^x = t\,(t>0)$으로 놓으면 $9^x = (3^x)^2 = t^2$

주어진 방정식은

$t^2 - 2 \times 3^2 \times t + 81 = 0 \Leftrightarrow t^2 - 18t + 81 = 0$

$(t-9)^2 = 0 \quad \therefore t = 9$

따라서 $3^x = 3^2$ 이므로 $\therefore x = 2$

(4) $5^x = t\,(t>0)$으로 놓으면 $5^{-x} = \frac{1}{t}$

주어진 방정식은

$5^{x+1} + 4 = \left(\frac{1}{5}\right)^x \Leftrightarrow 5t + 4 = \frac{1}{t} \Leftrightarrow 5t^2 + 4t - 1 = 0$

$(5t-1)(t+1) = 0 \quad \therefore t = \frac{1}{5}\,(\because t>0)$

따라서 $5^x = 5^{-1}$이므로 $\therefore x = -1$

03 (1) 밑의 조건에 의하여 $x>0$

(i) $2x = 3(x-1) \Leftrightarrow 2x = 3x - 3 \quad \therefore x = 3$

(ii) 밑 $x=1$ 일 때, $1^2 = 1^{3(1-1)}$이므로 방정식 성립.

$\therefore x = 1$

(2) 밑의 조건에 의하여 $x > -1$

(i) $x^2 = x+2 \Leftrightarrow x^2 - x - 2 = 0 \Leftrightarrow (x-2)(x+1) = 0$

$\therefore x = 2\,(\because x > -1)$

(ii) 밑 $x+1 = 1$ 즉, $x=0$일 때, $1^0 = 1^2$ 방정식 성립.

$\therefore x = 0$

(3) 밑의 조건에 의하여 $x > -5$

(i) 지수가 같으므로 밑을 비교하면, $x+5=4$

$\therefore x=-1$

(ii) 지수 $3-x=0$ 즉, $x=3$일 때, $(3+5)^0=4^0$

방정식 성립. $\therefore x=3$

(4) 밑의 조건에 의하여 $x>\frac{2}{3}$

(i) 지수가 같으므로 밑을 비교하면,

$3x-2=5 \Leftrightarrow 3x=7 \quad \therefore x=\frac{7}{3}$

(ii) 지수 $x-2=0$ 즉, $x=2$일 때, $(6-2)^0=5^0$

방정식 성립 $\therefore x=2$

04 주어진 방정식은 $6^x=t(t>0)$로 놓으면

$t^2-36t+64=0$이고 주어진 방정식의 두 근이 α, β

이므로 이 방정식의 두 근은 6^α, 6^β

따라서 이차방정식의 근과 계수와의 관계에 의하여

두 근의 곱 $6^\alpha\times6^\beta=6^{\alpha+\beta}=64$

$\therefore (\sqrt{6})^{\alpha+\beta}=(6^{\alpha+\beta})^{\frac{1}{2}}=64^{\frac{1}{2}}=8$

개념 20 지수함수 활용 – 미지수를 포함한 지수부등식 62쪽

예 3^3 / 2

예 -4 / 2 / 0 / 1

01 (1) $x>6$ (2) $x\geq-3$ (3) $x<-2$
(4) $x<2$ (5) $x\geq1$ (6) $x\leq-1$

02 (1) $x\geq1$ (2) $-1<x<0$ (3) $-2\leq x\leq1$

03 (1) $x>3$ 또는 $0<x<1$
(2) $1\leq x\leq5$
(3) $1<x<2$ 또는 $x>3$

도전! 1등급 **04** ⑤

01 (1) $2^{2x}>64^2$에서 $2^{2x}>2^{12}$

밑이 $2>1$이므로, $2x>12 \quad \therefore x>6$

(2) $\left(\frac{1}{3}\right)^{x-1}\leq81$에서 $\left(\frac{1}{3}\right)^{x-1}\leq\left(\frac{1}{3}\right)^{-4}$

밑이 $0<\frac{1}{3}<1$이므로, $x-1\geq-4 \quad \therefore x\geq-3$

(3) $4\cdot5^{-x}>10^2$양변을 4로 나누면, $5^{-x}>5^2$

밑이 $5>1$이므로, $-x>2 \quad \therefore x<-2$

(4) $(\sqrt{6})^{2x-1}=6^{\frac{1}{2}(2x-1)}$에서 $6^{x-\frac{1}{2}}<6^{\frac{3}{2}}$

밑이 $6>1$이므로, $x-\frac{1}{2}<\frac{3}{2} \quad \therefore x<2$

(5) $\left(\frac{1}{2}\right)^{x+1}\geq2^{-4x+2}$에서 $\left(\frac{1}{2}\right)^{x+1}\geq\left(\frac{1}{2}\right)^{4x-2}$

밑이 $0<\frac{1}{2}<1$이므로, $x+1\leq4x-2 \quad \therefore x\geq1$

(6) $\left(\frac{1}{9}\right)^{x+2}\geq(\sqrt{3})^{-2x-6}$에서 $\left(\frac{1}{3}\right)^{2x+4}\geq\left(\frac{1}{3}\right)^{x+3}$

밑이 $0<\frac{1}{3}<1$이므로, $2x+4\leq x+3 \quad \therefore x\leq-1$

02 (1) $5^x=t(t>0)$으로 놓으면 주어진 식은

$t^2-2t-15\geq0 \Leftrightarrow (t-5)(t+3)\geq0$

$\therefore t\leq-3$ 또는 $t\geq5$

이 때, $t>0$이므로 $t\geq5$

따라서 $5^x\geq5$이므로 $\therefore x\geq1$

(2) $\left(\frac{1}{4}\right)^x=t(t>0)$으로 놓으면 주어진 식은

$t^2-4t<t-4 \Leftrightarrow t^2-5t+4<0 \Leftrightarrow (t-4)(t-1)<0$

$\therefore 1<t<4$

따라서 $\left(\frac{1}{4}\right)^0<\left(\frac{1}{4}\right)^x<\left(\frac{1}{4}\right)^{-1}$이고, 밑이 $0<\frac{1}{4}<1$

이므로

$\therefore -1<x<0$

(3) $3^x=t(t>0)$으로 놓으면 주어진 식은

$9t+\frac{3}{t}\leq28$

양변에 t를 곱하면, $9t^2-28t+3\leq0 \Leftrightarrow (9t-1)(t-3)\leq0$

$\therefore \frac{1}{9}\leq t\leq3\ (t>0)$

따라서 $3^{-2}\leq3^x\leq3^1$이므로 $\therefore -2\leq x\leq1$

03 (1) (i) $x>1$인 경우

$x+2<2x-1 \Leftrightarrow -x<-3 \quad \therefore x>3$

(ii) $0<x<1$인 경우

$x+2>2x-1 \Leftrightarrow x<3$

이 때 $0<x<1$ 이므로 $\therefore 0<x<1$

(iii) $x=1$인 경우

$1^{1+2}<1^{2\cdot1-1} \Leftrightarrow 1^3<1$ 주어진 부등식이 성립하지 않는다.

(i), (ii), (iii)에 의하여 $\therefore x>3$ 또는 $0<x<1$

(2) (i) $x>1$인 경우

$x+10\geq x^2-2x \Leftrightarrow x^2-3x-10\leq0$

$\Leftrightarrow (x+2)(x-5)\leq0$

$\therefore -2\leq x\leq5$

이 때 $x>1$이므로 $\therefore 1<x\leq5$

(ii) $0<x<1$인 경우

$x+10\leq x^2-2x \Leftrightarrow x^2-3x-10\geq0$

$\Leftrightarrow (x+2)(x-5)\geq0$

$\therefore x\leq-2$ 또는 $x\geq5$

이 때 $0<x<1$ 이므로 해는 없다.

(iii) $x=1$인 경우

$1^{11} \geq 1^{-1}$주어진 부등식이 성립. $\therefore x=1$

(i), (ii), (iii)에 의하여 $\therefore 1 \leq x \leq 5$

(3) (i) $x>1$인 경우

$x^2-3x>2x-6 \Leftrightarrow x^2-5x+6>0$

$\Leftrightarrow (x-2)(x-3)>0$

$\therefore x<2$ 또는 $x>3$

이 때 $x>1$ 이므로 $\therefore 1<x<2$ 또는 $x>3$

(ii) $0<x<1$인 경우

$x^2-3x<2x-6 \Leftrightarrow x^2-5x+6<0$

$\Leftrightarrow (x-2)(x-3)<0$

$\therefore 2<x<3$

이 때 $0<x<1$ 이므로 해가 없다.

(iii) $x=1$인 경우

$1^{-2}>1^{-4}$주어진 부등식이 성립하지 않는다.

(i), (ii), (iii)에 의하여 $\therefore 1<x<2$ 또는 $x>3$

04 (1) 주어진 부등식에서 $2^x=t$로 치환하면 주어진 식은

$t^2-8t+12<0 \Leftrightarrow (t-2)(t-6)<0$

$\therefore 2<t<6$

따라서 $2<2^x<6$이므로 $1<x<\log_2 6$, $\alpha=1$, $\beta=\log_2 6$

$\therefore \alpha+4^{\beta}=1+4^{\log_2 6}=1+6^2=37$

개념 21 지수방정식과 지수부등식의 활용

64쪽

01	(1) 2	(2) 6	
02	(1) 3	(2) 2	(3) -1
03	(1) 5시간 후	(2) 4	(3) 90년
04	(1) 6시간	(2) 5번	

도전! 1등급 **05** ④

01 (1) $2^x=t(t>0)$라 하면 $4^x=t^2$

$3t^2-13t+12=0$의 두 근은 $2^{\alpha} \cdot 2^{\beta}$이다.

t에 대한 이차방정식의 근과 계수와의 관계에 의하여

두 근의 곱 $2^{\alpha} \cdot 2^{\beta}=2^{\alpha+\beta}=\dfrac{12}{3}=2^2$ 이므로 $\therefore \alpha+\beta=2$

(2) $25^x-6 \cdot 5^x-15=0$에서 $5^x=t$로 놓으면

$t^2-6t-15=0$

주어진 방정식의 두 근이 α, β이므로, 이 방정식의 두 실근은 5^{α}, 5^{β}이다.

따라서 이차방정식의 근과 계수의 관계에 의하여

$5^{\alpha}+5^{\beta}=6$

02 (1) $3^x=t$로 놓으면, $t^2-3t+k>0$

양수 t에 대하여 이차방정식 $t^2-3t+k=0$의 판별식이 0보다 작아야하므로

$D=9-4k<0 \quad \therefore k>\dfrac{9}{4}$

따라서 정수 k의 최솟값은 3

(2) $a^{2x+3}>a^{\frac{1}{3}} \cdot a^{3x}$

$a>1$이므로 $2x+3>\dfrac{1}{3}+3x \quad \therefore x<\dfrac{8}{3}$

x는 정수이므로 2

(3) 주어진 부등식을 $5^x=t$로 치환하면

$\left(t-\dfrac{1}{25}\right)(t-1)<0 \quad \therefore \dfrac{1}{25}<t<1$

$\dfrac{1}{25}<t<1$에서 $5^{-2}<5^x<5^0$ 이므로 $\therefore -2<x<0$

x는 정수이므로 구하는 값은 -1이다.

03 (1) n시간 후 박테리아의 수는 50×2^n이므로 50마리의 박테리아의 수가 1600이 되었다면

$50 \times 2^n=1600 \Leftrightarrow 2^n=32 \Leftrightarrow 2^n=2^5$

$\therefore n=5$

따라서 5시간 후에 박테리아의 수가 1600마리가 된다.

(2) $M(x)=2000 \times \left(\dfrac{1}{5}\right)^{\frac{x}{2}}=80$

$\left(\dfrac{1}{5}\right)^{\frac{x}{2}}=\dfrac{80}{2000}=\dfrac{1}{25}=\left(\dfrac{1}{5}\right)^2$

따라서 $\dfrac{x}{2}=2$ 이므로 $\therefore x=4$

(3) 처음 방사성 물질의 양을 $a(a \neq 0)$라고 하면 30년마다 그 양이 반으로 줄어들므로

30년 후 방사성 물질의 양은 $\dfrac{1}{2}a$

30×2년 후 방사성 물질의 양은 $\dfrac{1}{4}a=\left(\dfrac{1}{2}\right)^2 a$

⋮ ⋮

$30 \times n$년 후 방사성 물질의 양은 $\left(\dfrac{1}{2}\right)^n a$

처음 방사선 물질의 양의 12.5%가 되는데 걸리는 시간을 x년이라고 할 때,

$30n=x$, $\therefore n=\dfrac{x}{30}$ 임을 이용하여 식을 세우면,

$\left(\dfrac{1}{2}\right)^{\frac{x}{30}}a=\dfrac{12.5}{100}a \Leftrightarrow \left(\dfrac{1}{2}\right)^{\frac{x}{30}}=\dfrac{1}{8} \Leftrightarrow \left(\dfrac{1}{2}\right)^{\frac{x}{30}}=\left(\dfrac{1}{2}\right)^3$

지수를 비교하면, $\dfrac{x}{30}=3$, $\therefore x=90$

04 (1) 처음 습기의 양을 $a(a>0)$라고 하면,

1시간마다 그 양이 반으로 줄어들게 되므로 공기청정기의

시간을 t시간 가동하면 남아있는 습기의 양은 $\left(\frac{1}{2}\right)^t a$이다.

$\left(\frac{1}{2}\right)^t a \le \frac{1}{64}a \Leftrightarrow \left(\frac{1}{2}\right)^t \le \left(\frac{1}{2}\right)^6$

밑이 $0<\frac{1}{2}<1$이므로 $\therefore t\ge 6$

(2) 종이의 전체의 두께가 16mm이상이 되려면

$T(k)=\frac{1}{2}\times 2^k = 2^{k-1}\ge 16=2^4$

밑이 $2>1$이므로 $k-1\ge 4$ $\therefore k\ge 5$

05 $2^x=t(t>0)$로 놓으면

$4^x+2^{x+1}+2k-4=t^2+2t+2k-4$

$f(t)=t^2+2t+2k-4$로 놓으면,

$t>0$인 범위에서 항상 $f(t)>0$이 성립하려면

$f(0)\ge 0$이어야 하므로 $f(0)=2k-4\ge 0 \therefore k\ge 2$

22 로그함수 활용 – 미지수를 포함한 로그방정식

66쪽

예 2

예 2 / $t-2$ / 2 / 4

01 (1) $x=2$ (2) $x=3$ (3) $x=8$ (4) $x=-2$ (5) $x=1$ (6) $x=5$ (7) $x=-1$

02 (1) $2<x<\sqrt{5}$ 또는 $x>\sqrt{5}$ (2) $x=3$

03 (1) $x=\frac{1}{3}$ 또는 $x=27$ (2) $x=\frac{1}{4}$ 또는 $x=32$ (3) $x=\frac{1}{100}$ 또는 $x=1000$

04 (1) $x=\frac{1}{4}$ 또는 $x=16$ (2) $x=\frac{1}{20}$

도전! 1등급 **05** ①

01 (1) $x=4^{\frac{1}{2}}=(2^2)^{\frac{1}{2}}=2$ $\therefore x=2$

(2) $x^4=81=3^4$ $\therefore x=3$

(3) 진수 조건에서 $x>-\frac{1}{3}$

$3x+1=5^2 \Leftrightarrow 3x=24$ $\therefore x=8$

(4) 진수 조건에서 $x<2$

$(\sqrt{2})^4=2-x \Leftrightarrow 4=2-x$ $\therefore x=-2$

(5) 진수 조건에서 $x>0$이고, $x+2>0$ 이므로 $\therefore x>0$

로그의 성질에 의하여, $\log_3 x(x+2)=\log_3 3$

밑이 3으로 같으므로

$x(x+2)=3 \Leftrightarrow x^2+2x-3=0 \Leftrightarrow (x-1)(x+3)=0$

$\therefore x=1$ 또는 $x=-3$

진수조건에 의해 $x>0$이어야 하므로 $\therefore x=1$

(6) 진수 조건에서 $x-2>0$이고, $2x-1>0$ 이므로

$\therefore x>2$

밑이 같으므로 진수를 비교하면

$(x-2)^2=2x-1 \Leftrightarrow x^2-6x+5=0$

$\Leftrightarrow (x-1)(x-5)=0$

$\therefore x=1$ 또는 $x=5$

진수조건에 의해 $x>2$이어야 하므로 $\therefore x=5$

(7) 진수 조건에서 $x+3>0$이고, $1-3x>0$ 이므로

$\therefore -3<x<\frac{1}{3}$

밑을 같게 하여 진수를 비교하면,

$2\log_5(x+3)=\log_5(1-3x) \Leftrightarrow (x+3)^2=1-3x$

$x^2+9x+8=0 \Leftrightarrow (x+1)(x+8)=0$

$\therefore x=-8$ 또는 $x=-1$

진수조건에 의해 $-3<x<\frac{1}{3}$ 이므로 $\therefore x=-1$

02 (1) 밑의 조건에서 $x^2-4>0$, $x^2-4\ne 1$, $x+2>0$, $x+2\ne 1$ 이므로 $\therefore 2<x<\sqrt{5}$ 또는 $x>\sqrt{5}$

(2) 진수가 3으로 같으므로

$x^2-4=x+2 \Leftrightarrow x^2-x-6=0 \Leftrightarrow (x-3)(x+2)=0$

$\therefore x=-2$ 또는 $x=3$

밑의 조건에 의해 $\therefore x=3$

03 (1) $\log_3 x=t$으로 놓으면 주어진 식은

$t^2-2t-3=0 \Leftrightarrow (t+1)(t-3)=0$ $t=-1$ 또는 $t=3$

따라서 $\log_3 x=-1$ 또는 $\log_3 x=3$

$\therefore x=\frac{1}{3}$ 또는 $x=27$

(2) $\log_2 x=t$로 놓으면 주어진 식은

$(t-2)^2+t-14=0 \Leftrightarrow t^2-3t-10=0$

$(t+2)(t-5)=0$ $t=-2$ 또는 $t=5$

따라서 $\log_2 x=-2$ 또는 $\log_2 x=5$

$\therefore x=\frac{1}{4}$ 또는 $x=32$

(3) $\log x=t$로 놓으면 $\log 10x=1+t$, $\log x^3=3t$에서

$(t+1)^2-3t-7=0 \Leftrightarrow t^2-t-6=0$

$(t+2)(t-3)=0$ $t=-2$ 또는 $t=3$

따라서 $\log x=-2$ 또는 $\log x=3$

$\therefore x=\frac{1}{100}$ 또는 $x=1000$

04 (1) 양변에 밑이 2인 로그를 취하면

$\log_2 x\cdot\log_2 x=2(\log_2 16+\log_2 x)$

$\log_2 x=t$로 치환하면

$t^2-2t-8=0 \Leftrightarrow (t+2)(t-4)=0$

$t=-2$ 또는 $t=4$

따라서 $\log_2 x=-2$ 또는 $\log_2 x=4$

$\therefore x=\frac{1}{4}$ 또는 $x=16$

(2) 양변에 밑이 상용로그를 취하면

$\log 4x\cdot\log 4=\log 5\cdot\log 5x$

로그의 성질에 의하여

$(\log 4+\log x)\cdot\log 4=\log 5\cdot(\log 5+\log x)$

$(\log 4-\log 5)\log x=(\log 5)^2-(\log 4)^2$

$\log x=\frac{-(\log 4-\log 5)(\log 4+\log 5)}{\log 4-\log 5}$

$=-\log 20=\log 20^{-1}\quad\therefore x=\frac{1}{20}$

05 $(\log_{\sqrt{2}} 4x)(\log_4 2x)=2(\log_2 x+2)\cdot\frac{1}{2}(\log_2 x+1)$

$=(\log_2 x+2)(\log_2 x+1)$

에서 $(\log_2 x+2)(\log_2 x+1)=20$

$\log_2 x=t$라고 놓으면 $(t+2)(t+1)=20$

$t^2+3t-18=0\Leftrightarrow(t+6)(t-3)=0$

$\therefore t=-6$ 또는 $t=3$

따라서 $\log_2 x=-6$ 또는 $\log_2 x=3$ 이므로

$\therefore x=2^{-6}$ 또는 $x=2^3\qquad\therefore \alpha\beta=2^{-6}\cdot2^3=2^{-3}=\frac{1}{8}$

개념 23 로그함수 활용 – 미지수를 포함한 로그부등식

68쪽

예 $x+1$, -1 / 2^3 / -1

01 (1) $x>2$ (2) $\frac{1}{3}<x<\frac{4}{3}$

(3) $\frac{1}{2}<x\le2$ (4) $-1\le x\le2$

(5) $x>5$

02 (1) $0<x<\frac{1}{4}$ 또는 $x>32$

(2) $\frac{1}{27}\le x\le3$

(3) $x>\frac{1}{4}$

03 (1) $\frac{1}{2}<x<8$

(2) $0<x<\frac{1}{100}$ 또는 $x>10$

도전! 1등급 **04** ⑤

01 (1) 진수 조건에서 $4x>0$이므로 $\therefore x>0$ ⋯ ㉠

$\log_2 4x>\log_2 2^3$에서 밑이 $2(>1)$이므로

$4x>2^3\Leftrightarrow 4x>8\quad\therefore x>2$ ⋯ ㉡

㉠, ㉡에 의해서 $\therefore x>2$

(2) 진수 조건에서 $3x-1>0$이므로 $\therefore x>\frac{1}{3}$ ⋯ ㉠

$\log_{\frac{1}{3}}(3x-1)>\log_{\frac{1}{3}}\left(\frac{1}{3}\right)^{-1}$에서 밑이 $\frac{1}{3}(<1)$이므로

$3x-1<3\Leftrightarrow 3x<4\quad\therefore x<\frac{4}{3}$ ⋯ ㉡

㉠, ㉡에 의해서 $\therefore \frac{1}{3}<x<\frac{4}{3}$

(3) 진수 조건에서 $2x-1>0$, $5-x>0$이므로

$\therefore \frac{1}{2}<x<5$ ⋯ ㉠

밑이 $3(>1)$이므로

$2x-1\le5-x\Leftrightarrow 3x\le6\qquad\therefore x\le2$ ⋯ ㉡

㉠, ㉡에 의해서 $\therefore \frac{1}{2}<x\le2$

(4) 진수 조건에서 $x^2+2>0$, $x+4>0$이므로

$\therefore x>-4$ ⋯ ㉠

밑이 $\frac{1}{5}(<1)$이므로

$x^2+2\le x+4\Leftrightarrow x^2-x-2\le0\Leftrightarrow(x-2)(x+1)\le0$

$\therefore -1\le x\le2$ ⋯ ㉡

㉠, ㉡에 의해서 $\therefore -1\le x\le2$

(5) 진수 조건에서 $x-3>0$, $x-1>0$이므로 $\therefore x>3$ ⋯ ㉠

$\log_2(x-3)^2>\log_2(x-1)$에서 밑이 $2(>1)$이므로

$(x-3)^2>x-1\Leftrightarrow x^2-7x+10>0$

$\Leftrightarrow(x-5)(x-2)>0$

$\therefore x<2$ 또는 $x>5$ ⋯ ㉡

㉠, ㉡에 의해서 $\therefore x>5$

02 (1) 진수 조건에서 $x>0$ ⋯ ㉠

$\log_2 x=t$로 치환하면

$t^2-3t-10>0\Leftrightarrow(t+2)(t-5)>0$

$\therefore t<-2$ 또는 $t>5$

따라서 $\log_2 x<-2$ 또는 $\log_2 x>5$

밑이 $2(>1)$이므로 $x<2^{-2}$ 또는 $x>2^5$ ⋯ ㉡

㉠, ㉡에 의해서 $\therefore 0<x<\frac{1}{4}$ 또는 $x>32$

(2) 진수 조건에서 $x>0$ ⋯ ㉠

$\log_3 x=t$로 치환하면

$t^2+2t-3\le0\Leftrightarrow(t+3)(t-1)\le0$

$\therefore -3\le t\le1$

따라서 $-3\le\log_3 x\le1$

밑이 $3(>1)$이므로 $3^{-3}\le x\le3$ ⋯ ㉡

㉠, ㉡에 의해서 $\therefore \frac{1}{27}\le x\le3$

(3) 진수 조건에서 $x>0$ … ㉠

$\log_{\frac{1}{2}} x = t$로 치환하면

$\log_{\frac{1}{4}} x = \frac{1}{2}\log_{\frac{1}{2}} x = \frac{1}{2}t$, $\log_{\frac{1}{2}} x^3 = 3\log_{\frac{1}{2}} x = 3t$

이므로 $\frac{1}{2}t - 3t + 5 > 0 \Leftrightarrow -\frac{5}{2}t > -5 \quad \therefore t < 2$

따라서 $\log_{\frac{1}{2}} x < 2$

밑이 $\frac{1}{2}(<1)$이므로 $x > \frac{1}{4}$ … ㉡

㉠, ㉡에 의해서 $\therefore x > \frac{1}{4}$

03 (1) 진수 조건에서 $x>0$ … ㉠

양변에 밑이 2인 로그를 취하면

$\log_2 x \cdot \log_2 x < \log_2 8 + \log_2 x^2$

$\Leftrightarrow (\log_2 x)^2 < 3\log_2 2 + 2\log_2 x$

$\log_2 x = t$로 치환하면

$t^2 - 2t - 3 < 0 \Leftrightarrow (t-3)(t+1) < 0 \quad \therefore -1 < t < 3$

$-1 < \log_2 x < 3$에서 밑이 $2(>1)$이므로

$\therefore \frac{1}{2} < x < 8$ … ㉡

㉠, ㉡에 의해서 $\therefore \frac{1}{2} < x < 8$

(2) 진수 조건에서 $x>0$ … ㉠

양변에 밑이 0.1인 로그를 취하면

$\log_{0.1} x \cdot \log_{0.1} x > \log_{0.1}(0.1)^2 + \log_{0.1} x$

$\log_{0.1} x = t$로 치환하면

$t^2 - t - 2 > 0 \Leftrightarrow (t-2)(t+1) > 0$

$\therefore t < -1$ 또는 $t > 2$

즉, $\log_{0.1} x < -1$ 또는 $\log_{0.1} x > 2$

밑이 $0.1(<1)$이므로

$\therefore x > (0.1)^{-1}$ 또는 $x < (0.1)^2$ … ㉡

㉠, ㉡에 의해서 $\therefore 0 < x < \frac{1}{100}$ 또는 $x > 10$

04 진수 조건에서 $\log_3 x > 0$이므로 $x > 1$ … ㉠

$\log_{\frac{1}{2}}(\log_3 x) > \log_{\frac{1}{2}}\left(\frac{1}{2}\right)^{-1}$에서

밑이 $\frac{1}{2}(<1)$이므로 $\log_3 x < 2$

밑이 $3(>1)$이므로 $x < 3^2$, $x < 9$ … ㉡

㉠, ㉡에 의해서 $\therefore 1 < x < 9$이고, $\therefore \alpha + \beta = 10$

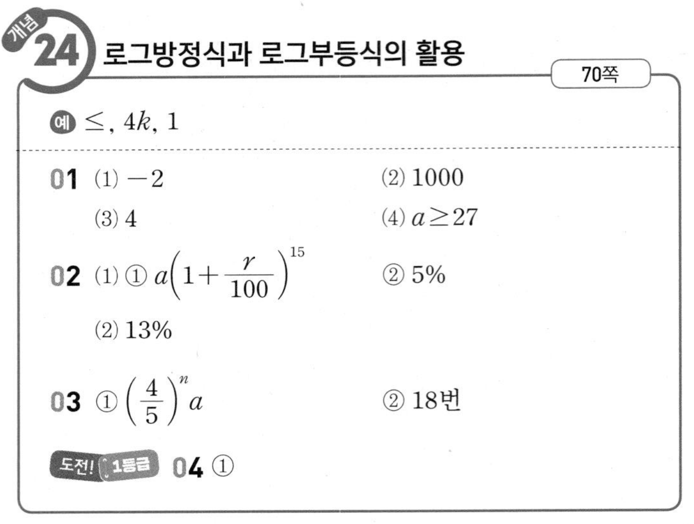

개념 24 로그방정식과 로그부등식의 활용

70쪽

예 $\le$, $4k$, 1

01 (1) -2 (2) 1000 (3) 4 (4) $a \ge 27$

02 (1) ① $a\left(1+\frac{r}{100}\right)^{15}$ ② 5% (2) 13%

03 ① $\left(\frac{4}{5}\right)^n a$ ② 18번

도전! 1등급 **04** ①

01 (1) 주어진 두 근을 α, β일 때, $\alpha\beta = 9$

$\log_3 x = t$라고 치환하면 $t^2 + kt - 3 = 0$ … ㉠

㉠의 두 근이 $\log_3 \alpha$, $\log_3 \beta$ 이므로

근과 계수의 관계의 의해 $\log_3 \alpha + \log_3 \beta = -k$

$\therefore k = -\log_3 \alpha\beta = -\log_3 9 = -2$

(2) 로그의 성질을 이용하면, $(\log x)^2 - 3\log x + 2 = 0$

$\log x = t$라고 치환하면 $t^2 - 3t + 2 = 0$ … ㉠

㉠의 두 근이 $\log \alpha$, $\log \beta$이므로 근과 계수의 관계에 의해

$\log \alpha + \log \beta = \log \alpha\beta = 3$

$\therefore \alpha\beta = 10^3 = 1000$

(3) 주어진 방정식이 실근을 갖지 않을 조건은

$\frac{D}{4} = (\log_2 2a)^2 - 4\log_2 2a < 0$

$(1 + \log_2 a)^2 - 4(1 + \log_2 a) < 0$

$(\log_2 a + 1)(\log_2 a - 3) < 0$

$-1 < \log_2 a < 3 \Leftrightarrow \log_2 2^{-1} < \log_2 a < \log_2 2^3$

밑은 $2(>1)$이므로 $\therefore 2^{-1} < a < 2^3$

$\alpha = \frac{1}{2}$, $\beta = 8 \quad \therefore \alpha\beta = 4$

(4) 양변에 밑이 3인 로그를 취하면

$\log_3(ax^{\log_3 x}) \ge \log_3 9x^2$

$\Rightarrow \log_3 a + (\log_3 x)^2 \ge 2 + 2\log_3 x$

$\log_3 x = t$로 놓으면

$t^2 - 2t + \log_3 a - 2 \ge 0$ … ㉠

양수 x에 대하여 t는 모든 실수이므로 모든 실수 t에 대하여 부등식 ㉠이 항상 성립하려면 식 ㉠의 판별식 $D \le 0$ 이어야 한다.

$\frac{D}{4} = 1^2 - \log_3 a + 2 \le 0$, $\log_3 a \ge 3 \quad \therefore a \ge 27$

02 (1) 15개월 후 처음 매출액의 2배가 되었으므로

$a\left(1+\frac{r}{100}\right)^{15}=2a$ 즉, $\left(1+\frac{r}{100}\right)^{15}=2$

양변에 상용로그를 취하면,

$15\log\left(1+\frac{r}{100}\right)=\log 2$

$\log\left(1+\frac{r}{100}\right)=\frac{0.3}{15}=0.02$

$\log\left(1+\frac{r}{100}\right)=\log 1.05$, $1+\frac{r}{100}=1.05$, $\therefore r=5$

(2) 처음의 빛의 양의 a, 유리 1장을 통과할 때마다 그 양이 $r\%$ 씩 줄어든다고 하면

$a\left(1-\frac{r}{100}\right)^{8}=\frac{1}{3}a$ 즉, $\left(1-\frac{r}{100}\right)^{8}=\frac{1}{3}$

양변에 상용로그를 취하면,

$8\log\left(1-\frac{r}{100}\right)=-\log 3$

$\log\left(1-\frac{r}{100}\right)=-\frac{0.48}{8}=-0.06$

$\log\left(1-\frac{r}{100}\right)=\log 0.87$,

$1-\frac{r}{100}=0.87$, $\therefore r=13$

03 ① $a\left(1-\frac{20}{100}\right)^{n}=\left(\frac{4}{5}\right)^{n}a$

② $\left(1-\frac{20}{100}\right)^{n}a<\frac{2}{100}a$ 즉, $\left(\frac{8}{10}\right)^{n}<\frac{2}{100}$

양변에 상용로그를 취하면,

$n\log\frac{8}{10}<\log\frac{2}{100}$

$n(3\log 2-1)<\log 2-2$

$n>\frac{2-\log 2}{1-3\log 2}=\frac{2-0.30}{1-3\times 0.30}=\frac{1.7}{0.1}=17$

$\therefore$ 최소 18번

04 현재 마을 전체의 소의 수를 a, n개월 후의 소의 수는

$a\left(1+\frac{5}{100}\right)^{\frac{n}{6}}$이다.

n개월 후 소의 수가 현재의 3배 이상 되려면

$a(1+0.05)^{\frac{n}{6}}\geq 3a$ 즉, $(1+0.05)^{\frac{n}{6}}\geq 3$

양변에 상용로그를 취하면, $\frac{n}{6}\log 1.05\geq\log 3$

$n\geq\frac{6\cdot\log 3}{\log 1.05}=\frac{6\times 0.48}{0.02}=144$(개월)

$\therefore$ 144(개월)$=$12(년)

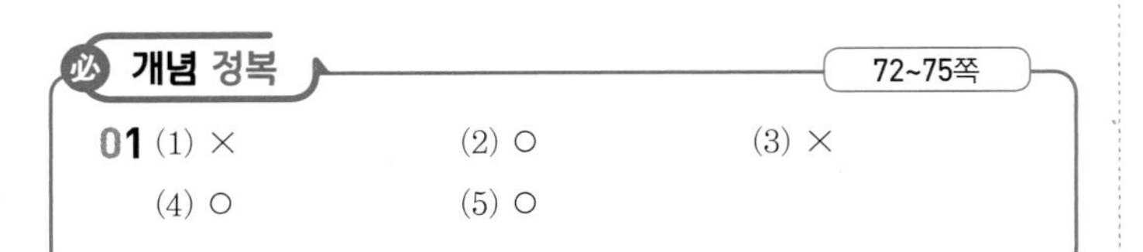

必 개념 정복 72~75쪽

01 (1) × (2) ○ (3) × (4) ○ (5) ○

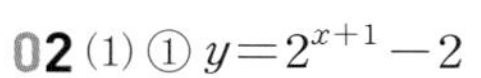

02 (1) ① $y=2^{x+1}-2$
② 실수 전체 집합
③ $\{y|y>-2\}$
④ $y=-2$

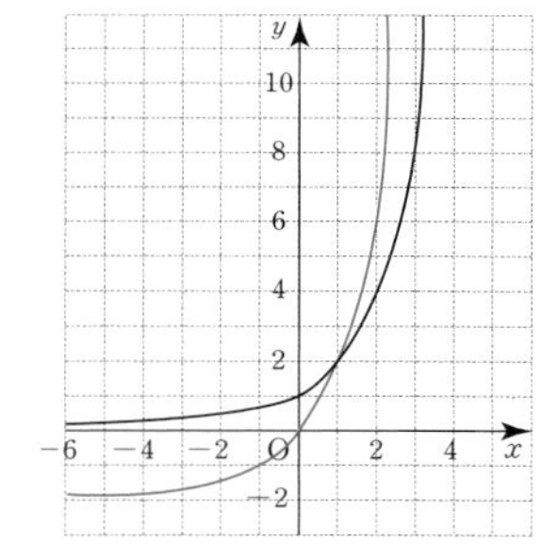

(2) ① $y=\left(\frac{1}{2}\right)^{x-2}+3$
② 실수 전체 집합
③ $\{y|y>3\}$
④ $y=3$

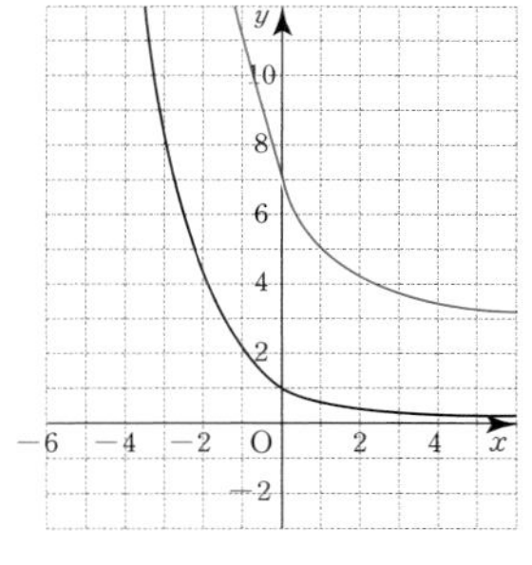

03 (1) 3 (2) 5

04 (1) $M=25$, $m=\frac{1}{25}$ (2) $M=1$, $m=\frac{1}{16}$
(3) $M=37$, $m=1$ (4) $M=195$, $m=3$

05 (1) ○ (2) ○ (3) × (4) × (5) ×

06 (1) $y=-\log_2(x+1)+1$ (2) -2

07 (1) $\log_2 7$ (2) 0 (3) 2

08 (1) $x=\frac{1}{2}$ (2) $x=1$ 또는 $x=4$

09 (1) $x=-1$ 또는 $2\leq x\leq 3$ (2) $1<x<2$ 또는 $x>3$

10 (1) $k=\frac{1}{2}$ (2) -3

11 (1) $x=2$ 또는$x=8$ (2) $x=10$ 또는$x=100$

12 (1) $\frac{1}{16}<x<4$ (2) $\frac{1}{4}<x\leq 128$

13 (1) $a\left(1+\frac{r}{100}\right)^{30}$ (2) 3.7%

03 (1) 지수함수 $y=a^x$의 그래프를 x축의 방향으로 -2만큼, y축의 방향으로 3만큼 평행이동하면

$y-3=a^{x+2}$ $\therefore y=a^{x+2}+3$

$y=a^{x+2}+3$의 그래프를 y축에 대하여 대칭이동하면

$\therefore y=a^{-x+2}+3$

이 그래프가 점$(1, 6)$을 지나므로

$6=a^{-1+2}+3$ $a=3$

(2) x축에 대하여 대칭이동하면 $y=-2^{x+m}+n$

$(2, -3)$를 지나면, $-3=-2^{2+m}+n$ ⋯ ㉠

$(0, 3)$을 지나면, $3=-2^{0+m}+n$ ⋯ ㉡

㉡－㉠은 $6=2^m\cdot(-1+4)$, $2^m=2$, $\therefore m=1$
$m=1$을 ㉡에 대입하면, $3=-2+n$, $\therefore n=5$
두 수의 곱 $\therefore mn=5$

04 (1) $f(x)=x^2+4x+2=(x+2)^2-2$로 놓으면
$-3\leq x\leq 0$에서 $f(-3)=-1$, $f(-2)=-2$, $f(0)=2$
$\therefore -2\leq f(x)\leq 2$
$y=5^{x^2+4x+2}=5^{f(x)}$의 밑이 $5(>1)$이므로
$\therefore f(0)=2$일 때, 최댓값 $M=5^2=25$
$\therefore f(-2)=-2$일 때, 최솟값 $m=5^{-2}=\dfrac{1}{25}$

(2) $f(x)=-x^2+6x-5=-(x-3)^2+4$로 놓으면
$1\leq x\leq 4$에서 $f(1)=0$, $f(4)=3$, $f(3)=4$
$\therefore 0\leq f(x)\leq 4$
$y=\left(\dfrac{1}{2}\right)^{-x^2+6x-5}=\left(\dfrac{1}{2}\right)^{f(x)}$의 밑이 $\dfrac{1}{2}(<1)$이므로
$\therefore f(1)=0$일 때, 최댓값 $M=\left(\dfrac{1}{2}\right)^0=1$
$\therefore f(3)=4$일 때, 최솟값 $m=\left(\dfrac{1}{2}\right)^4=\dfrac{1}{16}$

(3) 주어진 함수 $y=3^{-2x}-6\cdot 3^{-x}+10$
$3^{-x}=t(t>0)$로 치환하면
$y=t^2-6t+10=(t-3)^2+1$
이 때, $-2\leq x\leq -1$에서
$3^2\geq 3^{-x}\geq 3^1$ $\quad\therefore 3\leq t\leq 9$
따라서 $t=9$일 때, 최댓값이 $M=37$이고,
$t=3$일 때, 최솟값은 $m=1$

(4) 주어진 함수 $y=4^{2x}-4\cdot 4^x+3$
$4^x=t(t>0)$로 치환하면
$y=t^2-4t+3=(t-2)^2-1$
이 때, $1\leq x\leq 2$에서
$4^1\leq 4^x\leq 4^2$ $\quad\therefore 4\leq t\leq 16$
따라서 $t=16$일 때, 최댓값이 $M=195$이고,
$t=4$일 때, 최솟값은 $m=3$

05 (3) 치역은 실수전체이다.
(5) 점근선의 방정식은 $x=0$

06 (1) $y=\log_2(x-1)+2$의 그래프를
x축에 대하여 대칭이동하면 $y=-\log_2(x-1)-2$
x축의 방향으로 -2만큼, y축의 방향으로 3만큼 평행이동
$y-3=-\log_2(x-1+2)-2$ $\therefore y=-\log_2(x+1)+1$

(2) y축의 방향으로 -1만큼 평행이동하면
$y+1=\log_3(x+2)$
직선 $y=x$에 대하여 대칭이동은
로그의 정의에 의하여 $3^{y+1}=x+2$이고,
x와 y를 서로 바꾸면 $y+2=3^{x+1}$,
따라서 $y=3^{x+1}-2$의 그래프와 일치하므로 $a=1$, $b=-2$
$\therefore ab=-2$

07 (1) $f(x)=x^2-6x+7=(x-3)^2-2$로 놓으면
$5\leq x\leq 7$에서 $f(x)$의 최솟값 $f(5)=2$
최댓값 $f(7)=14$이다.
$y=\log_2(x^2-6x+7)=\log_2 f(x)$의 밑이 $2(>1)$이므로
$f(7)=14$일 때, 최댓값 $M=\log_2 14$
$f(5)=2$일 때, 최솟값 $m=\log_2 2=1$
$|M-m|=|\log_2 14-\log_2 2|=\log_2 7$

(2) 로그의 성질을 이용하여 주어진 식을 변형하면,
$y=-(\log_{\frac{1}{3}} x)^2+2\log_{\frac{1}{3}} x+3$
$\log_{\frac{1}{3}} x=t$로 놓으면 $\dfrac{1}{9}\leq x\leq 3$에서 밑이 $\dfrac{1}{3}(<1)$이므로
$\log_{\frac{1}{3}}\dfrac{1}{9}\geq \log_{\frac{1}{3}} x\geq \log_{\frac{1}{3}} 3$ 즉, $\therefore -1\leq t\leq 2$
주어진 함수는
$y=-t^2+2t+3=-(t-1)^2+4$ $(-1\leq t\leq 2)$
$t=1$일 때, 최댓값 $M=4$,
$t=-1$일 때, 최솟값 $m=0$
$\therefore M\times m=0$

(3) 로그의 성질을 이용하여 주어진 식을 변형하면,
$y=4(\log_2 x)^2-4\log_2 x$
$\log_2 x=t$로 놓으면 $\sqrt{2}\leq x\leq 4$에서
$\log_2\sqrt{2}\leq \log_2 x\leq \log_2 4$ 즉, $\therefore \dfrac{1}{2}\leq t\leq 2$
주어진 함수는
$y=4t^2-4t=4(t-\dfrac{1}{2})^2-1$ $(\dfrac{1}{2}\leq t\leq 2)$
$t=\dfrac{1}{2}$일 때, 최솟값 $m=-1$
$t=2$일 때, 최댓값 $M=8$
$3M-m=25$, $\therefore \log_5(3M-m)=\log_5 25=2$

08 (1) $3^x=t(t>0)$으로 놓으면 $3^{-x}=\dfrac{1}{t}$
주어진 방정식은
$t-\dfrac{\sqrt{3}}{t}+1-\sqrt{3}=0 \Leftrightarrow t^2+(1-\sqrt{3})t-\sqrt{3}=0$
$(t-\sqrt{3})(t+1)=0$ $\quad\therefore t=\sqrt{3}$ $(\because t>0)$
따라서 $3^x=\sqrt{3}$이므로 $\quad\therefore x=\dfrac{1}{2}$

(2) 밑의 조건에 의하여 $x>-2$
(ⅰ) 지수가 같으므로 밑을 비교하면, $x+2=3$
$\therefore x=1$
(ⅱ) 지수 $4-x=0$ 즉, $x=4$일 때, $(4+2)^0=3^0$ 방정식 성립.
$\therefore x=4$

09 (1) 지수법칙을 이용해서 주어진 식을 변형하면,

$7^{x+2} \le 7^{x^2} \le 7^{2x+3}$

밑이 $7(>1)$이므로 $x+2 \le x^2 \le 2x+3$

(i) $x+2 \le x^2$에서 $x^2-x-2 \ge 0$

$(x+1)(x-2) \ge 0 \quad \therefore x \le -1$ 또는 $x \ge 2$

(ii) $x^2 \le 2x+3$에서 $x^2-2x-3 \le 0$

$(x+1)(x-3) \le 0 \quad \therefore -1 \le x \le 3$

(i), (ii)에 의하여 $\therefore x=-1$ 또는 $2 \le x \le 3$

(2) (i) $x-1>1$인 경우 즉, $x>2$

$x^2+x>2x+6 \Leftrightarrow x^2-x-6>0$

$\Leftrightarrow (x-3)(x+2)>0$

$\therefore x<-2$ 또는 $x>3$

이 때 $x>2$이므로 $\therefore x>3$

(ii) $0<x-1<1$인 경우 즉, $1<x<2$

$x^2+x<2x+6 \Leftrightarrow x^2-x-6<0$

$\Leftrightarrow (x+2)(x-3)<0$

$\therefore -2<x<3$

이 때 $1<x<2$이므로 $\therefore 1<x<2$

(iii) $x-1=1$인 경우 즉, $x=2$

$1^6>1^{10}$ 주어진 부등식이 성립하지 않는다.

(i), (ii), (iii)에 의하여 $\therefore 1<x<2$ 또는 $x>3$

10 (1) 3월에 조사한 쓰레기양 $320=a$이고

7월의 쓰레기양 $180=320\times\left(\frac{3}{4}\right)^{4k} \Leftrightarrow \frac{9}{16}=\left(\frac{3}{4}\right)^{4k}$

따라서 $\left(\frac{3}{4}\right)^2=\left(\frac{3}{4}\right)^{4k}$이고, $4k=2$, $\therefore k=\frac{1}{2}$

(2) $2^{-x}=t(t>0)$로 치환하면 주어진 식은

$t^2-6t-16 \le 0 \Leftrightarrow (t+2)(t-8) \le 0$

$\therefore 0<t \le 8 \ (\because t>0)$

따라서 $0<2^{-x} \le 2^3$이므로 $x \ge -3$

최솟값은 -3

11 (1) 로그의 성질을 이용하여 $(1+\log_2 x)^2-6\log_2 x+3=0$

$\log_2 x=t$으로 놓으면

$(t+1)^2-6t+2=0 \Leftrightarrow t^2-4t+3=0$

$(t-1)(t-3)=0 \ \ t=1$ 또는 $t=3$

따라서 $\log_2 x=1$ 또는 $\log_2 x=3$

$\therefore x=2$ 또는 $x=8$

(2) 양변에 상용로그를 취하면

$\log 100+\log x \cdot \log x=3\log x$

$(\log x)^2-3\log x+2=0$

$\log x=t$로 치환하면

$t^2-3t+2=0 \Leftrightarrow (t-1)(t-2)=0$

$t=1$ 또는 $t=2$

따라서 $\log x=1$ 또는 $\log x=2$

$\therefore x=10$ 또는 $x=100$

12 (1) 진수 조건에서 $x>0$ … ㉠

주어진 식을 로그의 성질을 이용하여 변형하면

$(3+\log_2 x)(\log_2 x-1)<5$

$\log_2 x=t$으로 놓으면

$(t+3)(t-1)<5 \Leftrightarrow t^2+2t-8<0$

$(t+4)(t-2)<0 \quad \therefore -4<t<2$

따라서 $-4<\log_2 x<2 \quad \therefore \frac{1}{16}<x<4$ … ㉡

㉠, ㉡에 의해서 $\therefore \frac{1}{16}<x<4$

(2) 진수 조건에서 $\log_2 x+2>0$이므로 $x>\frac{1}{4}$ … ㉠

$\log_3(\log_2 x+2) \le \log_3 3^2$에서

밑이 $3(>1)$이므로 $\log_2 x+2 \le 9$

$\therefore \log_2 x \le 7$

밑이 $2(>1)$이므로 $x \le 2^7 \quad \therefore x \le 128$… ㉡

㉠, ㉡에 의해서 $\therefore \frac{1}{4}<x \le 128$

13 (2) $a\left(1+\frac{r}{100}\right)^{30} \ge 3a$ 즉, $\left(1+\frac{r}{100}\right)^{30} \ge 3$

양변에 상용로그를 취하면, $30\log\left(1+\frac{r}{100}\right) \ge \log 3$

$\log\left(1+\frac{r}{100}\right) \ge \frac{0.48}{30}=0.016$,

$\log\left(1+\frac{r}{100}\right) \ge \log 1.037$

$1+\frac{r}{100}=1.037, \quad \therefore r=3.7(\%)$

必 내신 정복 76~78쪽

01 ③	**02** ③
03 ⑤	**04** ③
05 ⑤	**06** ③
07 ① $a=\frac{5}{2}$, $b=\frac{3}{2}$ ② 4	**08** 32
09 ④	**10** ①
11 2	**12** ⑤
13 ①	**14** 2
15 -4	**16** 3
17 1000마리	**18** 0.7%

01 ① 16의 제곱근은 ± 4이다.

② -27의 세제곱근 중 실수인 것은 1개이다.

④ -81의 네제곱근 중 실수인 것은 없다.
⑤ n이 홀수일 때, 음의 실수 a의 n제곱근 중 실수인 것은 1개이다.

02 $A=\sqrt{3}=3^{\frac{1}{2}}=3^{\frac{3}{6}}=(3^3)^{\frac{1}{6}}=27^{\frac{1}{6}}$
$B=\sqrt[3]{5}=5^{\frac{1}{3}}=5^{\frac{2}{6}}=(5^2)^{\frac{1}{6}}=25^{\frac{1}{6}}$
$C=\sqrt[6]{\{(-6)^2\}}=(6^2)^{\frac{1}{6}}=36^{\frac{1}{6}}$

03 주어진 이차방정식의 두 근의 합은 3이므로 $3^{\alpha+\beta}$의 값은 $3^3=27$이다.

04 $\left(\frac{1}{3}\right)^x=5$에서 $\frac{1}{3}=5^{\frac{1}{x}}$
$6^y=125$에서 $6=125^{\frac{1}{y}}=5^{\frac{3}{y}}$
$5^{\frac{1}{x}+\frac{3}{y}}=5^{\frac{1}{x}}\times 5^{\frac{3}{y}}=\frac{1}{3}\times 6=2$

05 진수 $6-x$의 값이 양수이어야 하므로
$6-x>0$, 즉 $x<6$ … ㉠
밑 $x-2$이 1이 아닌 양수이어야 하므로
$x-2>0$, $x-2\neq 1$에서 $x>2$, $x\neq 3$이므로
$2<x<3$ 또는 $x>3$ … ㉡
㉠, ㉡에서 $2<x<3$ 또는 $3<x<6$ 이므로 자연수 x는 4, 5이고, 그 합은 $4+5=9$

06 $\log_{24} 18=\frac{\log 18}{\log 24}=\frac{\log (2\cdot 3^2)}{\log (2^3\cdot 3)}=\frac{\log 2+2\log 3}{3\log 2+\log 3}=\frac{a+2b}{3a+b}$

07 ① $\log_2 \sqrt{5}+3+\log_{\frac{1}{2}} \sqrt{10}$
$=\log_2 \sqrt{5}+\log_2 8-\log_2 \sqrt{10}$
$=\log_2 \frac{8\sqrt{5}}{\sqrt{10}}=\log_2 4\sqrt{2}=\log_2 2^{\frac{5}{2}}=\frac{5}{2}$, $\quad \therefore a=\frac{5}{2}$
$\log_4 27\times\log_{25} 16\times\log_9 5$
$=\frac{\log 27}{\log 4}\times\frac{\log 16}{\log 25}\times\frac{\log 5}{\log 9}$
$=\frac{3\log 3}{2\log 2}\times\frac{4\log 2}{2\log 5}\times\frac{\log 5}{2\log 3}$
$=\frac{3}{2}$ $\qquad \therefore b=\frac{3}{2}$
② $a+b=\frac{5}{2}+\frac{3}{2}=4$

08 $a=\log_3 \frac{4}{3}+\log_3 \frac{5}{4}+\log_3 \frac{6}{5}+\cdots+\log_3 \frac{96}{95}$
$=\log_3\left(\frac{4}{3}\times\frac{5}{4}\times\frac{6}{5}\times\cdots\times\frac{96}{95}\right)$
$=\log_3 32$
$\therefore 3^a=3^{\log_3 32}=32^{\log_3 3}=32$

09 ② 제 1,2사분면을 지난다.
③ 점근선은 직선 $y=3$이다.
⑤ x의 값이 증가하면 y값도 증가한다.

10 점근선이 $y=-3$이므로 $b=-3$
함수 $y=\left(\frac{1}{3}\right)^{x+a}+b$의
그래프가 원점을 지나므로 $0=\left(\frac{1}{3}\right)^{0+a}+b$
$b=-3$를 대입하면
$\left(\frac{1}{3}\right)^a-3=0$ $\left(\frac{1}{3}\right)^a=3^{-a}=3^1 \quad \therefore a=-1$
따라서 $a+b=-4$

11 (우변)$=\sqrt{\sqrt[3]{2^6}}=(2^6)^{\frac{1}{6}}=2$이므로
주어진 식은 $2^{-(x-3)}\geq 2$
밑이 $2(>1)$이므로 $-x+3\geq 1 \quad \therefore x\leq 2$
조건을 만족하는 x의 최댓값은 2

12 ㄱ. $y=2\log_2 3+2\log_2 x$
ㄴ. $y=2\log_2 (x+1)$
ㄷ. $y=2\log_2 2x=2+2\log_2 x \quad \therefore y=2+2\log_2 x$

13 $\frac{1}{5}<x<25$의 양변에 밑이 5인 로그를 취하면
$\log_5 5^{-1}<\log_5 x<\log_5 5^2 \quad \therefore -1<\log_5 x<2$
부등식을 로그의 성질을 이용하여 정리하면
$(\log_5 x)^2+a\log_5 x-b<0$
$\log_5 x=t$로 치환하면 $t^2+at-b<0$이고
그 해가 $-1<t<2$ 이므로
$(t+1)(t-2)<0$에서 $t^2-t-2<0$
$\therefore a=-1, b=2 \qquad \therefore ab=-2$

14 $3^x=t$라 하면 $t^2-2\sqrt{6}t+4=0$에서
두 근이 3^α, 3^β이므로 근과 계수의 관계에 의해서
$3^\alpha+3^\beta=2\sqrt{6}$, $3^\alpha\cdot 3^\beta=3^{\alpha+\beta}=4$
$3^{2\alpha}+3^{2\beta}=(3^\alpha+3^\beta)^2-2\cdot 3^{\alpha+\beta}=(2\sqrt{6})^2-2\cdot 4=16$
또한 $\log_2 x=s$라 하면, $s^2-as+b=0$에서
두 근이 $\log_2 4=2$, $\log_2 16=4$이므로
근과 계수의 관계에 의해 $a=2+4=6$, $b=2\cdot 4=8$
$\therefore |a-b|=|6-8|=2$

15 $y=2^{1-x}-3=2^{-(x-1)}-3=\left(\frac{1}{2}\right)^{x-1}-3$
에서 함수 $y=2^{1-x}-3$은 밑이 1보다 작으므로 x의 값이 증가하면 y의 값은 감소한다.
따라서 $x=1$에서 최솟값 $y=2^{1-1}-3=-2$을 가지므로
$\therefore a=-2$
함수 $y=\log_3(x+2)+1$은 밑이 1보다 크므로 x의 값이 증가하면 y의 값도 증가한다.

따라서 $x=1$에서 최댓값 $y=\log_3(1+2)+1=2$이므로

$\therefore b=2 \quad \therefore ab=-4$

16 피자 9조각을 굽는데 걸리는 시간이 3조각을 굽는데 걸리는 시간의 a배라 하면

$1.2\times 9^{\frac{1}{2}}=a\times 1.2\times 3^{\frac{1}{2}}$

$9^{\frac{1}{2}}=a\times 3^{\frac{1}{2}} \quad \therefore a=\sqrt{3}$

따라서 $\therefore \sqrt{3}a=\sqrt{3}\cdot\sqrt{3}=3$

17 현재 닭의 수가 400마리이고 2년마다 20%씩 증가하므로

10년 후의 닭의 수는 $400\left(1+\frac{20}{100}\right)^{\frac{10}{2}}=400\times 1.2^5$

$=400\times 2.5=1000$

18 경제상승률을 r이라 할 때, $\left(1+\frac{r}{100}\right)^{\frac{12}{3}}\geq 1.03$

양변에 상용로그를 취하면,

$4\log\left(1+\frac{r}{100}\right)\geq \log 1.03$

$\Rightarrow 4\log\left(1+\frac{r}{100}\right)\geq 0.0128$

$\Rightarrow \log\left(1+\frac{r}{100}\right)\geq 0.0032$

$\Rightarrow \log\left(1+\frac{r}{100}\right)\geq \log 1.007$

$\Rightarrow 1+\frac{r}{100}\geq 1.007, \quad \therefore r\geq 0.7$

1 삼각함수의 뜻과 그래프

Ⅱ 삼각함수

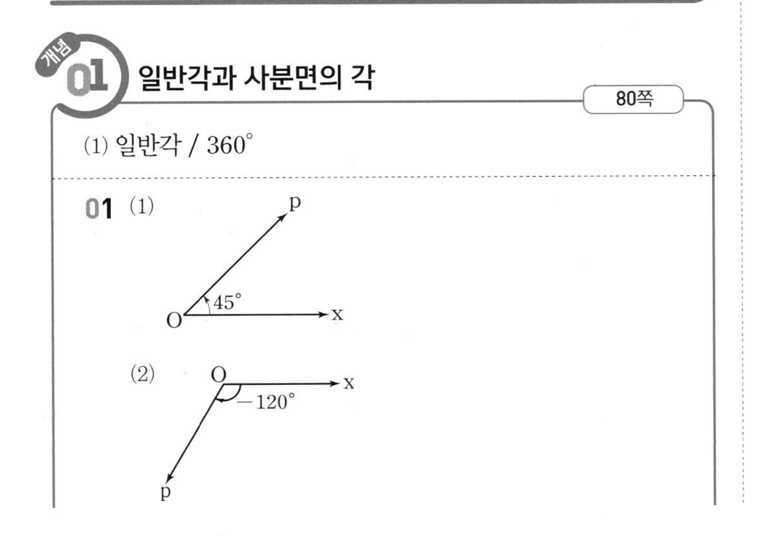

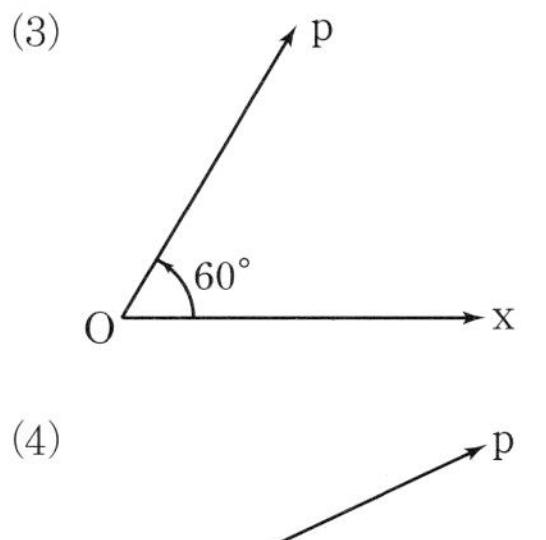

(4)

p

x

O

−330°

02 ① $-30°$, $330°$, $-390°$ 등

② $360°\times n+330°$ (단, n은 정수)

03 (1) $360°\times n+135°$(n은 정수)

(2) $360°\times n+190°$(n은 정수)

(3) $360°\times n+5°$(n은 정수)

(4) $360°\times n+20°$(n은 정수)

04 (1) 제 1사분면의 각

(2) 제 2사분면의 각

(3) 제 3사분면의 각

(4) 어느 사분면의 각도 아니다.

(5) 제 4사분면의 각

05 (1) 제 4사분면의 각

(2) 제 2사분면의 각

(3) 제 3사분면의 각

(4) 제 1사분면의 각

도전! 1등급 **06** ③

03 (1) $495°=360°\times 1+135°$이므로

$495°$의 동경이 나타내는 일반각은

$360°\times n+135°$ (n은 정수)

(2) $-170°=360°\times(-1)+190°$이므로

$-170°$의 동경이 나타내는 일반각은

$360°\times n+190°$ (n은 정수)

(3) $-715°=360°\times(-2)+5°$이므로

$-715°$의 동경이 나타내는 일반각은

$360°\times n+5°$ (n은 정수)

(4) $1100°=360°\times 3+20°$이므로

$1100°$의 동경이 나타내는 일반각은

$360°\times n+20°$ (n은 정수)

04 (1) $0°<50°<90°$이므로 $50°$는 제1사분면의 각이다.

(2) $90°<110°<180°$이므로 $110°$는 제2사분면의 각이다.

(3) $180°<240°<270°$이므로 $240°$는 제3사분면의 각이다.

(4) $270°$는 y축 위에 동경 OP가 존재하므로 어느 사분면의

각도 아니다.

(5) $270^\circ < 300^\circ < 360^\circ$이므로 300°는 제4사분면의 각이다.

05 (1) $675^\circ = 360^\circ \times 1 + 315^\circ$이므로 $270^\circ < 315^\circ < 360^\circ$이므로 제4사분면의 각이다.

(2) $-250^\circ = 360^\circ \times (-1) + 110^\circ$이므로 $90^\circ < 110^\circ < 180^\circ$이므로 제2사분면의 각이다.

(3) $920^\circ = 360^\circ \times 2 + 200^\circ$, $180^\circ < 200^\circ < 270^\circ$이므로 제3사분면의 각이다.

(4) $-700^\circ = 360^\circ \times (-2) + 20^\circ$, $0^\circ < 20^\circ < 90^\circ$이므로 제1사분면의 각이다.

개념 02 호도법과 부채꼴의 길이와 넓이

82쪽

(1) 180°, 호도법

예 $\frac{\pi}{3}$

01 (1) $\frac{\pi}{6}$ (2) $\frac{\pi}{2}$ (3) $-\frac{7}{6}\pi$ (4) 4π

02 (1) 45° (2) 216° (3) -330° (4) -240° (5) 360°

03 (1) ① $\frac{\pi}{3}$ ② $\frac{\pi}{6}$

(2) ① $\frac{\pi}{2}$ ② $\frac{\pi}{2}$

(3) ① 5π ② 15π

(4) ① 10π ② 50π

04 (1) 3π (2) 6π

(3) $r=4$, $\theta = \frac{3}{8}\pi$ (4) $\theta = \frac{2}{3}\pi$, $S = 12\pi$

05 ③

01 (1) $30 \times \frac{\pi}{180} = \frac{\pi}{6}$

(2) $90 \times \frac{\pi}{180} = \frac{\pi}{2}$

(3) $-210 \times \frac{\pi}{180} = -\frac{7}{6}\pi$

(4) $720 \times \frac{\pi}{180} = 4\pi$

02 (1) $\frac{\pi}{4} \times \frac{180^\circ}{\pi} = 45^\circ$

(2) $\frac{6}{5}\pi \times \frac{180^\circ}{\pi} = 216^\circ$

(3) $-\frac{11}{6}\pi \times \frac{180^\circ}{\pi} = -330^\circ$

(4) $-\frac{4}{3}\pi \times \frac{180^\circ}{\pi} = -240^\circ$

(5) $2\pi \times \frac{180^\circ}{\pi} = 360^\circ$

03 (1) ① $l = r\theta = 1 \cdot \frac{\pi}{3} = \frac{\pi}{3}$

② $S = \frac{1}{2}r^2\theta = \frac{1}{2} \cdot 1^2 \cdot \frac{\pi}{3} = \frac{\pi}{6}$ 또는

$S = \frac{1}{2}rl = \frac{1}{2} \cdot 1 \cdot \frac{\pi}{3} = \frac{\pi}{6}$

(2) ① $l = r\theta = 2 \cdot \frac{\pi}{4} = \frac{\pi}{2}$

② $S = \frac{1}{2}r^2\theta = \frac{1}{2} \cdot 2^2 \cdot \frac{\pi}{4} = \frac{\pi}{2}$ 또는

$S = \frac{1}{2}rl = \frac{1}{2} \cdot 2 \cdot \frac{\pi}{2} = \frac{\pi}{2}$

(3) ① $l = r\theta = 6 \cdot \frac{5}{6}\pi = 5\pi$

② $S = \frac{1}{2}r^2\theta = \frac{1}{2} \cdot 6^2 \cdot \frac{5}{6}\pi = 15\pi$ 또는

$S = \frac{1}{2}rl = \frac{1}{2} \cdot 6 \cdot 5\pi = 15\pi$

(4) ① $l = r\theta = 10\pi$

② $S = \frac{1}{2}r^2\theta = \frac{1}{2} \cdot 10^2 \cdot \pi = 50\pi$ 또는

$S = \frac{1}{2}rl = \frac{1}{2} \cdot 10 \cdot 10\pi = 50\pi$

04 (1) $l = r\theta$ 이므로 $\pi = r \times \frac{\pi}{6}$ $\therefore r = 6$

$S = \frac{1}{2}rl$이므로 $S = \frac{1}{2} \times 6 \times \pi = 3\pi$

(2) $l = r\theta$ 이므로 $4\pi = r \times \frac{4}{3}\pi$ $\therefore r = 3$

$S = \frac{1}{2}rl$이므로 $S = \frac{1}{2} \times 3 \times 4\pi = 6\pi$

(3) $S = \frac{1}{2}rl$에서 $3\pi = \frac{1}{2} \times r \times \frac{3}{2}\pi$, $\therefore r = 4$

$l = r\theta$ 에서 $\frac{3}{2}\pi = 4 \times \theta$ $\therefore \theta = \frac{3}{8}\pi$

(4) $l = r\theta$ 에서 $4\pi = 6 \times \theta$ $\therefore \theta = \frac{2}{3}\pi$

$S = \frac{1}{2}rl$에서 $\therefore S = \frac{1}{2} \times 6 \times 4\pi = 12\pi$

개념 03 삼각함수의 정의와 삼각함수의 값의 부호

84쪽

(1) y, x

01 (1) $\frac{4}{5}$ (2) $-\frac{3}{5}$ (3) $-\frac{4}{3}$

02 (1) ① $\frac{1}{2}$ ② $\frac{\sqrt{3}}{2}$ ③ $\frac{\sqrt{3}}{3}$

(2) ① $-\frac{5}{13}$ ② $\frac{12}{13}$ ③ $-\frac{5}{12}$

(3) ① $-\frac{\sqrt{5}}{3}$ ② $-\frac{2}{3}$ ③ $\frac{\sqrt{5}}{2}$

03 $\frac{\pi}{4}$, $\frac{\sqrt{2}}{2}$, $\frac{\pi}{4}$, $-\frac{\sqrt{2}}{2}$, $-\frac{\sqrt{2}}{2}$, $-\frac{\sqrt{2}}{2}$, 1

04 (1) $\sin\theta>0$, $\cos\theta<0$, $\tan\theta<0$
(2) $\sin\theta<0$, $\cos\theta<0$, $\tan\theta>0$
(3) $\sin\theta<0$, $\cos\theta>0$, $\tan\theta<0$
(4) $\sin\theta>0$, $\cos\theta>0$, $\tan\theta>0$

05 (1) $\tan\theta>0$
(2) $\sin\theta\cos\theta>0$
(3) $\sin\theta-\tan\theta<0$

06 (1) 제 2사분면의 각
(2) 제 2사분면의 각 또는 제 4사분면의 각
(3) 제 1사분면의 각

도전! 1등급 **07** ⑤

01 $r=\overline{\mathrm{OP}}=\sqrt{3^2+4^2}=5$이므로 삼각함수의 정의에 의하여

(1) $\sin\theta=\dfrac{y}{r}=\dfrac{4}{5}$

(2) $\cos\theta=\dfrac{x}{r}=-\dfrac{3}{5}$

(3) $\tan\theta=\dfrac{y}{x}=-\dfrac{4}{3}$

02 (1) $r=\overline{\mathrm{OP}}=\sqrt{(\sqrt{3})^2+1^2}=2$이므로

삼각함수의 정의에 의해 $\sin\theta=\dfrac{y}{r}=\dfrac{1}{2}$,

$\cos\theta=\dfrac{x}{r}=\dfrac{\sqrt{3}}{2}$, $\tan\theta=\dfrac{y}{x}=\dfrac{\sqrt{3}}{3}$

(2) $r=\overline{\mathrm{OP}}=\sqrt{5^2+(-12)^2}=13$이므로

삼각함수의 정의에 의해 $\sin\theta=\dfrac{y}{r}=-\dfrac{5}{13}$,

$\cos\theta=\dfrac{x}{r}=\dfrac{12}{13}$, $\tan\theta=\dfrac{y}{x}=-\dfrac{5}{12}$

(3) $r=\overline{\mathrm{OP}}=\sqrt{(-2)^2+(-\sqrt{5})^2}=3$이므로

삼각함수의 정의에 의해

$\sin\theta=\dfrac{y}{r}=-\dfrac{\sqrt{5}}{3}$, $\cos\theta=\dfrac{x}{r}=-\dfrac{2}{3}$, $\tan\theta=\dfrac{y}{x}=\dfrac{\sqrt{5}}{2}$

04 (1) $\theta=\dfrac{3}{4}\pi$는 $\dfrac{3}{4}\pi\times\dfrac{180^\circ}{\pi}=135^\circ$이므로 제 2사분면의 각

$\therefore \sin\theta>0$, $\cos\theta<0$, $\tan\theta<0$

(2) $\theta=\dfrac{7}{6}\pi$는 $\dfrac{7}{6}\pi\times\dfrac{180^\circ}{\pi}=210^\circ$이므로 제 3사분면의 각

$\therefore \sin\theta<0$, $\cos\theta<0$, $\tan\theta>0$

(3) $\theta=-50^\circ$는 제 4사분면의 각

$\therefore \sin\theta<0$, $\cos\theta>0$, $\tan\theta<0$

(4) $400^\circ=360^\circ\times1+40^\circ$, $0<40^\circ<90^\circ$이므로

제 1사분면의 각 $\therefore \sin\theta>0$, $\cos\theta>0$, $\tan\theta>0$

05 (1) $\theta=\dfrac{10}{3}\pi=2\pi+\dfrac{4}{3}\pi$에서 $\pi<\dfrac{4}{3}\pi<\dfrac{3}{2}\pi$이므로

$\dfrac{10}{3}\pi$는 제 3사분면의 각이므로 $\therefore \tan\theta>0$

(2) θ가 제 3사분면의 각이므로 $\sin\theta<0$, $\cos\theta<0$

$\therefore \sin\theta\cdot\cos\theta>0$

(3) $\sin\theta<0$, $\tan\theta>0$이므로 $\therefore \sin\theta-\tan\theta<0$

06 (1) $\sin\theta>0$이면 θ는 제 1사분면 또는 제 2사분면의의 각이고

$\cos\theta<0$이면 θ는 제 2사분면 또는 제 3사분면의 각이므로

두 조건을 모두 만족하는 θ는 제2사분면의 각이다.

(2) (i) $\sin\theta>0$, $\cos\theta<0$에서 θ는 제 2사분면의 각

(ii) $\sin\theta<0$, $\cos\theta>0$에서 θ는 제 4사분면의 각

(3) (i) $\cos\theta>0$, $\tan\theta>0$에서 θ는 제 1사분면의 각

$\cos\theta<0$, $\tan\theta<0$에서 θ는 제 2사분면의 각

(ii) $\tan\theta+\cos\theta>0$을 만족하는 θ는 제 1사분면의 각

07 $\tan\theta=2$이므로 삼각함수의 정의에 의하여

$\dfrac{a}{-1}=2$, $\therefore a=-2$

즉, $\overline{\mathrm{OP}}=\sqrt{5}$ 이므로

$\sin\theta=\dfrac{-2}{\sqrt{5}}=-\dfrac{2\sqrt{5}}{5}$, $\cos\theta=-\dfrac{1}{\sqrt{5}}=-\dfrac{\sqrt{5}}{5}$

$\therefore$ $5\sin\theta\cos\theta=2$

개념 04 삼각함수 사이의 관계

86쪽

(2) 1, $\cos^2\theta$

01 (1) $\sin\theta=-\dfrac{\sqrt{2}}{2}$, $\cos\theta=\dfrac{\sqrt{2}}{2}$, $\tan\theta=-1$

02 (1) $-\dfrac{3}{8}$ (2) $-\dfrac{4}{3}$ (3) $-\dfrac{8}{3}$

(4) $\dfrac{11}{16}$

03 (1) $-\dfrac{5\sqrt{3}}{6}$ (2) $\dfrac{5}{36}$ (3) $-\dfrac{25}{6}$

04 (1) $\dfrac{4}{9}$ (2) $\dfrac{\sqrt{17}}{3}$

05 ④

01 (1) $\theta=\dfrac{7}{4}\pi$을 나타내는 동경과 단위원의 교점을 P라 하고,

점 P에서 x축에 내린 수선의 발을 H라고 하자.

점 P의 좌표는 $\left(\dfrac{\sqrt{2}}{2}, -\dfrac{\sqrt{2}}{2}\right)$이고

$\overline{\mathrm{OP}}=1$이므로 삼각함수의 정의에 의하여

$\sin\theta=y=-\dfrac{\sqrt{2}}{2}$, $\cos\theta=x=\dfrac{\sqrt{2}}{2}$,

$\tan\theta=\dfrac{y}{x}=\dfrac{-\frac{\sqrt{2}}{2}}{\frac{\sqrt{2}}{2}}=-1$

(2) $\dfrac{\sin\theta}{\cos\theta}=\dfrac{-\frac{\sqrt{2}}{2}}{\frac{\sqrt{2}}{2}}=-1=\tan\theta$

(3) $\sin^2\theta+\cos^2\theta=\left(-\dfrac{\sqrt{2}}{2}\right)^2+\left(\dfrac{\sqrt{2}}{2}\right)^2=\dfrac{1}{2}+\dfrac{1}{2}=1$

02 (1) $(\sin\theta+\cos\theta)^2=\sin^2\theta+2\sin\theta\cos\theta+\cos^2\theta=\dfrac{1}{4}$

$\sin^2\theta+\cos^2\theta=1$이므로 $1+2\sin\theta\cos\theta=\dfrac{1}{4}$

$\sin\theta\cos\theta=-\dfrac{3}{8}$

(2) $\dfrac{1}{\sin\theta}+\dfrac{1}{\cos\theta}=\dfrac{\cos\theta+\sin\theta}{\sin\theta\cos\theta}=\dfrac{\frac{1}{2}}{-\frac{3}{8}}=-\dfrac{4}{3}$

(3) $\tan\theta+\dfrac{1}{\tan\theta}=\dfrac{\sin\theta}{\cos\theta}+\dfrac{\cos\theta}{\sin\theta}=\dfrac{\sin^2\theta+\cos^2\theta}{\cos\theta\sin\theta}$

$=\dfrac{1}{\cos\theta\sin\theta}=-\dfrac{8}{3}$

(4) $\sin^3\theta+\cos^3\theta=(\sin\theta+\cos\theta)(\sin^2\theta-\sin\theta\cos\theta+\cos^2\theta)$

$=\dfrac{1}{2}\times\left(1+\dfrac{3}{8}\right)=\dfrac{11}{16}$

03 (1) $\cos^2\theta=1-\sin^2\theta=\dfrac{3}{4}$

θ는 제2사분면의 각이므로 $\therefore \cos\theta=-\dfrac{\sqrt{3}}{2}$

$\therefore \tan\theta=\dfrac{\sin\theta}{\cos\theta}=-\dfrac{\sqrt{3}}{3}$

$\therefore \cos\theta+\tan\theta=-\dfrac{\sqrt{3}}{2}-\dfrac{\sqrt{3}}{3}=-\dfrac{5\sqrt{3}}{6}$

(2) $\sin^2\theta=1-\cos^2\theta=\dfrac{5}{9}$

θ는 제3사분면의 각이므로 $\therefore \sin\theta=-\dfrac{\sqrt{5}}{3}$

$\therefore \tan\theta=\dfrac{\sin\theta}{\cos\theta}=\dfrac{\sqrt{5}}{2}$

$\therefore (\sin\theta+\tan\theta)^2=\left(-\dfrac{\sqrt{5}}{3}+\dfrac{\sqrt{5}}{2}\right)^2$

$=\left(\dfrac{\sqrt{5}}{6}\right)^2=\dfrac{5}{36}$

(3) $\sin^2\theta=1-\cos^2\theta=\dfrac{9}{25}$

θ는 제4사분면의 각이므로

$\therefore \sin\theta=-\dfrac{3}{5}$, $\tan\theta=-\dfrac{3}{4}$

$\dfrac{\tan\theta}{1+\cos\theta}+\dfrac{\tan\theta}{1-\cos\theta}=\dfrac{2\tan\theta}{1-\cos^2\theta}$

$=2\times\left(-\dfrac{3}{4}\right)\times\dfrac{25}{9}=-\dfrac{25}{6}$

04 (1) $\sin\theta-\cos\theta=\dfrac{1}{3}$의 양변을 제곱하면

$\sin^2\theta-2\sin\theta\cos\theta+\cos^2\theta=\dfrac{1}{9}$

$\sin^2\theta+\cos^2\theta=1$이므로 $1-2\sin\theta\cos\theta=\dfrac{1}{9}$

$2\sin\theta\cos\theta=\dfrac{8}{9}$ $\therefore \sin\theta\cos\theta=\dfrac{4}{9}$

(2) $(\sin\theta+\cos\theta)^2=\sin^2\theta+\cos^2\theta+2\sin\theta\cos\theta$

$\sin^2\theta+\cos^2\theta=1$이므로

$1+2\sin\theta\cos\theta=1+2\times\dfrac{4}{9}=\dfrac{17}{9}$

이 때, θ는 제1사분면의 각이므로

$\sin\theta>0$, $\cos\theta>0$에서 $\sin\theta+\cos\theta>0$이므로

$\therefore \sin\theta+\cos\theta=\dfrac{\sqrt{17}}{3}$

05 $\cos^2\theta+\sin^2\theta=1$에서 양변을 $\cos^2\theta$로 나누면

$1+\tan^2\theta=\dfrac{1}{\cos^2\theta}$이므로

$\dfrac{1}{\cos^2\theta}=1+\left(\dfrac{3}{4}\right)^2=\dfrac{25}{16}$ $\therefore \cos^2\theta=\dfrac{16}{25}$

$\sin^2\theta-\cos^2\theta=(1-\cos^2\theta)-\cos^2\theta$

$=1-2\cos^2\theta=1-2\times\dfrac{16}{25}=-\dfrac{7}{25}$

개념 05 주기함수, 삼각함수의 그래프

88쪽

예 2π

(2) $2n\pi$, $n\pi$

01 (1) ○ (2) × (3) ×
(4) ○ (5) ○

02 (1) ① 2π, 2π, 2π ② -2, 2, -2, 2
③ 2, $\dfrac{\pi}{2}$, $\dfrac{3}{2}\pi$, -2

(2) ① 2π, π, π ② $\{y\mid -1\le y\le 1\}$
③ 1, $\dfrac{\pi}{4}$, $\dfrac{\pi}{2}$, $\dfrac{3}{4}\pi$, -1

(3) ① 4π ② $\{y\mid -3\le y\le 3\}$

③

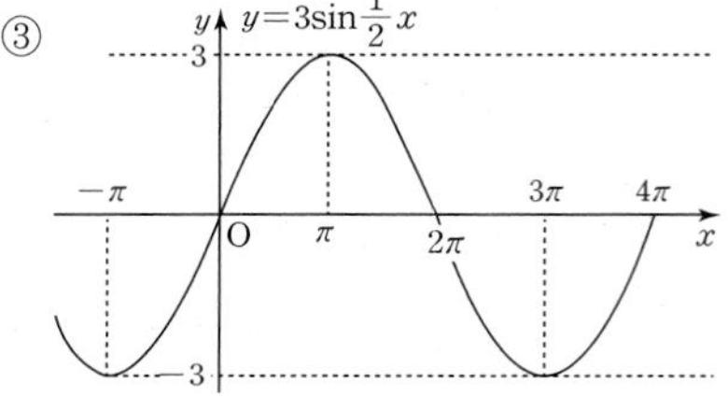

03 (1) × (2) ○ (3) ○
(4) ○ (5) ×

04 (1) ① 2π, 2π, 2π ② $-\dfrac{1}{2}$, $\dfrac{1}{2}$, $-\dfrac{1}{2}$, $\dfrac{1}{2}$

③

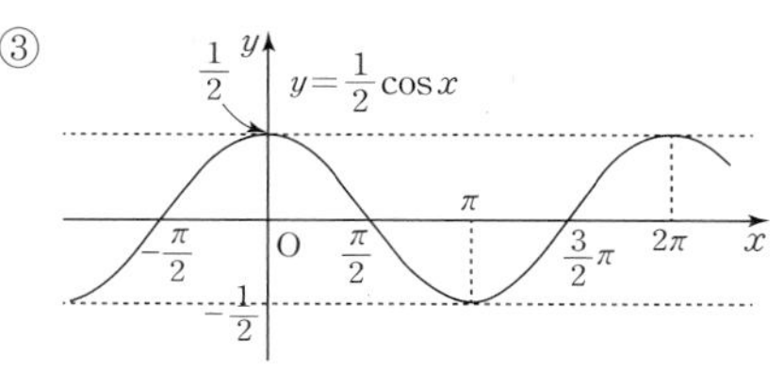

(2) ① 2π, $\frac{2}{3}\pi$, $\frac{2}{3}\pi$, $\frac{2}{3}\pi$ ② $\{y \mid -1\le y\le 1\}$

③

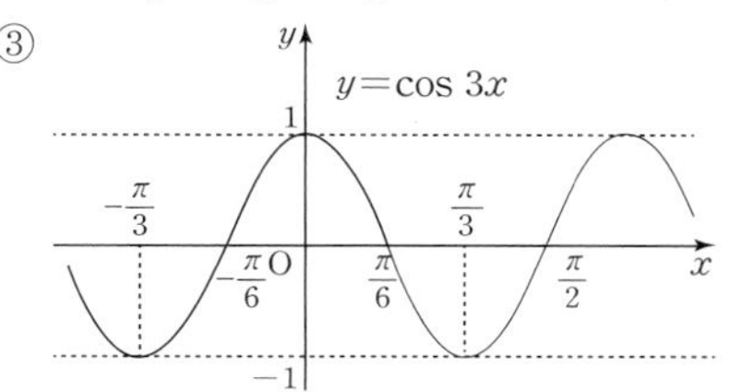

(3) ① 2 ② $\{y \mid -2\le y\le 2\}$

③

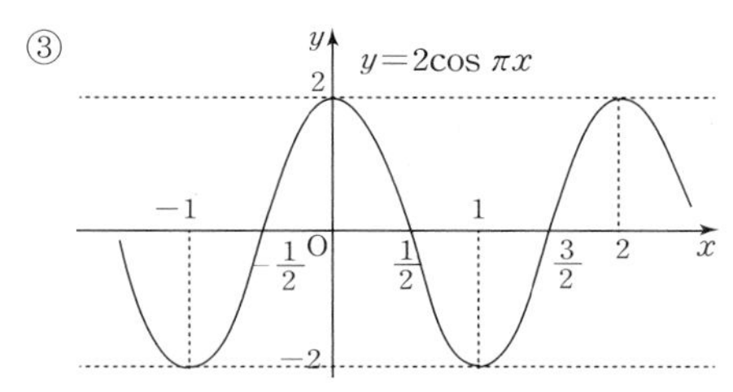

05 (1) × (2) × (3) ○

(4) × (5) ○

06 (1) ① π, 2π, 2π, 2π ② $2n+1$

③ $-\pi$, 2π

(2) ① π, $\frac{\pi}{3}$, $\frac{\pi}{3}$, $\frac{\pi}{3}$

② $x=\frac{n}{3}\pi+\frac{\pi}{6}$ (n은 정수)

③ $-\frac{\pi}{3}$, $-\frac{\pi}{6}$, $\frac{\pi}{6}$, $\frac{\pi}{3}$, $\frac{\pi}{2}$

07 ① y, -3

② 2π, π, π, π

③ -4, -2, -2, -4

도전! 1등급 **08** ⑤

01 (2) 치역은 $\{y \mid -3\le y\le 3\}$

(3) 주기는 2π

02 (3) ① $f(x)=3\sin\frac{1}{2}x$라고 하면

$$f(x)=3\sin\frac{1}{2}x=3\sin\left(\frac{1}{2}x+2\pi\right)$$
$$=3\sin\frac{1}{2}(x+4\pi)$$
$$=f(x+4\pi)$$

따라서 주기는 4π이다.

② $-1\le\sin\frac{1}{2}x\le 1$에서 $-3\le 3\sin\frac{1}{2}x\le 3$이므로

치역은 $\{y \mid -3\le y\le 3\}$

03 (3) $\cos 4x=\cos(4x+2\pi)=\cos 4\left(x+\frac{\pi}{2}\right)=\cos 4(x+\pi)$

(5) 최댓값은 1이고 최솟값은 -1이다.

04 (3) ① $f(x)=2\cos\pi x$라고 하면

$$f(x)=2\cos\pi x=2\cos(\pi x+2\pi)=2\cos\pi(x+2)$$
$$=f(x+2)$$

따라서 주기는 2이다.

② $-2\le 2\cos\pi x\le 2$이므로

치역은 $\{y \mid -2\le y\le 2\}$

05 (1) $x=\frac{n}{2}\pi+\frac{\pi}{4}$ (n은 정수)을 제외한 실수 전체의 집합

(2) 치역은 실수 전체의 집합

(4) 원점에 대하여 대칭하는 그래프이다.

06 (2) ② $3x=n\pi+\frac{\pi}{2}$ (n은 정수)에서 $x=\frac{n}{3}\pi+\frac{\pi}{6}$ (n은 정수)

08 $y=|a\sin bx|$에서 최댓값은 $|a|$, 최솟값은 0,

주기는 $\frac{\pi}{|b|}$이므로 함수 $|3\sin 2x|$에서 최댓값,

최솟값, 주기를 각각 구하면 $\therefore M=3$, $m=0$, $p=\frac{\pi}{2}$

$\therefore p(M-m)=\frac{\pi}{2}\times(3-0)=\frac{3}{2}\pi$

개념 06 삼각함수의 성질

92쪽

예 $\frac{\pi}{6}$, $\frac{\pi}{6}$, $\frac{\sqrt{3}}{3}$

예 원점, y

01 (1) $\frac{\sqrt{2}}{2}$ (2) $\frac{1}{2}$ (3) $\frac{\sqrt{3}}{3}$

(4) $\frac{\sqrt{2}}{2}$ (5) $\frac{1}{2}$ (6) $\frac{\sqrt{2}}{2}$

(7) $\sqrt{3}$

02 (1) $-\frac{1}{2}$ (2) $\frac{\sqrt{2}}{2}$ (3) $-\sqrt{3}$

(4) $-\frac{\sqrt{3}}{2}$ (5) $\frac{1}{2}$ (6) $-\frac{\sqrt{3}}{3}$

03 $\frac{\pi}{2}$, $-x$, $\frac{\pi}{2}$, $-\sin x$, $\frac{\sin x}{\cos x}$

04 (1) $\frac{1}{2}$ (2) $-\frac{\sqrt{2}}{2}$ (3) $-\sqrt{3}$

(4) $\frac{\sqrt{2}}{2}$ (5) $\frac{1}{2}$ (6) $\frac{\sqrt{3}}{3}$

05 $\frac{\pi}{2}$, $\frac{\pi}{2}$, $-\cos x$, $\frac{-\sin x}{-\cos x}$

06 (1) $-\frac{\sqrt{2}}{2}$ (2) $-\frac{\sqrt{3}}{2}$ (3) $\sqrt{3}$

(4) $\frac{\sqrt{3}}{2}$ (5) $-\frac{\sqrt{2}}{2}$ (6) $-\frac{\sqrt{3}}{3}$

07 (1) 2 (2) 1 (3) $-\frac{\sqrt{6}}{4}+\frac{1}{2}$

(4) $\frac{\sqrt{2}}{4}-\sqrt{3}$

도전! 1등급 **08** ④

01 (1) $\sin\left(2\pi+\frac{\pi}{4}\right)=\sin\frac{\pi}{4}=\frac{\sqrt{2}}{2}$

(2) $\cos\left(2\pi\times3+\frac{\pi}{3}\right)=\cos\frac{\pi}{3}=\frac{1}{2}$

(3) $\tan\left\{2\pi\times(-1)+\frac{\pi}{6}\right\}=\tan\frac{\pi}{6}=\frac{\sqrt{3}}{3}$

(4) $\cos\left\{2\pi\times(-2)+\frac{\pi}{4}\right\}=\cos\frac{\pi}{4}=\frac{\sqrt{2}}{2}$

(5) $\sin750°=\sin(360°\times2+30°)=\sin30°=\frac{1}{2}$

(6) $\cos405°=\cos(360°+45°)=\cos45°=\frac{\sqrt{2}}{2}$

(7) $\tan780°=\tan(360°\times2+60°)=\tan60°=\sqrt{3}$

02 (1) $\sin\left(-\frac{\pi}{6}\right)=-\sin\frac{\pi}{6}=-\frac{1}{2}$

(2) $\cos\left(-\frac{9}{4}\pi\right)=\cos\frac{9}{4}\pi=\cos\left(2\pi+\frac{\pi}{4}\right)$

$=\cos\frac{\pi}{4}=\frac{\sqrt{2}}{2}$

(3) $\tan\left(-\frac{13}{3}\pi\right)=-\tan\frac{13}{3}\pi=-\tan\left(4\pi+\frac{\pi}{3}\right)$

$=-\tan\frac{\pi}{3}=-\sqrt{3}$

04 (1) $\sin\frac{5}{6}\pi=\sin\left(\frac{\pi}{2}+\frac{\pi}{3}\right)=\cos\frac{\pi}{3}=\frac{1}{2}$

(2) $\cos\frac{3}{4}\pi=\cos\left(\frac{\pi}{2}+\frac{\pi}{4}\right)=-\sin\frac{\pi}{4}=-\frac{\sqrt{2}}{2}$

(3) $\tan\frac{2}{3}\pi=\tan\left(\frac{\pi}{2}+\frac{\pi}{6}\right)=-\frac{1}{\tan\frac{\pi}{6}}=-\sqrt{3}$

(4) $\sin\left(\frac{\pi}{2}-\frac{\pi}{4}\right)=\cos\frac{\pi}{4}=\frac{\sqrt{2}}{2}$

(5) $\cos\left(\frac{\pi}{2}-\frac{\pi}{6}\right)=\sin\frac{\pi}{6}=\frac{1}{2}$

(6) $\tan\left(\frac{\pi}{2}-\frac{\pi}{3}\right)=\frac{1}{\tan\frac{\pi}{3}}=\frac{\sqrt{3}}{3}$

06 (1) $\sin\frac{5}{4}\pi=\sin\left(\pi+\frac{\pi}{4}\right)=-\sin\frac{\pi}{4}=-\frac{\sqrt{2}}{2}$

(2) $\cos\frac{7}{6}\pi=\cos\left(\pi+\frac{\pi}{6}\right)=-\cos\frac{\pi}{6}=-\frac{\sqrt{3}}{2}$

(3) $\tan\frac{4}{3}\pi=\tan\left(\pi+\frac{\pi}{3}\right)=\tan\frac{\pi}{3}=\sqrt{3}$

(4) $\sin\frac{2}{3}\pi=\sin\left(\pi-\frac{\pi}{3}\right)=\sin\frac{\pi}{3}=\frac{\sqrt{3}}{2}$

(5) $\cos\frac{11}{4}\pi=\cos\left(2\pi+\pi-\frac{\pi}{4}\right)=-\cos\frac{\pi}{4}=-\frac{\sqrt{2}}{2}$

(6) $\tan\frac{17}{6}\pi=\tan\left(2\pi+\pi-\frac{\pi}{6}\right)=-\tan\frac{\pi}{6}=-\frac{\sqrt{3}}{3}$

07 (1) $\sin\left(\frac{\pi}{2}-x\right)=\cos x$이므로 $\sin\left(\frac{\pi}{2}-\frac{\pi}{3}\right)=\cos\frac{\pi}{3}$

$\cos(\pi+x)=-\cos x$이므로 $\cos\left(\pi+\frac{\pi}{3}\right)=-\cos\frac{\pi}{3}$

$\tan\left(\frac{\pi}{2}+x\right)=-\frac{1}{\tan x}$이므로 $\tan\left(\frac{\pi}{2}+\frac{\pi}{3}\right)=-\frac{1}{\tan\frac{\pi}{3}}$

(주어진 식) $=\cos\frac{\pi}{3}+\cos\frac{\pi}{3}-\tan\frac{\pi}{3}\times-\frac{1}{\tan\frac{\pi}{3}}$

$=\frac{1}{2}+\frac{1}{2}+1=2$

(2) $\sin(\pi+\theta)=-\sin\theta$이므로 $\sin\left(\pi+\frac{\pi}{4}\right)=-\sin\frac{\pi}{4}$

$\tan(\pi-\theta)=-\tan\theta$이므로 $\tan\left(\pi-\frac{\pi}{4}\right)=-\tan\frac{\pi}{4}$

$\cos\left(\frac{\pi}{2}-\theta\right)=\sin\theta$이므로 $\cos\left(\frac{\pi}{2}-\frac{\pi}{4}\right)=\sin\frac{\pi}{4}$

(주어진 식) $=\frac{\left(-\sin\frac{\pi}{4}\right)\times\left(-\tan\frac{\pi}{4}\right)}{\sin\frac{\pi}{4}}$

$=\frac{\left(-\frac{\sqrt{2}}{2}\right)\times(-1)}{\frac{\sqrt{2}}{2}}=1$

(3) $\cos\frac{3}{4}\pi=\cos\left(\pi-\frac{\pi}{4}\right)=-\cos\frac{\pi}{4}$

$\tan\left(-\frac{5}{6}\pi\right)=\tan\left(\frac{7}{6}\pi\right)=\tan\left(\pi+\frac{\pi}{6}\right)=\tan\frac{\pi}{6}$

$\sin\frac{7}{3}\pi=\sin\left(2\pi+\frac{\pi}{3}\right)=\sin\frac{\pi}{3}$

(주어진 식) $=\left(-\cos\frac{\pi}{4}+\tan\frac{\pi}{6}\right)\times\sin\frac{\pi}{3}$

$=\left(-\frac{\sqrt{2}}{2}+\frac{\sqrt{3}}{3}\right)\times\frac{\sqrt{3}}{2}$

$=-\frac{\sqrt{6}}{4}+\frac{1}{2}$

(4) $\cos\left(-\frac{9}{4}\pi\right)=\cos\frac{9}{4}\pi=\cos\left(2\pi+\frac{\pi}{4}\right)=\cos\frac{\pi}{4}$

$\tan\frac{14}{3}\pi=\tan\left(4\pi+\frac{2}{3}\pi\right)=\tan\frac{2}{3}\pi$

$=\tan\left(\pi-\frac{\pi}{3}\right)=-\tan\frac{\pi}{3}$이므로

(주어진 식) $=\sin\frac{\pi}{6}\cos\frac{\pi}{4}-\tan\frac{\pi}{3}$

$=\frac{1}{2}\times\frac{\sqrt{2}}{2}-\sqrt{3}=\frac{\sqrt{2}}{4}-\sqrt{3}$

08 (i) $\cos(90°-\theta)=\sin\theta$이므로

$\cos^2\theta+\cos^2(90°-\theta)=\cos^2\theta+\sin^2\theta$ ⋯ ㉠

(ii) $\cos^2 5°+\cos^2 10°+\cos^2 15°+\cdots+\cos^2 85°$

$=(\cos^2 5°+\cos^2 85°)+(\cos^2 10°+\cos^2 80°)+\cdots$

$+(\cos^2 40°+\cos^2 50°)+\cos^2 45°$

(iii) ㉠에 의해서

$(\cos^2 5°+\sin^2 5°)+(\cos^2 10°+\sin^2 10°)$

$+\cdots+(\cos^2 40°+\sin^2 40°)+\cos^2 45°$

$=1\times 8+\left(\dfrac{\sqrt{2}}{2}\right)^2=\dfrac{17}{2}$

개념 07 삼각함수를 포함한 방정식과 부등식

96쪽

예 $\dfrac{\pi}{6}$, $\dfrac{5}{6}\pi$ / $\dfrac{\pi}{6}$, $\dfrac{5}{6}\pi$

01 (1) $\dfrac{\sqrt{3}}{3}$, x, $\dfrac{\pi}{6}$, $\dfrac{\pi}{6}$, $\dfrac{\sqrt{3}}{3}$, $\dfrac{\pi}{6}$

(2) $\dfrac{\pi}{3}$, $\dfrac{\pi}{2}$, $\dfrac{2}{3}\pi$, π, $\dfrac{4}{3}\pi$, $\dfrac{2}{3}\pi$, $\dfrac{4}{3}\pi$

02 $x=\dfrac{\pi}{3}$ 또는 $x=\dfrac{5}{3}\pi$

03 (1) $\dfrac{4}{3}\pi<x<\dfrac{5}{3}\pi$

(2) $0\le x<\dfrac{\pi}{4}$ 또는 $\dfrac{7}{4}\pi<x<2\pi$

(3) $\dfrac{\pi}{6}\le x<\dfrac{\pi}{2}$ 또는 $\dfrac{7}{6}\pi\le x<\dfrac{3}{2}\pi$

도전! 1등급 **04** ⑤

02 주어진 식에 $\sin^2 x=1-\cos^2 x$을 대입하면,

$2(1-\cos^2 x)-5\cos x+1=0$

$2\cos^2 x+5\cos x-3=0$

$(2\cos x-1)(\cos x+3)=0$

$\therefore \cos x=\dfrac{1}{2}$ 또는 $\cos x=-3$

그런데 $-1\le\cos x\le 1$ 이므로

$\cos x=\dfrac{1}{2}$를 만족하는 해를 찾으면,

$x=\dfrac{\pi}{3}$ 또는 $x=2\pi-\dfrac{\pi}{3}$ 즉, $\therefore x=\dfrac{\pi}{3}$ 또는 $x=\dfrac{5}{3}\pi$

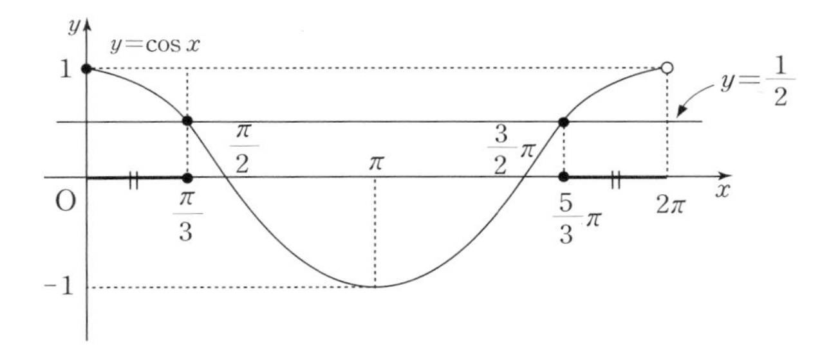

03 (1) 방정식 $\sin x=-\dfrac{\sqrt{3}}{2}$의 해는 $x=\dfrac{4}{3}\pi$ 또는 $x=\dfrac{5}{3}\pi$

부등식을 만족하는 범위는

$y=\sin x$의 그래프가 직선 $y=-\dfrac{\sqrt{3}}{2}$보다 아래쪽에

있는 x의 값의 범위이므로 $\therefore \dfrac{4}{3}\pi<x<\dfrac{5}{3}\pi$

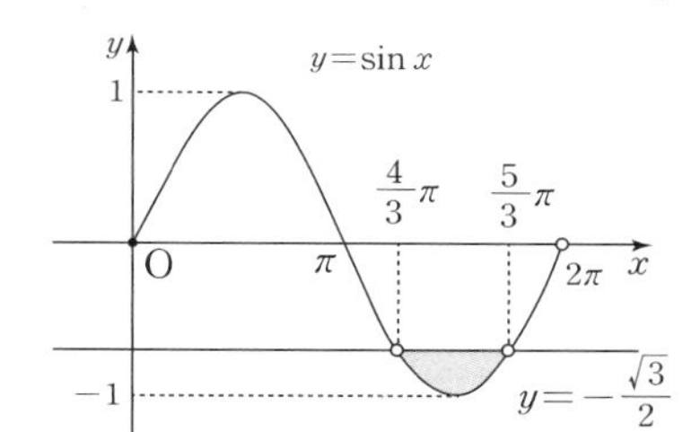

(2) 방정식 $\cos x=\dfrac{\sqrt{2}}{2}$의 해는 $x=\dfrac{\pi}{4}$ 또는 $x=\dfrac{7}{4}\pi$

부등식을 만족하는 범위는

$y=\cos x$의 그래프가 직선 $y=\dfrac{\sqrt{2}}{2}$보다 위쪽에 있는

x의 값의 범위이므로 $0\le x<\dfrac{\pi}{4}$ 또는 $\dfrac{7}{4}\pi<x<2\pi$

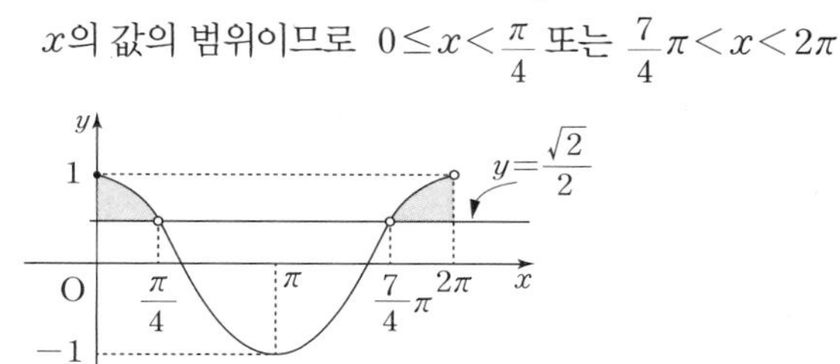

(3) 방정식 $\tan x=\dfrac{1}{\sqrt{3}}$의 해는 $x=\dfrac{\pi}{6}$ 또는 $x=\dfrac{7}{6}\pi$

부등식을 만족하는 범위는

$y=\tan x$의 그래프가 직선 $y=\dfrac{\sqrt{2}}{2}$과 만나거나 위쪽에

있는 x의 값의 범위이므로

$\dfrac{\pi}{6}\le x<\dfrac{\pi}{2}$ 또는 $\dfrac{7}{6}\pi\le x<\dfrac{3}{2}\pi$

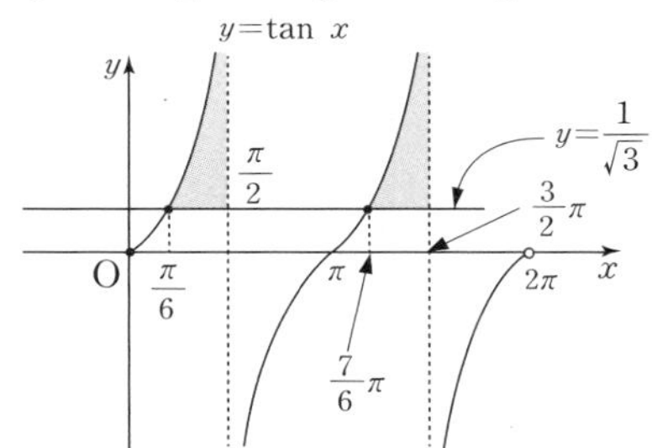

04 방정식의 실근의 개수는 $y=\sin \pi x$의 그래프와 직선 $y=\dfrac{x}{4}$의 교점의 개수와 같다. 즉 7개이다.

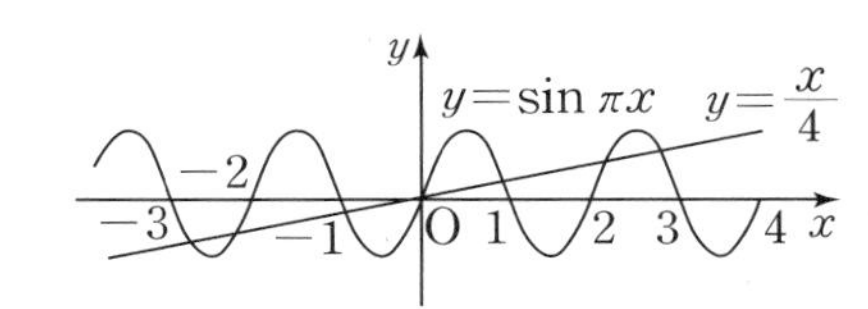

必 개념 정복 98-101쪽

01 (1) $360^\circ\times n+40^\circ$ (n은 정수)
(2) $360^\circ\times n+290^\circ$ (n은 정수)
(3) $360^\circ\times n+135^\circ$ (n은 정수)
(4) $360^\circ\times n+250^\circ$ (n은 정수)

02 (1) 제 1사분면의 각
(2) 제 2사분면의 각
(3) 제 4사분면의 각
(4) 제 3사분면의 각

03 (1) ○ (2) × (3) ○
(4) × (5) ○

04 (1) ① 4π ② 20π
(2) ① 6 ② 10π
(3) ① $\theta=\frac{5}{4}\pi$, $l=\frac{5}{2}\pi$ ② $\frac{15}{4}\pi$
(4) ① $\theta=2$, $S=64$ ② 62

05 (1)

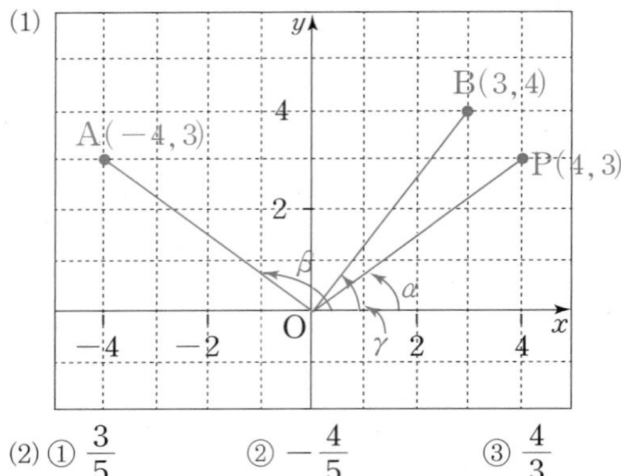

(2) ① $\frac{3}{5}$ ② $-\frac{4}{5}$ ③ $\frac{4}{3}$

06 (1) $\sin\theta<0$
(2) $-4\cos\theta<0$
(3) $\frac{5}{2}(\cos\theta-\tan\theta)>0$

07 (1) $-\frac{1}{20}$ (2) $\frac{2\sqrt{2}}{3}$
(3) ① $-\frac{3}{8}$ ② $\frac{\sqrt{7}}{2}$ ③ $-\frac{4\sqrt{7}}{3}$

08 (1) ① 최댓값 : 2, 최솟값 : -2
② 4π
③

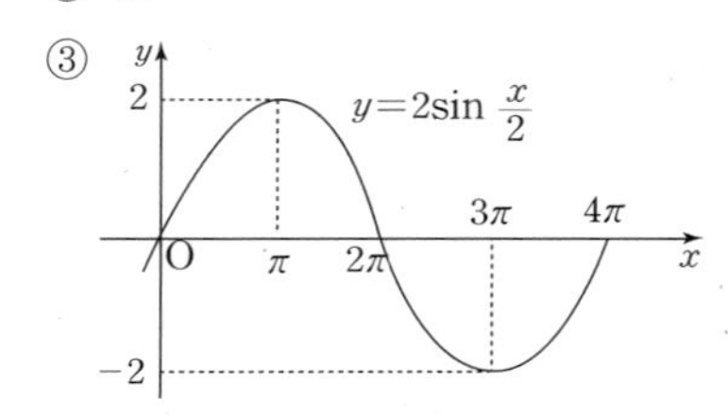

(2) ① 최댓값 : 3, 최솟값 : -3
② 2π
③

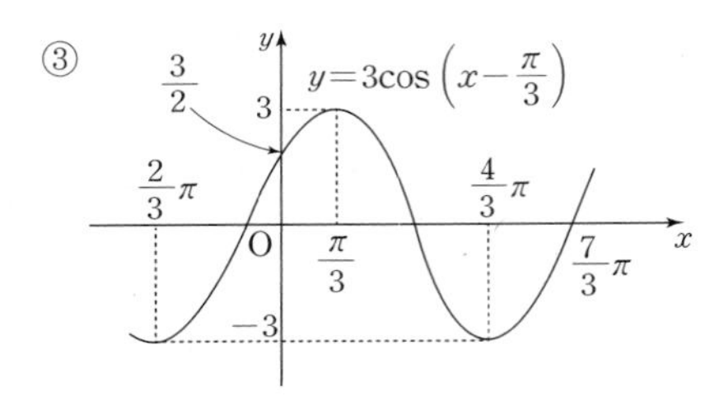

(3) ① 최댓값 : $3\sqrt{3}$, 최솟값 : $-3\sqrt{3}$
② $\frac{\pi}{2}$
③

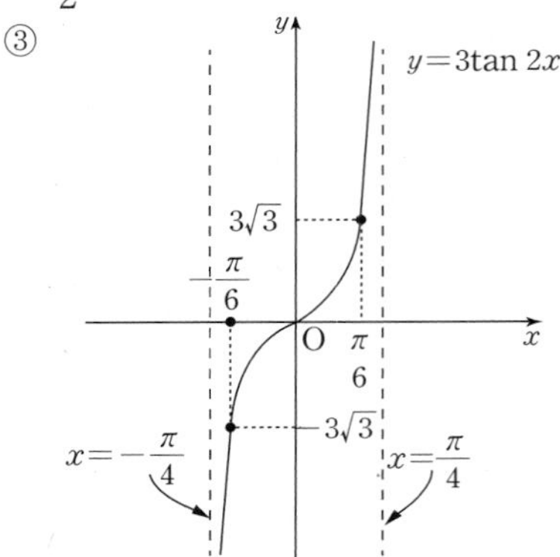

09 (1) 0
(2) 1, 80°, 70°, 50°,
$\frac{1}{\tan 10^\circ}$, $\frac{1}{\tan 20^\circ}$, $\frac{1}{\tan 40^\circ}$, 1
(3) 22

10 (1) $x=\frac{\pi}{2}$ 또는 $x=\frac{7}{6}\pi$ 또는 $x=\frac{11}{6}\pi$
(2) 2π

01 (1) $400^\circ=360^\circ\times1+40^\circ$이므로
400°의 동경이 나타내는 일반각은
$360^\circ\times n+40^\circ$ (n은 정수)
(2) $1010^\circ=360^\circ\times2+290^\circ$이므로
1010°의 동경이 나타내는 일반각은
$360^\circ\times n+290^\circ$ (n은 정수)
(3) $-585^\circ=360^\circ\times(-2)+135^\circ$이므로
-585°의 동경이 나타내는 일반각은
$360^\circ\times n+135^\circ$ (n은 정수)
(4) $-830^\circ=360^\circ\times(-3)+250^\circ$이므로
-830°의 동경이 나타내는 일반각은
$360^\circ\times n+250^\circ$ (n은 정수)

02 (1) $-650^\circ=360^\circ\times(-2)+70^\circ$이므로 $0^\circ<70^\circ<90^\circ$이므로
-650°는 제 1사분면의 각이다.
(2) $820^\circ=360^\circ\times2+100^\circ$이므로 $90^\circ<100^\circ<180^\circ$이므로
820°는 제 2사분면의 각이다.

(3) $-\frac{13}{6}\pi=2\pi\times(-2)+\frac{11}{6}\pi$, $\frac{3}{2}\pi<\frac{11}{6}\pi<2\pi$이므로

$-\frac{13}{6}\pi$는 제 4사분면의 각이다.

(4) $\frac{28}{9}\pi=2\pi+\frac{10}{9}\pi$, $\pi<\frac{10}{9}\pi<\frac{3}{2}\pi$이므로

$\frac{28}{9}\pi$는 제 3사분면의 각이다.

03 (2) $\frac{7}{4}\pi\times\frac{180^\circ}{\pi}=315^\circ$

(4) $120\times\frac{\pi}{180}=\frac{2}{3}\pi$

04 (1) ① $l=r\theta$ 이므로 $\therefore l=10\times\frac{2}{5}\pi=4\pi$

② $S=\frac{1}{2}rl$이므로 $\therefore S=\frac{1}{2}\times10\times4\pi=20\pi$

(2) ① $S=\frac{1}{2}r^2\theta$ 이므로 $30\pi=\frac{1}{2}\cdot r^2\cdot\frac{5}{3}\pi$ $r^2=36$

$\therefore r=6$ $(\because r>0)$

② $l=r\theta$이므로 $\therefore l=6\times\frac{5}{3}\pi=10\pi$

(3) ① $S=\frac{1}{2}r^2\theta$ 이므로 $\frac{5}{2}\pi=\frac{1}{2}\times2^2\times\theta$ $\therefore \theta=\frac{5}{4}\pi$

$l=r\theta$ 이므로 $\therefore l=2\times\frac{5}{4}\pi=\frac{5}{2}\pi$

② $\frac{5}{4}\pi+\frac{5}{2}\pi=\frac{15}{4}\pi$

(4) ① $l=r\theta$ 이므로 $\therefore 16=8\times\theta$ $\therefore \theta=2$

$S=\frac{1}{2}rl$이므로 $\therefore S=\frac{1}{2}\times8\times16=64$

② $\therefore |2-64|=62$

05 (2) ① $\overline{OP}=\sqrt{3^2+4^2}=5$이므로 $\therefore \sin\alpha=\frac{3}{5}$

② $\overline{OA}=\sqrt{(-4)^2+3^2}=5$이므로 $\therefore \cos\beta=-\frac{4}{5}$

③ $\overline{OB}=\sqrt{4^2+3^2}=5$이므로 $\therefore \tan\gamma=\frac{4}{3}$

06 (1) $\theta=-\frac{5}{12}\pi=2\pi\times(-1)+\frac{19}{12}\pi$에서 $\frac{3}{2}\pi<\frac{19}{12}\pi<2\pi$

이므로 $-\frac{5}{12}\pi$는 제 4사분면의 각이므로 $\therefore \sin\theta<0$

(2) θ가 제 4사분면의 각이므로 $\cos\theta>0$

양변에 -4를 곱하면, $\therefore -4\cos\theta<0$

(3) θ가 제 4사분면의 각이므로 $\tan\theta<0$

$\cos\theta-\tan\theta$는 (양수)$-$(음수)이므로 $\cos\theta-\tan\theta>0$

양변에 $\frac{5}{2}$를 곱하면, $\therefore \frac{5}{2}(\cos\theta-\tan\theta)>0$

07 (1) $\sin^2\theta=1-\cos^2\theta=\frac{9}{25}$

θ는 제 3사분면의 각이므로 $\therefore \sin\theta=-\frac{3}{5}$

$\therefore \tan\theta=\frac{\sin\theta}{\cos\theta}=\frac{3}{4}$

$\therefore \cos\theta+\tan\theta=-\frac{4}{5}+\frac{3}{4}=-\frac{1}{20}$

(2) $1+\tan^2\theta=\frac{1}{\cos^2\theta}$ 이므로 $\frac{1}{\cos^2\theta}=9$ $\therefore \frac{1}{\cos\theta}=\pm3$

θ는 제 1사분면의 각이므로 $\therefore \cos\theta=\frac{1}{3}$

$\tan\theta=\frac{\sin\theta}{\cos\theta}$에서 $\sin\theta=\tan\theta\cos\theta$

$\therefore \sin\theta=2\sqrt{2}\times\frac{1}{3}=\frac{2\sqrt{2}}{3}$

(3) ① $(\sin\theta+\cos\theta)^2=\sin^2\theta+2\sin\theta\cos\theta+\cos^2\theta=\frac{1}{4}$

$\sin^2\theta+\cos^2\theta=1$이므로 $1+2\sin\theta\cos\theta=\frac{1}{4}$

$\therefore \sin\theta\cos\theta=-\frac{3}{8}$

② $(\cos\theta-\sin\theta)^2=(\cos\theta+\sin\theta)^2-4\sin\theta\cos\theta$

$=\frac{1}{4}-4\times\left(-\frac{3}{8}\right)=\frac{7}{4}$

이 때, $\cos\theta>\sin\theta$이므로 $\therefore \cos\theta-\sin\theta=\frac{\sqrt{7}}{2}$

③ $\frac{1}{\sin\theta}-\frac{1}{\cos\theta}=\frac{\cos\theta-\sin\theta}{\sin\theta\cos\theta}=\frac{\frac{\sqrt{7}}{2}}{-\frac{3}{8}}=-\frac{4\sqrt{7}}{3}$

08 (1) ① $-1\le\sin\frac{1}{2}x\le1$에서 $-2\le2\sin\frac{1}{2}x\le2$이므로

$\therefore$최댓값은 2, 최솟값은 -2

② $y=a\sin bx$의 주기는 $\frac{2\pi}{|b|}$이므로 주어진 함수

$y=2\sin\frac{x}{2}$의 주기는 $\frac{2\pi}{\frac{1}{2}}=4\pi$

(2) ① $-1\le\cos\left(x-\frac{\pi}{3}\right)\le1$에서 $-3\le3\cos\left(x-\frac{\pi}{3}\right)\le3$

이므로 최댓값은 3, 최솟값은 -3

② $y=3\cos\left(x-\frac{\pi}{3}\right)$는 $y=3\cos x$ 그래프를 x축의 방향

으로 $\frac{\pi}{3}$만큼 평행이동한 그래프이므로 주기는 2π

(3) ① $-\frac{\pi}{6}\le x\le\frac{\pi}{6}$에서 $-\frac{\pi}{3}\le2x\le\frac{\pi}{3}$

$-3\sqrt{3}\le3\tan2x\le3\sqrt{3}$ 이므로

$\therefore$최댓값은 $3\sqrt{3}$, 최솟값은 $-3\sqrt{3}$

② $y=a\tan bx$의 주기가 $\frac{\pi}{|b|}$이므로

주어진 함수 $y=3\tan2x$의 주기는 $\frac{\pi}{2}$

09 (1) (i) $\tan\left(\frac{3}{2}\pi-\theta\right)=\tan\left(\pi+\frac{\pi}{2}-\theta\right)=\tan\left(\frac{\pi}{2}-\theta\right)$

$=\frac{1}{\tan\theta}$

(ii) $\cos(\pi+\theta)=-\cos\theta$

(iii) $\cos(-\theta)=\cos\theta$

(iv) $\tan(3\pi+\theta)=\tan(2\pi+\pi+\theta)$

$=\tan(\pi+\theta)=\tan\theta$

(i), (ii), (iii), (iv)에 의해

(주어진 식) $=\tan\theta\times(-\cos\theta)+\cos\theta\tan\theta$

$=-\tan\theta\cos\theta+\cos\theta\tan\theta$

$=0$

(3) $\sin^2\theta+\sin^2(90-\theta)=\sin^2\theta+\cos^2\theta$ ⋯ ㉠ 이므로

$\sin^2 2^\circ+\sin^2 4^\circ+\sin^2 6^\circ+\cdots+\sin^2 88^\circ$

$=(\sin^2 2^\circ+\sin^2 88^\circ)+(\sin^2 4^\circ+\sin^2 84^\circ)$

$+\cdots+(\sin^2 44^\circ+\sin^2 46^\circ)$

$=(\sin^2 2^\circ+\cos^2 2^\circ)+(\sin^2 4^\circ+\cos^2 4^\circ)$

$\cdots+(\sin^2 44^\circ+\cos^2 44^\circ)$

$=1\times 22=22$

10 (1) $2\sin^2 x-\sin x-1=0$에서

$(2\sin x+1)(\sin x-1)=0$

$\therefore \sin x=-\frac{1}{2}$ 또는 $\sin x=1$

(i) 함수 $y=\sin x$와 직선 $y=-\frac{1}{2}$의 교점의 x좌표는

$\frac{7}{6}\pi$, $\frac{11}{6}\pi$이다.

(ii) 함수 $y=\sin x$와 직선 $y=1$의 교점의 x좌표는 $\frac{\pi}{2}$이다.

(i), (ii)에 의해서 구하는 해는

$x=\frac{\pi}{2}$ 또는 $x=\frac{7}{6}\pi$ 또는 $x=\frac{11}{6}\pi$

y $y=\sin x$ $y=1$ 1 $\frac{7}{6}\pi$ $\frac{11}{6}\pi$ O $\frac{\pi}{2}$ π 2π x $y=-\frac{1}{2}$ -1

(2) $\sin^2 x=1-\cos^2 x$를 대입하면,

$2(1-\cos^2 x)+7\cos x<5$

$2\cos^2 x-7\cos x+3>0$

$(2\cos x-1)(\cos x-3)>0$을 만족하는 범위는

$\cos x<\frac{1}{2}$ $(\because -1\le\cos x\le 1)$

즉, $y=\cos x$의 그래프가 직선 $y=\frac{1}{2}$보다 아래에 있는

x의 값의 범위를 구하면 $\therefore \frac{\pi}{3}<x<\frac{5}{3}\pi$

따라서 $\alpha=\frac{\pi}{3}$, $\beta=\frac{5}{3}\pi$이므로 $\therefore \alpha+\beta=2\pi$

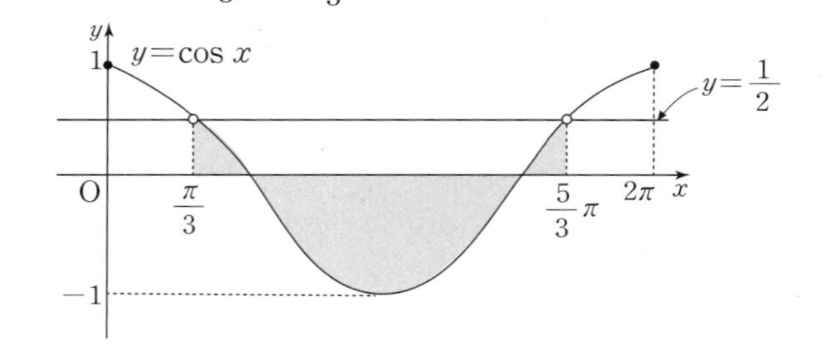

2 삼각함수의 활용

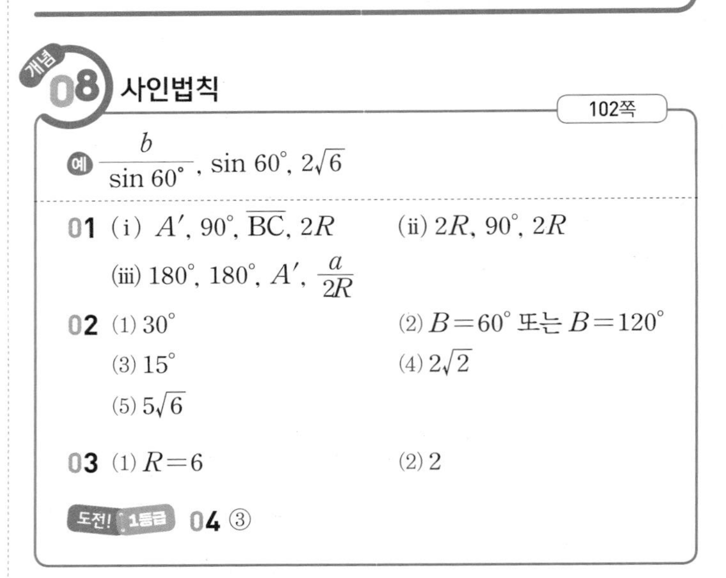

개념 08 사인법칙 102쪽

예 $\frac{b}{\sin 60^\circ}$, $\sin 60^\circ$, $2\sqrt{6}$

01 (i) A', 90°, $\overline{BC}$, $2R$ (ii) $2R$, 90°, $2R$

(iii) 180°, 180°, A', $\frac{a}{2R}$

02 (1) 30° (2) $B=60^\circ$ 또는 $B=120^\circ$

(3) 15° (4) $2\sqrt{2}$

(5) $5\sqrt{6}$

03 (1) $R=6$ (2) 2

도전! 1등급 **04** ③

02 (1) 사인법칙에 의해서 $\frac{2\sqrt{3}}{\sin A}=\frac{6}{\sin 120^\circ}$

$6\sin A=2\sqrt{3}\sin 120^\circ$ $\therefore \sin A=\frac{1}{2}$

$0^\circ<A<(180^\circ-120^\circ)$이므로 $A=30^\circ$

(2) 사인법칙에 의해서 $\frac{2\sqrt{6}}{\sin B}=\frac{4}{\sin 45^\circ}$

$4\sin B=2\sqrt{6}\sin 45^\circ$ $\therefore \sin B=\frac{\sqrt{3}}{2}$

$0^\circ<B<(180^\circ-45^\circ)$이므로

$B=60^\circ$ 또는 $B=120^\circ$

(3) 사인법칙에 의해서 $\frac{8}{\sin B}=\frac{4\sqrt{2}}{\sin 30^\circ}$

$8\sin 30^\circ=4\sqrt{2}\sin B$ $\therefore \sin B=\frac{\sqrt{2}}{2}$

(i) $B=45^\circ$일 때, $C=105^\circ$

(ii) $B=135^\circ$일 때, $C=15^\circ$

따라서 예각 C의 크기는 15°

(4) $\overline{BC}=a$라 하고

사인법칙에 의해서 $\frac{a}{\sin 45^\circ}=\frac{2}{\sin 30^\circ}$이므로

$a\sin 30^\circ=2\sin 45^\circ$, $\frac{1}{2}a=2\times\frac{\sqrt{2}}{2}$

$\therefore a=2\sqrt{2}$

(5) $\overline{AC}=b$라 하고

사인법칙에 의해서 $\frac{b}{\sin 60^\circ}=\frac{10}{\sin 45^\circ}$ 이므로

$b\sin 45^\circ=10\sin 60^\circ$, $\frac{\sqrt{2}}{2}b=10\times\frac{\sqrt{3}}{2}$

$\therefore b=5\sqrt{6}$

03 (1) $B=180^\circ-(80^\circ+40^\circ)=60^\circ$

사인법칙에 의해서 $\frac{6\sqrt{3}}{\sin 60^\circ}=2R \quad \therefore R=\frac{6\sqrt{3}}{2\times\frac{\sqrt{3}}{2}}=6$

(2) $\triangle ABC$의 외접원의 반지름의 길이를 R라고하면 사인법칙에 의하여

$\frac{a}{\sin A}=\frac{b}{\sin B}=\frac{c}{\sin C}=2R$

$\sin A=\frac{a}{2R}$, $\sin B=\frac{b}{2R}$, $\sin C=\frac{c}{2R}$를

주어진 조건에 대입하면,

$\sin A:\sin B:\sin C=\frac{a}{2R}:\frac{b}{2R}:\frac{c}{2R}$

$=a:b:c=4:5:6$

$\sin A=4k$, $\sin B=5k$, $\sin C=6k$(k는 양수)라 하면

$\therefore \frac{\sin A+\sin C}{\sin B}=\frac{4k+6k}{5k}=2$

04 $\triangle ABC$의 외접원의 반지름의 길이를 R라고하면 사인법칙에 의하여

$\sin A=\frac{a}{2R}$, $\sin B=\frac{b}{2R}$, $\sin C=\frac{c}{2R}$를

주어진 조건에 대입하면,

$\left(\frac{a}{2R}\right)^2+\left(\frac{b}{2R}\right)^2=\left(\frac{c}{2R}\right)^2$ 즉, $a^2+b^2=c^2$

$\therefore C=90^\circ$인 직각삼각형

개념 09 코사인법칙

104쪽

예 $2bc\cos A$, 5, $5\sqrt{3}$, 25, 5

01 (i) $\overline{CH}$, $b\cos C$, $\cos^2 C+\sin^2 C$, $2ab\cos C$
(ii) 0, a^2+b^2, C
(iii) $\overline{CH}$, $\cos C$, $180^\circ-C$, $a-b\cos C$, $\cos C$

02 (1) $\sqrt{13}$ (2) $2\sqrt{10}$ (3) 7

03 (1) 60° (2) 120° (3) $\frac{\sqrt{3}}{3}$ (4) $\frac{15}{16}$

도전! 1등급 **04** ①

02 (1) 코사인법칙에 의하여

$a^2=b^2+c^2-2bc\cos A$

$=3^2+4^2-2\times3\times4\times\frac{1}{2}=13$

이 때 a는 삼각형의 한 변의 길이이므로 $a>0$

$\therefore a=\sqrt{13}$

(2) 코사인법칙에 의하여

$b^2=c^2+a^2-2ca\cos B$

$=4^2+(2\sqrt{2})^2-2\times4\times2\sqrt{2}\times\left(-\frac{\sqrt{2}}{2}\right)=40$

이 때 b는 삼각형의 한 변의 길이이므로 $b>0$

$\therefore b=2\sqrt{10}$

(3) 코사인법칙에 의하여

$c^2=a^2+b^2-2ab\cos C$

즉, $13^2=8^2+a^2-2\times a\times8\times\left(-\frac{1}{2}\right)$

$a^2+8a-105=0$

$(a-7)(a+15)=0$

이 때 a는 삼각형의 한 변의 길이이므로 $a>0$

$\therefore a=7$

03 (1) 코사인 법칙의 변형에 의하여

$\cos A=\frac{b^2+c^2-a^2}{2bc}$

$=\frac{2^2+3^2-(\sqrt{7})^2}{2\times2\times3}=\frac{1}{2}$

$0^\circ<A<180^\circ$이므로 $\therefore A=60^\circ$

(2) 코사인 법칙의 변형에 의하여

$\cos C=\frac{a^2+b^2-c^2}{2ab}$

$=\frac{3^2+5^2-7^2}{2\times3\times5}=-\frac{1}{2}$

$0^\circ<C<180^\circ$이므로 $\therefore C=120^\circ$

(3) 사인 법칙에 의하여

$\sin A:\sin B:\sin C=a:b:c=1:\sqrt{2}:\sqrt{3}$

따라서 $a=k$, $b=\sqrt{2}k$, $c=\sqrt{3}k$(k는 양수)로 놓으면

코사인법칙의 변형에 의하여

$\cos B=\frac{c^2+a^2-b^2}{2ca}$

$=\frac{(\sqrt{3}k)^2+k^2-(\sqrt{2}k)^2}{2\times\sqrt{3}k\times k}=\frac{\sqrt{3}}{3}$

(4) 코사인 법칙의 변형에 의하여

$\cos C=\frac{a^2+b^2-c^2}{2ab}$

$=\frac{2^2+3^2-4^2}{2\times2\times3}=-\frac{1}{4}$

$\therefore \sin^2 C=1-\cos^2 C=1-\left(-\frac{1}{4}\right)^2=\frac{15}{16}$

04 $\cos A=\frac{b^2+c^2-a^2}{2bc}$, $\cos B=\frac{c^2+a^2-b^2}{2ca}$을

주어진 식에 대입하면,

$a\times\frac{c^2+a^2-b^2}{2ca}=b\times\frac{b^2+c^2-a^2}{2bc}$

$\frac{c^2+a^2-b^2}{2c}=\frac{b^2+c^2-a^2}{2c}$

즉, $a^2=b^2$에서 $a>0$, $b>0$이므로 $a=b$이다.

따라서 $\triangle ABC$는 $a=b$인 이등변삼각형

개념 10 삼각형의 넓이

106쪽

(2) $2R\sin C$, $2R\sin B$, $2R^2$

01	(1) $24\sqrt{3}$	(2) 6	(3) 5
02	(1) 4	(2) 4	(3) 24
03	(1) ① $\frac{1}{2}$	② $\frac{\sqrt{3}}{2}$	③ $10\sqrt{3}$
	(2) $2\sqrt{14}$		
	(3) $3\sqrt{2}$		
04	(1) $10\sqrt{3}$	(2) $2\sqrt{14}$	(3) 24

도전! 1등급 **05** ③

01 (1) $\triangle ABC$의 넓이를 S라고 하면 $S=\frac{1}{2}bc\sin A$이므로

$S=\frac{1}{2}\times8\times12\times\sin60^\circ=\frac{1}{2}\times8\times12\times\frac{\sqrt{3}}{2}=24\sqrt{3}$

(2) $\triangle ABC$의 넓이를 S라고 하면 $S=\frac{1}{2}ab\sin C$이므로

$S=\frac{1}{2}\times2\sqrt{2}\times6\times\sin135^\circ=\frac{1}{2}\times2\sqrt{2}\times6\times\frac{\sqrt{2}}{2}=6$

(3) $\triangle ABC$의 넓이를 S라고 하면 $S=\frac{1}{2}ca\sin B$이므로

$S=\frac{1}{2}\times4\times5\times\sin150^\circ=\frac{1}{2}\times4\times5\times\frac{1}{2}=5$

02 (1) $\triangle ABC$의 넓이를 S, 외접원의 반지름을 R라 하면

$S=\frac{abc}{4R}=\frac{48}{4\times3}=4$

(2) $\triangle ABC$의 넓이를 S, 내접원의 반지름을 r라 하면

$S=\frac{1}{2}r(a+b+c)$이므로 $120=\frac{1}{2}r\times60$ $\therefore r=4$

(3) 세 변의 길이를 a, b, c라고 하면

$S=\frac{1}{2}r(a+b+c)$, $36=\frac{1}{2}\times3\times(a+b+c)$

$\therefore a+b+c=24$

03 (1) ① $\cos C=\frac{a^2+b^2-c^2}{2ab}=\frac{8^2+5^2-7^2}{2\times8\times5}=\frac{1}{2}$

② $\sin^2C+\cos^2C=1$이고, $\sin C>0$이므로

$\therefore \sin C=\sqrt{1-\cos^2C}=\sqrt{1-\left(\frac{1}{2}\right)^2}=\frac{\sqrt{3}}{2}$

③ $S=\frac{1}{2}ab\sin C=\frac{1}{2}\times8\times5\times\frac{\sqrt{3}}{2}=10\sqrt{3}$

(2) (i) 코사인법칙의 변형을 이용하여

$\cos C=\frac{a^2+b^2-c^2}{2ab}=\frac{3^2+6^2-5^2}{2\times3\times6}=\frac{5}{9}$

(ii) $\sin^2C+\cos^2C=1$이고, $\sin C>0$이므로

$\therefore \sin C=\sqrt{1-\cos^2C}=\sqrt{1-\left(\frac{5}{9}\right)^2}=\frac{2\sqrt{14}}{9}$

(iii) $S=\frac{1}{2}ab\sin C=\frac{1}{2}\times3\times6\times\frac{2\sqrt{14}}{9}=2\sqrt{14}$

(3) (i) 코사인법칙의 변형을 이용하여

$\cos C=\frac{a^2+b^2-c^2}{2ab}=\frac{3^2+3^2-(2\sqrt{3})^2}{2\times3\times3}=\frac{1}{3}$

(ii) $\sin^2C+\cos^2C=1$이고, $\sin C>0$이므로

$\therefore \sin C=\sqrt{1-\cos^2C}=\sqrt{1-\left(\frac{1}{3}\right)^2}=\frac{2\sqrt{2}}{3}$

(iii) $S=\frac{1}{2}ab\sin C=\frac{1}{2}\times3\times3\times\frac{2\sqrt{2}}{3}=3\sqrt{2}$

04 (1) 헤론의 공식을 이용하여

$S=\sqrt{s(s-a)(s-b)(s-c)}$, $\left(\text{단, } s=\frac{a+b+c}{2}\right)$

$a=8$, $b=5$, $c=7$이므로 $s=\frac{8+5+7}{2}=10$

따라서 삼각형의 넓이 S는

$\therefore S=\sqrt{10(10-8)(10-5)(10-7)}=10\sqrt{3}$

(2) 헤론의 공식을 이용하여

$S=\sqrt{s(s-a)(s-b)(s-c)}$, $\left(\text{단, } s=\frac{a+b+c}{2}\right)$

$a=3$, $b=6$, $c=5$이므로 $s=\frac{3+6+5}{2}=7$

따라서 삼각형의 넓이 S는

$\therefore S=\sqrt{7(7-3)(7-6)(7-5)}=2\sqrt{14}$

(3) 헤론의 공식을 이용하여

$S=\sqrt{s(s-a)(s-b)(s-c)}$, $\left(\text{단, } s=\frac{a+b+c}{2}\right)$

$a=6$, $b=8$, $c=10$이므로 $s=\frac{6+8+10}{2}=12$

따라서 삼각형의 넓이 S는

$\therefore S=\sqrt{12(12-6)(12-8)(12-10)}=24$

05 $\overline{AD}=x$라 하면

$\triangle ABD+\triangle ACD=\triangle ABC$이므로

$\frac{1}{2}\times4\times x\sin60^\circ+\frac{1}{2}\times8\times x\sin60^\circ$

$=\frac{1}{2}\times4\times8\times\sin120^\circ$

$\sqrt{3}x+2\sqrt{3}x=8\sqrt{3}$ $\therefore x=\frac{8}{3}$

개념 11 사각형의 넓이

108쪽

(1) △ ACD, $ab\sin\theta$

01 (1) $4\sqrt{3}$ (2) 20 (3) $9\sqrt{2}$
02 (1) $5\sqrt{2}$ (2) $12\sqrt{3}$ (3) 80
03 (1) ① 6 ② $4\sqrt{6}$ ③ $6+4\sqrt{6}$
(2) ① 15 ② $8\sqrt{6}$ ③ $15+8\sqrt{6}$
04 (1) $27\sqrt{2}$ (2) $200\sqrt{3}$
도전! 1등급 **05** ④

01 (1) $S=4\times2\times\sin 60^\circ=4\times2\times\frac{\sqrt{3}}{2}=4\sqrt{3}$
(2) 평행사변형에서 마주보는 대각의 크기가 같으므로
$\angle A=\angle C$
$S=5\times8\times\sin 150^\circ=5\times8\times\frac{1}{2}=20$
(3) 평행사변형에서 이웃하는 각의 크기의 합이 180°이므로
$\angle D=180^\circ-\angle C=45^\circ$
$S=3\times6\times\sin 45^\circ=3\times6\times\frac{\sqrt{2}}{2}=9\sqrt{2}$

02 (1) $S=\frac{1}{2}\times5\times4\times\sin 45^\circ=\frac{1}{2}\times5\times4\times\frac{\sqrt{2}}{2}=5\sqrt{2}$
(2) $S=\frac{1}{2}\times8\times6\times\sin\left(\pi-\frac{\pi}{3}\right)$
$=\frac{1}{2}\times8\times6\times\frac{\sqrt{3}}{2}=12\sqrt{3}$
(3) 두 대각선이 서로 다른 것을 수직이등분한다는 것은 두 대각선이 이루는 각의 크기가 90°이다.
$S=\frac{1}{2}\times10\times16\times\sin 90^\circ=\frac{1}{2}\times10\times16\times1=80$

03 (1) ① △ ACD의 넓이를 S_1라고 하면
$\therefore S_1=\frac{1}{2}\times4\times3=6$
② $\overline{AC}=\sqrt{3^2+4^2}=5$이고 △$ABC$의 넓이를 S_2라고 하면
$S=\frac{4+7+5}{2}=8$이고, 헤론의 공식에 의하여
$S_2=\sqrt{8(8-4)(8-7)(8-5)}=4\sqrt{6}$
③ △ $ABCD$의 넓이를 S라 하면
$\therefore S=S_1+S_2=6+4\sqrt{6}$
(2) ① △ ACD의 넓이를 S_1라고 하면
$\therefore S_1=\frac{1}{2}\times\overline{AC}\times\overline{CD}\times\sin 30^\circ$
$=\frac{1}{2}\times6\times10\times\frac{1}{2}=15$
② △ ABC의 넓이를 S_2라고 하면 헤론의 공식에 의하여
$S_2=\sqrt{12(12-10)(12-10)(12-4)}=8\sqrt{6}$
③ △ $ABCD$의 넓이를 S라 하면
$\therefore S=S_1+S_2=15+8\sqrt{6}$

04 (1) 대각선으로 나누면 높이가 같은 두 개의 삼각형이 생긴다.
즉, □$ABCD$=△ ABD+△ BCD이다.
(i) 사다리꼴의 높이 $h=\overline{CD}\sin C=6\times\frac{\sqrt{2}}{2}=3\sqrt{2}$
(ii) $S_1=\triangle BCD=\frac{1}{2}\times10\times3\sqrt{2}=15\sqrt{2}$
$S_2=\triangle ABD=\frac{1}{2}\times8\times3\sqrt{2}=12\sqrt{2}$
(iii) $S=S_1+S_2=27\sqrt{2}$
(2) 마름모의 한 내각의 크기를 θ라고 하면 □$ABCD$는 네 변의 길이가 모두 a인 평행사변형이므로
$\therefore S=a^2\sin\theta=20\times20\times\sin 120^\circ$
$=20\times20\times\frac{\sqrt{3}}{2}=200\sqrt{3}$

05 $\angle DPC=\theta$라 하면, 코사인법칙의 변형에 의해
$\cos\theta=\frac{2^2+4^2-(2\sqrt{3})^2}{2\times2\times4}=\frac{1}{2}$
$0^\circ<\theta<180^\circ$이므로 $\therefore \theta=60^\circ$
사각형의 넓이는 $S=\frac{1}{2}\times8\times7\times\sin 60^\circ=14\sqrt{3}$

必 개념 정복

110-113쪽

01 (1) $A=60^\circ$ 또는 $A=120^\circ$ (2) $10\sqrt{3}$
(3) 9:11:12 (4) 6:15:10
(5) 2 (6) 27π
02 (1) 정삼각형 (2) $a=b$인 이등변삼각형
03 (1) $\sqrt{31}$ (2) 2
(3) 45° (4) $-\frac{1}{7}$
(5) $\frac{14\sqrt{3}}{3}$
04 (1) $A=90^\circ$인 직각삼각형 (2) $a=b$인 이등변삼각형
05 (1) $\frac{15}{4}$ (2) $9\sqrt{2}$
(3) $7\sqrt{3}$ (4) $\frac{3\sqrt{3}}{2}$
(5) $12\sqrt{5}$
06 (1) 3 (2) $\frac{25}{4}$
07 (1) 28 (2) $48\sqrt{3}$
(3) $24\sqrt{3}$ (4) $10\sqrt{6}$
08 (1) 8 (2) 24

01 (1) 사인법칙에 의해서 $\frac{4\sqrt{6}}{\sin A}=\frac{8}{\sin 45°}$

$8\sin A=4\sqrt{6}\sin 45°$ $\therefore \sin A=\frac{\sqrt{3}}{2}$

$0°<A<180°-45°$이므로

$\therefore A=60°$ 또는 $A=120°$

(2) 사인법칙에 의해서 $\frac{10}{\sin 30°}=\frac{c}{\sin 120°}$

$c\sin 30°=10\sin 120°$ $\therefore c=10\sqrt{3}$

(3) $\triangle ABC$의 외접원의 반지름의 길이를 R라고하면 사인법칙에 의하여

$\sin A=\frac{a}{2R}$, $\sin B=\frac{b}{2R}$, $\sin C=\frac{c}{2R}$를

주어진 조건에 대입하면,

$\sin A:\sin B:\sin C=a:b:c=5:4:7$이므로

$a=5k$, $b=4k$, $c=7k$(k는 양수)라 하면

$(a+b):(b+c):(c+a)=9k:11k:12k=9:11:12$

(4) $\sin A:\sin B:\sin C=a:b:c=2:3:5$이므로

$a=2k$, $b=3k$, $c=5k$(k는 양수)라 하면

$ab:bc:ca=6k^2:15k^2:10k^2=6:15:10$

(5) 사인법칙에 의하여 $2R=\frac{\overline{BC}}{\sin A}=\frac{2\sqrt{3}}{\sin 60°}$

$\therefore R=\frac{2\sqrt{3}}{2\times\frac{\sqrt{3}}{2}}$ $\therefore R=2$

(6) (i) 외접원의 반지름을 R라고 할 때

$A=180°-(30°+30°)=120°$

사인법칙에 의해서 $\frac{9}{\sin 120°}=2R$

$\therefore R=\frac{9}{2\times\frac{\sqrt{3}}{2}}$ $\therefore R=3\sqrt{3}$

(ii) 외접원의 넓이 $S=\pi R^2=(3\sqrt{3})^2\pi=27\pi$

02 (1) $\triangle ABC$의 외접원의 반지름의 길이를 R라 할 때, 사인법칙에 의하여

$\sin A=\frac{a}{2R}$, $\sin B=\frac{b}{2R}$, $\sin C=\frac{c}{2R}$를

주어진 관계식에 대입하면

$\frac{a^2}{2R}=\frac{b^2}{2R}=\frac{c^2}{2R}\Leftrightarrow a=b=c$ ($\because a,b,c$는 양수)

$\therefore \triangle ABC$는 정삼각형

(2) $\triangle ABC$의 외접원의 반지름의 길이를 R라 할 때, 사인법칙에 의하여 $\sin A=\frac{a}{2R}$, $\sin B=\frac{b}{2R}$를

주어진 관계식에 대입하면

$a\times\left(\frac{a}{2R}\right)^2=b\times\left(\frac{b}{2R}\right)^2$

$a^3=b^3$ $\therefore a=b$

$\therefore \triangle ABC$는 $a=b$인 이등변삼각형

03 (1) 코사인법칙에 의하여

$c^2=a^2+b^2-2ab\cos\frac{\pi}{3}$

$=5^2+6^2-2\times5\times6\times\frac{1}{2}=31$

이 때 c는 삼각형의 한 변의 길이이므로 $c>0$

$\therefore c=\sqrt{31}$

(2) 코사인법칙에 의하여

$b^2=c^2+a^2-2ca\cos 45°$

$=(\sqrt{6})^2+(\sqrt{3}+1)^2-2\times\sqrt{6}\times(\sqrt{3}+1)\times\frac{\sqrt{2}}{2}$

$=4$

이 때 b는 삼각형의 한 변의 길이이므로 $b>0$

$\therefore b=2$

(3) 코사인법칙의 변형에 의하여

$\cos A=\frac{b^2+c^2-a^2}{2bc}=\frac{(\sqrt{2})^2+3^2-(\sqrt{5})^2}{2\times\sqrt{2}\times3}=\frac{1}{\sqrt{2}}$

$0°<A<180°$이므로 $\therefore A=45°$

(4) 세 변 a, b, c의 길이의 비가 $a:b:c=3:7:8$이므로

$a=3k$, $b=7k$, $c=8k$(k는 양수)라 하면

따라서 코사인법칙의 변형에 의하여

$\cos C=\frac{a^2+b^2-c^2}{2ab}=\frac{(3k)^2+(7k)^2-(8k^2)}{2\times3k\times7k}=-\frac{1}{7}$

(5) (i) 코사인법칙에 의하여

$a^2=b^2+c^2-2bc\cos 120°$

$=5^2+3^2-2\times5\times3\times\left(-\frac{1}{2}\right)$

$=49$

이 때 a는 삼각형의 한 변의 길이이므로 $a>0$

$\therefore a=7$

(ii) 외접원의 반지름을 R라고 할 때

사인법칙에 의해서 외접원의 지름은

$\therefore 2R=\frac{7}{\sin 120°}=\frac{14\sqrt{3}}{3}$

04 (1) 코사인법칙에 의해서

$\cos A=\frac{b^2+c^2-a^2}{2bc}$, $\cos B=\frac{c^2+a^2-b^2}{2ca}$를

주어진 식에 대입하면,

$a\left(\frac{c^2+a^2-b^2}{2ca}\right)-b\left(\frac{b^2+c^2-a^2}{2bc}\right)=c$

양변에 $2c$를 곱하면 $a^2+c^2-b^2-(b^2+c^2-a^2)=2c^2$

$2a^2-2b^2=2c^2$ $\therefore a^2=b^2+c^2$

$\therefore \triangle ABC$는 $A=90°$인 직각삼각형

(2) $\cos A:\cos B=a:b\Leftrightarrow a\cos B=b\cos A$ ⋯ ㉠

코사인법칙에 의해서

$\cos A=\dfrac{b^2+c^2-a^2}{2bc}$, $\cos B=\dfrac{c^2+a^2-b^2}{2ca}$ 를

주어진 ㉠에 대입하면,

$a\times\dfrac{c^2+a^2-b^2}{2ca}=b\times\dfrac{b^2+c^2-a^2}{2bc}$, $\therefore a=b$

$\therefore \triangle ABC$는 $a=b$인 이등변삼각형

05 (1) $S=\dfrac{1}{2}\times5\times3\times\sin30^\circ=\dfrac{1}{2}\times5\times3\times\dfrac{1}{2}=\dfrac{15}{4}$

(2) $S=\dfrac{1}{2}\times6\times6\times\sin45^\circ=\dfrac{1}{2}\times6\times6\times\dfrac{\sqrt{2}}{2}=9\sqrt{2}$

(3) $S=\dfrac{1}{2}\times4\times7\times\sin120^\circ=\dfrac{1}{2}\times4\times7\times\dfrac{\sqrt{3}}{2}=7\sqrt{3}$

(4) (i) 코사인법칙의 변형을 이용하여

$\cos C=\dfrac{a^2+b^2-c^2}{2ab}$

$=\dfrac{3^2+(2\sqrt{3})^2-(\sqrt{3})^2}{2\times3\times2\sqrt{3}}=\dfrac{\sqrt{3}}{2}$

(ii) $\sin^2C+\cos^2C=1$이고, $\sin C>0$이므로

$\therefore \sin C=\sqrt{1-\cos^2C}=\sqrt{1-\left(\dfrac{\sqrt{3}}{2}\right)^2}=\dfrac{1}{2}$

(iii) $S=\dfrac{1}{2}ab\sin C=\dfrac{1}{2}\times3\times2\sqrt{3}\times\dfrac{1}{2}=\dfrac{3\sqrt{3}}{2}$

(5) 헤론의 공식을 이용하여

$a=9$, $b=8$, $c=7$이므로 $s=\dfrac{9+8+7}{2}=12$

따라서 삼각형의 넓이 S는

$\therefore S=\sqrt{12(12-9)(12-8)(12-7)}=12\sqrt{5}$

06

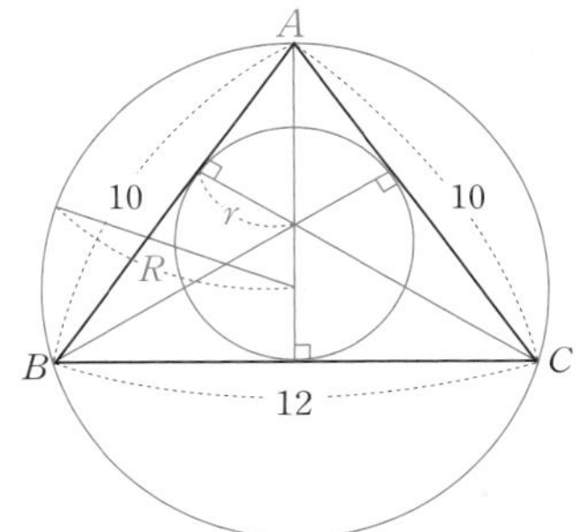

(1) 헤론의 공식을 이용하여

$\triangle ABC$의 넓이 S를 구하면 $s=\dfrac{10+10+12}{2}=16$,

$S=\sqrt{16(16-10)(16-10)(16-12)}=48$

내접원의 반지름을 r라 하면 $\triangle ABC$의 넓이를 S는

$S=\dfrac{1}{2}r(10+10+12)=48$이므로 $\therefore r=3$

(2) 외접하는 원의 반지름의 길이를 R라 하면

삼각형의 넓이 $S=\dfrac{abc}{4R}$

$48=\dfrac{10\times10\times12}{4R}$ $\therefore R=\dfrac{25}{4}$

07 (1) $S=\overline{AD}\times\overline{AB}\times\sin150^\circ=8\times7\times\dfrac{1}{2}=28$

(2) $S=\dfrac{1}{2}\times\overline{AC}\times\overline{BD}\times\sin120^\circ$

$=\dfrac{1}{2}\times16\times12\times\dfrac{\sqrt{3}}{2}=48\sqrt{3}$

(3) 마름모는 한 변의 길이가 a이고, 한 내각의 크기가 θ일 때,

$S=a^2\sin\theta$이므로

$S=(4\sqrt{3})^2\times\sin60^\circ=(4\sqrt{3})^2\times\dfrac{\sqrt{3}}{2}=24\sqrt{3}$

(4) 두 대각선이 서로 다른 것을 수직이등분한다는 것은 두 대각선이 이루는 각의 크기가 90°이다.

$S=\dfrac{1}{2}\times4\sqrt{2}\times5\sqrt{3}\times\sin90^\circ=10\sqrt{6}$

08 (1)

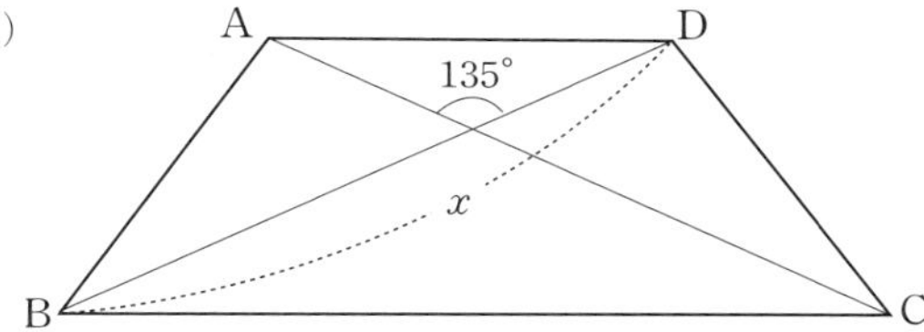

등변사다리꼴 $ABCD$의 두 대각선의 길이는 같으므로 한 대각선의 길이를 x라 하면

$S=\dfrac{1}{2}x^2\sin135^\circ=16\sqrt{2}$ $\therefore x=8$

(2)

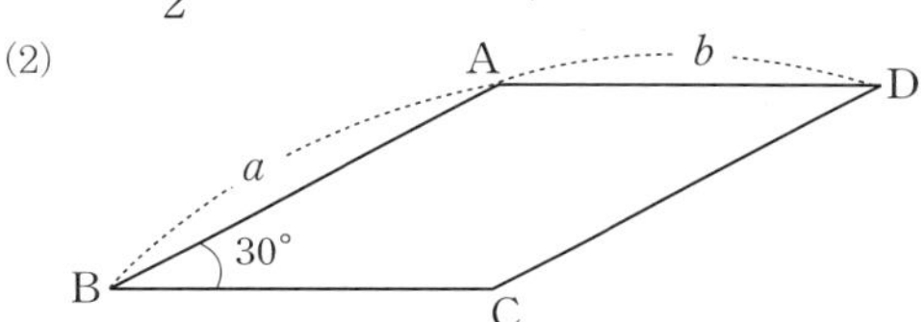

$\overline{AB}=\overline{CD}=a$, $\overline{BC}=\overline{AD}=b$ 라 하면

평행사변형의 넓이 S는

$S=ab\sin\theta$이므로 $ab\sin30^\circ=\dfrac{1}{2}ab=12$ $\therefore ab=24$

必 개념 정복 114~116쪽

01 ③ **02** ②
03 ③ **04** ④
05 ② **06** ①
07 ③ **08** ④
09 ④ **10** -15π
11 ⑤ **12** $\dfrac{\pi}{3}\le\theta\le\pi$
13 (1) $3\sqrt{7}$(m) (2) $21\pi(\text{m}^2)$
14 ⑤ **15** ①
16 (1) $\sqrt{7}$ (2) 2 (3) $2\sqrt{3}$

01 ① 210°: 제3사분면

② $-\frac{5}{6}\pi=2\pi\times(-1)+\frac{7}{6}\pi$: 제3사분면

③ 480°=360°+120°: 제2사분면

④ $\frac{10}{3}\pi=2\pi+\frac{4}{3}\pi$: 제3사분면

⑤ $-530°=360°\times(-2)+190°$: 제3사분면

02 $6\theta-\theta=2n\pi+\pi$(n은 정수)

$\theta=\frac{2n+1}{5}\pi$

이 때, $0°<\theta<90°$이므로 $n=0$이다.

$\therefore \theta=\frac{\pi}{5}=36°$

03 부채꼴의 반지름의 길이를 r, 호의길이를 l, 넓이를 S라 하면

$S=\frac{1}{2}r^2\theta$에서 $6\pi=\frac{1}{2}r^2\times\frac{4}{3}\pi \quad \therefore r=3(\because r>0)$

$l=r\theta=3\times\frac{4}{3}\pi=4\pi$

따라서 부채꼴의 둘레의 길이는 $2r+l=6+4\pi$

04 부채꼴의 반지름의 길이를 r, 호의 길이를 l, 넓이를 S라 하면

$S=\frac{1}{2}rl=\frac{1}{2}r\times6\pi=15\pi \quad \therefore r=5$

원뿔의 높이를 h, 밑면의 반지름의 길이를 r'라 하면

$2\pi r'=6\pi \quad \therefore r'=3(\text{cm})$

$h^2=5^2-3^2 \quad \therefore h=4(\text{cm})$

원뿔의 부피 $V=\frac{1}{3}\pi r^2h=\frac{\pi}{3}\times3^2\times4=12\pi(\text{cm}^3)$

05 $\cos\theta>0$, $\sin\theta<0$이므로 θ는 제4사분면의 각

ㄱ. (반례)$\theta=-60°$이면 $2\theta=-120°$이므로 $\cos 2\theta<0$(거짓)

ㄴ. $\tan\theta=\frac{\sin\theta}{\cos\theta}<0$이므로, $\sin\theta\tan\theta>0$(참)

ㄷ. $\cos\theta>0$, $\sin\theta<0$이므로 $\sin\theta-\cos\theta<0$(거짓)

06 $\cos\theta=-\sqrt{1-\sin^2\theta}=-\sqrt{1-\frac{9}{25}}=-\frac{4}{5}\ \left(\because\frac{\pi}{2}<\theta<\pi\right)$

$10\left\{\sin\left(\frac{3}{2}\pi+\theta\right)+\cos\left(\frac{3}{2}\pi+\theta\right)\right\}$

$=10(-\cos\theta+\sin\theta)$

$=10\left(\frac{4}{5}+\frac{3}{5}\right)=14$

07 $\sin 210°\sin 230°\sin 250°$

$=\sin(270°-60°)\sin(270°-40°)\sin(270°-20°)$

$=(-\cos 60°)(-\cos 40°)(-\cos 20°)$

이므로

$\cos 20°\cos 40°\cos 60°-\cos 60°\cos 40°\cos 20°=0$

08 각각의 주기를 구하면,

① 2π ② $\frac{2\pi}{\frac{\pi}{2}}=4$ ③ π ④ $\frac{2\pi}{\pi}=2$ ⑤ $\frac{2\pi}{\frac{1}{2}}=4\pi$

09 ㄱ. $f(0)=2\cos\left(-\frac{\pi}{3}\right)+3=2\times\frac{1}{2}+3=4$ (참)

ㄴ. 최댓값은 5, 최솟값은 1 (거짓)

ㄷ. $y=2\cos\frac{x}{2}$의 그래프를 x축의 방향으로 $\frac{2\pi}{3}$만큼, y축의 방향으로 3만큼 평행이동한 것이다.(참)

10 주기는 $\frac{2\pi}{2}=\pi$이므로 $\therefore a=\pi$

$-1\le\cos\left(2x-\frac{\pi}{3}\right)\le1$에서

$-1\le3\cos\left(2x-\frac{\pi}{3}\right)+2\le5$

이므로 $b=5$, $c=-1$

$\therefore 3abc=-15\pi$

11 $x-\frac{\pi}{3}=t$로 놓으면 $0\le x<2\pi$에서 $-\frac{\pi}{6}\le t<\frac{11}{6}\pi$이고

주어진 방정식은 $\cos t=-\frac{1}{2} \quad \therefore t=\frac{2}{3}\pi$ 또는 $\frac{4}{3}\pi$

즉, $x-\frac{\pi}{6}=\frac{2}{3}\pi$ 또는 $x-\frac{\pi}{6}=\frac{4}{3}\pi$

$\alpha<\beta$이므로 $\alpha=\frac{5}{6}\pi$, $\beta=\frac{3}{2}\pi$

$\alpha-\beta=-\frac{2}{3}\pi$이므로 $\therefore \sin\left(\frac{\alpha-\beta}{2}\right)=\sin\left(-\frac{\pi}{3}\right)=-\frac{\sqrt{3}}{2}$

12 주어진 방정식이 실근을 가지려면

$\frac{D}{4}=(-2\sin\theta)^2-2(\cos\theta+1)\ge0$

$4\sin^2\theta-2\cos\theta-2\ge0$

$4(1-\cos^2\theta)-2\cos\theta-2\ge0$

$2\cos^2\theta+\cos\theta-1\le0$

$(2\cos\theta-1)(\cos\theta+1)\le0$

$\therefore -1\le\cos\theta\le\frac{1}{2}$

$\therefore \frac{\pi}{3}\le\theta\le\pi$

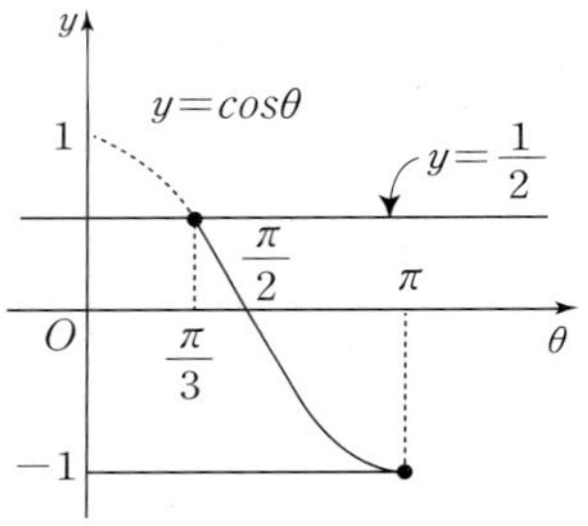

13 (1) $\triangle ABC$에서 코사인법칙에 의하여

$\overline{BC}^2=\overline{AB}^2+\overline{AC}^2-2\overline{AB}\cdot\overline{AC}\cos60°$

$=9^2+6^2-2\times9\times6\times\frac{1}{2} \quad \therefore \overline{BC}=3\sqrt{7}(\text{m})$

(2) 이 연못의 반지름의 길이를 $R(\text{m})$라 하면

사인법칙에 의하여 $\frac{\overline{BC}}{\sin A}=2R$

$R=\frac{\overline{BC}}{2\sin A}=\frac{3\sqrt{7}}{2\times\sin 60°}=\frac{3\sqrt{7}}{\sqrt{3}}=\sqrt{21}$

따라서 구하는 수면의 넓이 S는 $\therefore S=\pi R^2=21\pi(\text{m}^2)$

14 부채꼴의 호의 길이는 중심각의 크기에 비례하므로

$\widehat{AB}:\widehat{BC}:\widehat{CA}=3:4:5$

$\angle AOB=\frac{3}{12}\times360°=90°$

$\angle BOC=\frac{4}{12}\times360°=120°$

$\angle COA=\frac{5}{12}\times360°=150°$

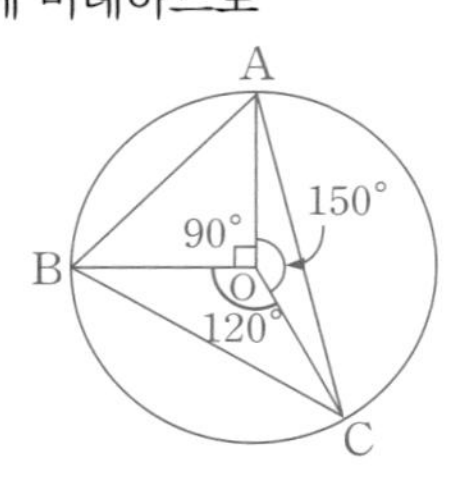

따라서 $\triangle ABC=\triangle AOB+\triangle BOC+\triangle COA$

$=\frac{1}{2}\times10^2\times\sin 90^\circ+\frac{1}{2}\times10^2\times\sin120^\circ$

$+\frac{1}{2}\times10^2\times\sin150^\circ$

$=\frac{1}{2}\times10^2\times1+\frac{1}{2}\times10^2\times\frac{\sqrt{3}}{2}+\frac{1}{2}\times10^2\times\frac{1}{2}$

$=75+25\sqrt{3}$

15 $\triangle ABC$의 넓이와 $\triangle APQ$의 넓이를 각각 S, S'이라 하면

$S=\frac{1}{2}\times\overline{AB}\times\overline{AC}\times\sin 60^\circ=\frac{1}{2}\times6\times4\times\frac{\sqrt{3}}{2}=6\sqrt{3}$

$S'=\frac{1}{2}\times\overline{AP}\times\overline{AQ}\times\sin 60^\circ$

$=\frac{1}{2}\times4\times\overline{AQ}\times\frac{\sqrt{3}}{2}=\sqrt{3}\times\overline{AQ}$

$S=2S'$이므로 $6\sqrt{3}=2\sqrt{3}\times\overline{AQ}$ $\therefore \overline{AQ}=3$

16

(1) $\overline{AC}=x$라 하면 $\triangle ABC$에서

코사인법칙에 의하여

$x^2=2^2+3^2-2\times2\times3\times\frac{1}{2}=7$ $\therefore x=\sqrt{7}$ $(\because x>0)$

(2) 원에 내접하는 사각형의 마주보는 두각의 합은 180°이므로

$\angle B+\angle D=180$, $\therefore \angle D=120^\circ$

$\overline{CD}=y$라 하면 $\triangle ACD$에서 코사인법칙에 의하여

$(\sqrt{7})^2=1^2+y^2-2\times1\times y\times\cos 120^\circ$

$7=1+y^2-2y\times\left(-\frac{1}{2}\right)$, $(y+3)(y-2)=0$

$\therefore y=2(\because y>0)$

(3) $\square ABCD$의 넓이를 S라 하면

$\square ABCD=\triangle ABC+\triangle ACD$

$=\frac{1}{2}\times2\times3\times\sin 60+\frac{1}{2}\times1\times2\times\sin 120^\circ$

$=\frac{1}{2}\times2\times3\times\frac{\sqrt{3}}{2}+\frac{1}{2}\times1\times2\times\frac{\sqrt{3}}{2}=2\sqrt{3}$

1 등차수열과 등비수열

개념 01 수열의 뜻

118쪽

예 2, $2n$

01 (1) 9 (2) 25 (3) 32 (4) $\frac{1}{10}$ (5) -3

02 (1) $a_1=3$, $a_2=6$, $a_3=9$, $a_4=12$, $a_5=15$

(2) $a_1=5$, $a_2=6$, $a_3=7$, $a_4=8$, $a_5=9$

(3) $a_1=1$, $a_2=\frac{1}{4}$, $a_3=\frac{1}{9}$, $a_4=\frac{1}{16}$, $a_5=\frac{1}{25}$

(4) $a_1=8$, $a_2=6$, $a_3=4$, $a_4=2$, $a_5=0$

(5) $a_1=\sqrt{2}$, $a_2=2$, $a_3=2\sqrt{2}$, $a_4=4$, $a_5=4\sqrt{2}$

03 (1) 4, 7, 10, 13, 16

(2) 11, 7, 3, -1, -5

(3) 4, 8, 16, 32, 64

(4) -2, 2, -2, 2, -2

(5) $\frac{1}{2}$, $\frac{1}{6}$, $\frac{1}{12}$, $\frac{1}{20}$, $\frac{1}{30}$

(6) 2, $\frac{3}{4}$, $\frac{4}{9}$, $\frac{5}{16}$, $\frac{6}{25}$

(7) 1, 11, 111, 1111, 11111

04 (1) $a_n=3n$ (2) $a_n=\frac{1}{2n-1}$

(3) $a_n=\frac{n+2}{n(n+1)}$ (4) $a_n=(-1)^n$

(5) $a_n=\frac{5}{9}(10^n-1)$

도전! 1등급 **05** ⑤

01 (1) $2\cdot1-1$, $2\cdot2-1$, $2\cdot3-1$, …이므로 다섯째 항은 $2\cdot5-1=9$

(2) 1^2, 2^2, 3^2, …이므로 다섯째 항은 $5^2=25$

(3) 2^1, 2^2, 2^3, …이므로 다섯째 항은 $2^5=32$

(4) $\frac{1}{2\cdot1}$, $\frac{1}{2\cdot2}$, $\frac{1}{2\cdot3}$, …이므로 다섯째 항은 $\frac{1}{2\cdot5}=\frac{1}{10}$

(5) $7-2\times1$, $7-2\times2$, $7-2\times3$, …이므로 다섯째 항은 $7-2\times5=-3$

03 (7) $\frac{1}{9}(10^1-1)=1$, $\frac{1}{9}(10^2-1)=11$, $\frac{1}{9}(10^3-1)=111$,

$\frac{1}{9}(10^4-1)=1111$, $\frac{1}{9}(10^5-1)=11111$

04 (1) $3\cdot1$, $3\cdot2$, $3\cdot3$, $3\cdot4$… $\therefore a_n=3n$

(2) $\frac{1}{2-1}$, $\frac{1}{4-1}$, $\frac{1}{6-1}$, $\frac{1}{8-1}$, …

$\frac{1}{2\cdot1-1}$, $\frac{1}{2\cdot2-1}$, $\frac{1}{2\cdot3-1}$, $\frac{1}{2\cdot4-1}$ …

$\therefore a_n=\frac{1}{2n-1}$

(3) $\frac{1+2}{1\cdot2}$, $\frac{2+2}{2\cdot3}$, $\frac{3+2}{3\cdot4}$, $\frac{4+2}{4\cdot5}$, … $\therefore a_n=\frac{n+2}{n(n+1)}$

(4) $(-1)^1$, $(-1)^2$, $(-1)^3$, $(-1)^4$, … $\therefore a_n=(-1)^n$

(5) $\frac{5}{9}\cdot9$, $\frac{5}{9}\cdot99$, $\frac{5}{9}\cdot999$, $\frac{5}{9}\cdot9999$, …

$\frac{5}{9}(10^1-1)$, $\frac{5}{9}(10^2-1)$, $\frac{5}{9}(10^3-1)$, $\frac{5}{9}(10^4-1)$, …

$\therefore a_n=\frac{5}{9}(10^n-1)$

05 주어진 수열의 일반항 a_n은 $a_n=n(n+2)$
따라서 제 100항을 구하면
$a_{100}=100\cdot102=10200$

개념 02 등차수열

120쪽

예 1, 3, 등차수열, 3

예 2, 3, $3n-1$

예 등차중항, $\frac{3+7}{2}$, 5

01 (1) ○ (2) × (3) ○ (4) ×

02 (1) $d=4$ (2) $d=-3$ (3) $d=2$ (4) $d=-4$

03 (1) $a_n=2n-1$ (2) $a_n=3n-7$ (3) $a_n=-2n+11$ (4) $a_n=-4n+1$ (5) $a_n=\frac{3}{2}n-2$ (6) $a_n=\sqrt{2}n+\sqrt{2}$

04 (1) $a_n=3n-2$ (2) $a_n=-3n+6$ (3) $a_n==2n+3$ (4) $a_n=-4n+14$ (5) $a_n=-\frac{1}{2}n+3$ (6) $a_n=\frac{4}{3}n-\frac{2}{3}$

05 (1) 8 (2) -13 (3) 45 (4) -26 (5) -33

06 (1) 5
(2) $\frac{13}{2}$
(3) -11
(4) $x=2$, $y=-12$
(5) $x=17$, $y=24$
(6) $x=-2$, $y=-10$, $z=-18$
(7) $x=-8$, $y=-2$, $z=16$

07 (1) ① -3, 1, 5 ② -11, -5, 1
(2) ① 21 ② 45

도전! 1등급 **08** ④ **09** ②

01 (1) $2+2=4$, $4+2=6$, $6+2=8$, …
더해지는 수가 2로 일정하므로 등차수열이다.
(2) $5+3=8$, $8+4=12$, $12+5=17$, …
더해지는 수가 3, 4, 5, …로 일정하지 않으므로 등차수열이 아니다.
(3) $-3+(-5)=-8$, $-8+(-5)=-13$, $-13+(-5)=-18$, …
더해지는 수가 -5로 일정하므로 등차수열이다.
(4) $100-9=91$, $91-10=81$, $81-11=70$, …
더해지는 수가 -9, -10, -11, …로 일정하지 않으므로 등차수열이 아니다.

02 (1) $d=8-4=12-8=16-12=\cdots=4$
(2) $d=-2-1=-5-(-2)=-8-(-5)=\cdots=-3$
(3) $d=\frac{5}{2}-\frac{1}{2}=\frac{9}{2}-\frac{5}{2}=\frac{13}{2}-\frac{9}{2}=\cdots=2$
(4) $d=2-6=-2-2=-6-(-2)=\cdots=-4$

03 (1) $a_n=1+(n-1)\cdot2=2n-1$
(2) $a_n=-4+(n-1)\cdot3=3n-7$
(3) $a_n=9+(n-1)\cdot(-2)=-2n+11$
(4) $a_n=-3+(n-1)\cdot(-4)=-4n+1$
(5) $a_n=-\frac{1}{2}+(n-1)\cdot\frac{3}{2}=\frac{3}{2}n-2$
(6) $a_n=2\sqrt{2}+(n-1)\cdot\sqrt{2}=\sqrt{2}n+\sqrt{2}$

04 (1) $d=3$이므로 $a_n=1+(n-1)\cdot3=3n-2$
(2) $d=-3$이므로 $a_n=3+(n-1)\cdot(-3)=-3n+6$
(3) $d=2$이므로 $a_n=5+(n-1)\cdot2=2n+3$
(4) $d=-4$이므로 $a_n=10+(n-1)\cdot(-4)=-4n+14$
(5) $d=-\frac{1}{2}$이므로 $a_n=\frac{5}{2}+(n-1)\cdot\left(-\frac{1}{2}\right)=-\frac{1}{2}n+3$
(6) $d=\frac{4}{3}$이므로 $a_n=\frac{2}{3}+(n-1)\cdot\frac{4}{3}=\frac{4}{3}n-\frac{2}{3}$

05 (1) $a_2=a_1+d=a_1+2=-8$ 이므로 $\therefore a_1=-10$
$\therefore a_{10}=a_1+9d=-10+9\times2=8$
(2) $a_3=a_1+2d=a_1+(-2)\times2=5$ 이므로 $\therefore a_1=9$
$\therefore a_{12}=a_1+11d=9+11\times(-2)=-13$
(3) $a_3=a_1+2d=9$ …… ㉠
$a_8=a_1+7d=24$ …… ㉡

㉠, ㉡을 연립하여 풀면 $a_1=3$, $d=3$

$\therefore a_{15}=a_1+14d=3+14\times3=45$

[또 다른 방법]

$a_8-a_3=a_1+7d-(a_1+2d)=5d$, $5d=15$ $\therefore d=3$

$\therefore a_{15}=a_8+7d=24+3\times7=45$

(4) $a_3=a_1+2d=-2$ …… ㉠

$a_7=a_1+6d=-14$ …… ㉡

㉠, ㉡을 연립하여 풀면 $a_1=4$, $d=-3$

$\therefore a_{11}=a_1+10d=4+10\times(-3)=-26$

[또 다른 방법]

$a_7-a_3=a_1+6d-(a_1+2d)=4d$, $\therefore 4d=-12$

$\therefore a_{11}=a_7+4d=-14+(-12)=-26$

(5) $a_2=a_1+d=-1$ …… ㉠

$a_5=a_1+4d=-3$ …… ㉡

㉠, ㉡을 연립하여 풀면 $a_1=-\frac{1}{3}$, $d=-\frac{2}{3}$

$\therefore a_{50}=a_1+49d=-\frac{1}{3}+49\times\left(-\frac{2}{3}\right)=-33$

[또 다른 방법]

$a_5-a_2=a_1+4d-(a_1+d)=3d$, $\therefore 3d=-2$

$\therefore a_{50}=a_5+45d=a_5+15\cdot3d=-3+(-30)=-33$

06 (1) $x=\frac{2+8}{2}=5$

(2) $x=\frac{10+3}{2}=\frac{13}{2}$

(3) $x=\frac{-4+(-18)}{2}=-11$

(4) x는 9와 -5의 등차중항이므로 $\therefore x=\frac{9+(-5)}{2}=2$

y는 -5와 -19의 등차중항이므로

$\therefore y=\frac{(-5)+(-19)}{2}=-12$

(5) x는 3과 31의 등차중항이므로 $\therefore x=\frac{3+31}{2}=17$

y는 x와 31의 등차중항이므로

$\therefore y=\frac{x+31}{2}=\frac{17+31}{2}=24$

(6) y는 -6과 -14의 등차중항이므로

$y=\frac{(-6)+(-14)}{2}=-10$

-6은 x와 y의 등차중항이므로

$\frac{x+y}{2}=-6$, $x+(-10)=-12$ $\therefore x=-2$

-14는 y와 z의 등차중항이므로

$\frac{y+z}{2}=-14$, $(-10)+z=-28$ $\therefore z=-18$

(7) 10은 4와 z의 등차중항이므로

$\frac{4+z}{2}=10$, $4+z=20$ $\therefore z=16$

4는 x와 z의 등차중항이므로

$\frac{x+z}{2}=\frac{x+16}{2}=4$, $x+16=8$ $\therefore x=-8$

y는 x와 4의 등차중항이므로

$\therefore y=\frac{x+4}{2}=\frac{-8+4}{2}=-2$

07 (1) ① 구하는 세 수를 $a-d$, a, $a+d$로 놓으면

$(a-d)+a+(a+d)=3$ …… ㉠

$(a-d)\times a\times(a+d)=-15$ …… ㉡

㉠에서 $3a=3$, $\therefore a=1$

$a=1$을 ㉡에 대입하면 $(1-d)\times1\times(1+d)=-15$

$1-d^2=-15$, $d^2=16$, $\therefore d=-4$또는 $d=4$

따라서 구하는 세 수는 -3, 1, 5이다.

② 구하는 세 수를 $a-d$, a, $a+d$로 놓으면

$(a-d)+a+(a+d)=-15$ …… ㉠

$(a-d)\times a\times(a+d)=55$ …… ㉡

㉠에서 $3a=-15$, $\therefore a=-5$

$a=-5$를 ㉡에 대입하면

$(-5-d)\times(-5)\times(-5+d)=55$

$25-d^2=-11$, $d^2=36$, $\therefore d=-6$또는 $d=6$

따라서 구하는 세 수는 -11, -5, 1이다.

(2) ① w, x, y, z는 등차수열이므로

각각 $w=a-3d$, $x=a-d$, $y=a+d$, $z=a+3d$로 놓으면

$(a-3d)+(a-d)+(a+d)+(a+3d)=48$,

$4a=48$ $\therefore a=12$

$wz=(a-3d)(a+3d)=(12-3d)(12+3d)=63$

$144-9d^2=63$, $d^2=9$, $\therefore d=-3$ 또는 $d=3$

따라서 네 수 중 가장 큰 수는

$z=a+3d=12+3\times3=21$

② w, x, y, z는 등차수열이므로

각각 $w=a-3d$, $x=a-d$, $y=a+d$, $z=a+3d$로 놓으면

$(a-3d)+(a-d)+(a+d)+(a+3d)=-36$,

$4a=-36$ $\therefore a=-9$

$xy=(a-d)(a+d)=(-9-d)(-9+d)=77$

$81-d^2=77$, $d^2=4$, $\therefore d=-2$ 또는 $d=2$

따라서 $wz=(a-3d)(a+3d)$

$=(-3)\cdot(-15)=45$

08 등차수열 $\{a_n\}$의 첫째항을 a, 공차를 d라 하면

$a_2+a_6=(a+d)+(a+5d)=2a+6d=20$ …… ㉠

$a_9+a_{12}=(a+8d)+(a+11d)=2a+19d=46$ ...... ㉡

㉠, ㉡을 연립하여 풀면 $a=4$, $d=2$

따라서 $a_{15}=4+14\times2=32$

09 두 수열 $\{a_n\}$, $\{b_n\}$은 n의 일차식이므로 등차수열이고 각각의 공차는 n의 계수와 같으므로 공차의 합은

$5+(-6)=-1$

개념 03 등차수열의 합

124쪽

예 10, 10, 1, 9, 145

예 10, 10, 21, 120

예 1, n^2, $(n-1)^2$, $2n-1$

01 (1) S_5 (2) S_{10} (3) S_{100} (4) S_{500} (5) S_{2015}

02 (1) 190 (2) 610 (3) -400 (4) -85

03 (1) 190 (2) 245 (3) 175 (4) -435

04 (1) -3 (2) 2 (3) -65

05 (1) 2500 (2) 325 (3) -150 (4) -600

06 (1) 1650 (2) -620 (3) 260 (4) -198

07 (1) 77 (2) 100 (3) 189 (4) 363

08 (1) -100 (2) -100 (3) -171 (4) -255

09 (1) $a_n=2n+2\ (n=1, 2, 3, \cdots)$

(2) $a_n=4n-5\ (n=1, 2, 3, \cdots)$

(3) $a_n=-2n+3\ (n=1, 2, 3, \cdots)$

(4) $a_n=-6n+4\ (n=1, 2, 3, \cdots)$

10 (1) $a_1=4$, $a_n=2n+1\ (n=2, 3, 4, \cdots)$

(2) $a_1=3$, $a_n=4n-3\ (n=2, 3, 4, \cdots)$

(3) $a_1=1$, $a_n=-2n+4\ (n=2, 3, 4, \cdots)$

도전! 1등급 **11** ④ **12** ④

02 (1) $S_{10}=\dfrac{10(2+9\cdot4)}{2}=190$

(2) $S_{20}=\dfrac{20(4+19\cdot3)}{2}=610$

(3) $S_{20}=\dfrac{20\{-2+19\cdot(-2)\}}{2}=-400$

(4) $S_{10}=\dfrac{10\{10+9\cdot(-3)\}}{2}=-85$

03 (1) $S_{10}=\dfrac{10(2+9\cdot4)}{2}=190$

(2) $S_{10}=\dfrac{10(4+9\cdot5)}{2}=245$

04 (1) 등차수열의 공차를 d, 첫째항부터 제n항까지의 합을 S_n이라고 하면

$S_{10}=\dfrac{10(2\cdot5+9d)}{2}=5(10+9d)=-85$

$50+45d=-85$, $\therefore d=-3$

(2) 등차수열의 공차를 d, 첫째항부터 제n항까지의 합을 S_n이라고 하면

$S_{18}=\dfrac{18(-17\cdot2+17d)}{2}=9(-34+17d)=0$

$-34+17d=0$, $\therefore d=2$

(3) 등차수열의 공차를 d, 첫째항부터 제n항까지의 합을 S_n이라고 하면

$S_{10}=\dfrac{10(2a+9d)}{2}=5(2a+9d)=375$

$\therefore 2a+9d=75$ ...... ㉠

$S_{20}=\dfrac{20(2a+19d)}{2}=10(2a+19d)=250$

$\therefore 2a+19d=25$ ...... ㉡

㉠, ㉡을 연립하여 풀면 $a=60$, $d=-5$

$S_{26}=\dfrac{26(2\cdot60+25\cdot(-5))}{2}=13(120-125)=-65$

05 (1) $S_{50}=\dfrac{50(1+99)}{2}=2500$

(2) $S_{10}=\dfrac{10(10+55)}{2}=325$

06 (1) $98=2+(n-1)\cdot3$, $98=3n-1$, $99=3n$, $n=33$

$S_{33}=\dfrac{33(2+98)}{2}=1650$

(2) $-50=10+(n-1)\cdot(-2)$, $-50=12-2n$, $n=31$

$S_{31}=\dfrac{31\{10+(-50)\}}{2}=-620$

07 (1) $a_n=20+(n-1)\cdot(-3)=-3n+23$이므로

$a_n>0$을 풀면 $-3n+23>0$, $n<\dfrac{23}{3}=7.\cdots$

따라서 첫째항부터 제7항까지의 합이 최대가 되므로

S_n의 최댓값은 $S_7=\dfrac{7\{40+6\cdot(-3)\}}{2}=77$

(2) $a_n=19+(n-1)\cdot(-2)=-2n+21$이므로

$a_n>0$을 풀면 $-2n+21>0$, $n<\dfrac{21}{2}=10.5$

따라서 첫째항부터 제10항까지의 합이 최대가 되므로

S_n의 최댓값은 $S_{10}=\frac{10\{38+9\cdot(-2)\}}{2}=100$

08 (1) $a_n=-19+(n-1)\cdot 2=2n-21$이므로

$a_n<0$을 풀면 $2n-21<0$, $n<\frac{21}{2}=10.5$

따라서 첫째항부터 제10항까지의 합이 최소가 되므로

S_n의 최솟값은 $S_{10}=\frac{10(-38+9\cdot 2)}{2}=-100$

(2) $a_n=-23+(n-1)\cdot 3=3n-26$이므로

$a_n<0$을 풀면 $3n-26<0$, $n<\frac{26}{3}=8.\cdots$

따라서 첫째항부터 제8항까지의 합이 최소가 되므로

S_n의 최솟값은 $S_8=\frac{8(-46+7\cdot 3)}{2}=-100$

09 (1) S_n이 상수항이 0인 n에 관한 이차식이므로 a_n은 첫째항부터 등차수열을 이룬다.

$a_n=S_n-S_{n-1}=(n^2+3n)-\{(n-1)^2+3(n-1)\}$
$=2n+2\ (n=1, 2, 3, \cdots)$

(2) S_n이 상수항이 0인 n에 관한 이차식이므로 a_n은 첫째항부터 등차수열을 이룬다.

$a_n=S_n-S_{n-1}=(2n^2-3n)-\{2(n-1)^2-3(n-1)\}$
$=4n-5\ (n=1, 2, 3, \cdots)$

(3) S_n이 상수항이 0인 n에 관한 이차식이므로 a_n은 첫째항부터 등차수열을 이룬다.

$a_n=S_n-S_{n-1}=(-n^2+2n)-\{-(n-1)^2+2(n-1)\}$
$=-2n+3\ (n=1, 2, 3, \cdots)$

10 (1) S_n이 상수항이 0인 n에 관한 이차식이므로 a_n은 둘째항부터 등차수열을 이룬다.

$a_1=S_1=4$

$a_n=S_n-S_{n-1}$
$=(n^2+2n+1)-\{(n-1)^2+2(n-1)+1\}$
$=2n+1\ (n=2, 3, 4, \cdots)$

(2) S_n이 상수항이 0아닌 n에 관한 이차식이므로 a_n은 둘째항부터 등차수열을 이룬다.

$a_1=S_1=3$

$a_n=S_n-S_{n-1}$
$=(2n^2-n+2)-\{2(n-1)^2-(n-1)+2\}$
$=4n-3\ (n=2, 3, 4, \cdots)$

(3) S_n이 상수항이 0아닌 n에 관한 이차식이므로 a_n은 둘째항부터 등차수열을 이룬다.

$a_1=S_1=1$

$a_n=S_n-S_{n-1}$
$=(-n^2+3n-1)-\{-(n-1)^2+3(n-1)-1\}$
$=-2n+4\ (n=2, 3, 4, \cdots)$

11 첫째항이 1, 끝항이 50인 등차수열의 첫째항부터 제10항까지의 합을 구하면

$S_{10}=\frac{10(1+50)}{2}=255$

12 S_n의 상수항이 0이어야 하므로 $k=0$이다.

개념 04 등비수열

128쪽

예 1, 2, 등비수열, 2

예 1, 2, 2^{n-1}

예 등비중항, $\sqrt{2\cdot 8}$, 4

01 (1) × (2) ○ (3) ○

02 (1) $r=3$ (2) $r=-2$ (3) $r=\frac{1}{3}$ (4) $r=-\frac{2}{3}$

03 (1) $a_n=2\cdot 3^{n-1}$ (2) $a_n=3\cdot(-4)^{n-1}$ (3) $a_n=\frac{1}{2}\cdot 5^{n-1}$ (4) $a_n=-5\cdot\left(-\frac{1}{2}\right)^{n-1}$ (5) $a_n=-\left(-\frac{1}{3}\right)^{n-1}$ (6) $a_n=6\cdot\left(\frac{2}{3}\right)^{n-1}$

04 (1) $a_n=3^{n-1}$ (2) $a_n=2\cdot(-1)^{n-1}$ (3) $a_n=(-2)^n$ (4) $a_n=3\cdot\left(\frac{1}{3}\right)^{n-1}$ (5) $a_n=8\cdot\left(-\frac{1}{4}\right)^{n-1}$ (6) $a_n=\frac{1}{4}\cdot 2^{n-1}$

05 (1) $a_n=2\cdot(-3)^{n-1}$ (2) $a_n=(\sqrt{2})^n$ (3) 6 (4) 27 (5) 80 (6) 63 (7) -72 (8) $21\sqrt{6}$

06 (1) ± 8

(2) ± 3

(3) ± 10

(4) $x=2$, $y=128$ 또는 $x=-2$, $y=-128$

(5) $x=3$, $y=\frac{1}{3}$, $z=\frac{1}{27}$ 또는

$x=-3$, $y=-\frac{1}{3}$, $z=-\frac{1}{27}$

07 (1) $a=\pm 4$ (2) $a=1$ (3) $a=2$ 또는 $a=-\frac{2}{5}$ (4) $a=5$

도전! 1등급 **08** ③

01 (1) $2\times 2=4$, $4\times\frac{3}{2}=6$, $6\times\frac{4}{3}=8$, $\cdots$

곱하는 수가 2, $\frac{3}{2}$, $\frac{4}{3}$로 일정하지 않으므로 등비수열이 아니다.

(2) $2\times(-3)=-6$, $(-6)\times(-3)=18$,
$18\times(-3)=-54$, ⋯
곱하는 수가 -3으로 일정하므로 등비수열이다.

(3) $1\times\frac{1}{2}=\frac{1}{2}$, $\frac{1}{2}\times\frac{1}{2}=\frac{1}{4}$, $\frac{1}{4}\times\frac{1}{2}=\frac{1}{8}$, ⋯
곱하는 수가 $\frac{1}{2}$로 일정하므로 등비수열이다.

02 (1) $r=\frac{3}{1}=\frac{9}{3}=\frac{27}{9}=\cdots=3$

(2) $r=\frac{-4}{2}=\frac{8}{-4}=\frac{-16}{8}=\cdots=-2$

(3) $r=\frac{1}{3}=\frac{\frac{1}{3}}{1}=\frac{\frac{1}{9}}{\frac{1}{3}}=\cdots=\frac{1}{3}$

(4) $r=\frac{-\frac{10}{3}}{5}=\frac{\frac{20}{9}}{-\frac{10}{3}}=\frac{-\frac{40}{27}}{\frac{20}{9}}=\cdots=-\frac{2}{3}$

04 (1) $r=3$이므로 $a_n=1\cdot3^{n-1}=3^{n-1}$

(2) $r=-1$이므로 $a_n=2\cdot(-1)^{n-1}$

(3) $r=-2$이므로 $a_n=(-2)\cdot(-2)^{n-1}=(-2)^n$

(4) $r=\frac{1}{3}$이므로 $a_n=3\cdot\left(\frac{1}{3}\right)^{n-1}$
또는 $a_n=\left(\frac{1}{3}\right)^{-1}\cdot\left(\frac{1}{3}\right)^{n-1}=\left(\frac{1}{3}\right)^{n-2}$로 나타낼 수 있다.

(5) $r=-\frac{1}{4}$이므로 $a_n=8\cdot\left(-\frac{1}{4}\right)^{n-1}$

(6) $r=2$이므로 $a_n=\frac{1}{4}\cdot2^{n-1}$
또는 $a_n=\frac{1}{4}\cdot2^{n-1}=2^{-2}\cdot2^{n-1}=2^{n-3}$로 나타낼 수 있다.

05 (1) 첫째항을 a, 공비를 r라고 하면
$a_3=ar^2=18$ ⋯⋯ ㉠
$a_6=ar^5=-486$ ⋯⋯ ㉡
㉡÷㉠에서 $r^3=-27$, $\therefore r=-3$
㉠에 $r=-3$을 대입하면 $9a=18$ $\therefore a=2$
$\therefore a_n=2\cdot(-3)^{n-1}$

(2) 첫째항을 a, 공비를 r라고 하면
$a_3=ar^2=2\sqrt{2}$ ⋯⋯ ㉠
$a_6=ar^5=8$ ⋯⋯ ㉡
㉡÷㉠에서 $r^3=2\sqrt{2}$, $\therefore r=\sqrt{2}$
㉠에 $r=\sqrt{2}$을 대입하면 $2a=2\sqrt{2}$ $\therefore a=\sqrt{2}$
$\therefore a_n=\sqrt{2}\cdot(\sqrt{2})^{n-1}=(\sqrt{2})^n$

(3) 첫째항을 a, 공비를 r라고 하면
$a_4=ar^3=24$ ⋯⋯ ㉠
$a_7=ar^6=192$ ⋯⋯ ㉡
㉡÷㉠에서 $r^3=8$, $\therefore r=2$
㉠에 $r=2$을 대입하면 $8a=24$ $\therefore a=3$
$a_n=3\cdot2^{n-1}$ $\therefore a_2=3\cdot2=6$

(4) 첫째항을 a, 공비를 r라고 하면
$a_4=ar^3=\frac{1}{3}$ ⋯⋯ ㉠
$a_7=ar^6=-9$ ⋯⋯ ㉡
㉡÷㉠에서 $r^3=-27$, $\therefore r=-3$
$\therefore a_8=a_7\cdot r=(-9)\cdot(-3)=27$

(5) 첫째항을 a, 공비를 r라고 하면
$a_1+a_2=a+ar=10$ ⋯⋯ ㉠
$a_3+a_4=ar^2+ar^3=r^2(a+ar)=20$ ⋯⋯ ㉡
㉡÷㉠에서 $r^2=2$
$\therefore a_7+a_8=ar^6+ar^7=r^4(ar^2+ar^3)=2^2\cdot20=80$

(6) 첫째항을 a, 공비를 r라고 하면
$a_3+a_4=ar^2+ar^3=7$ ⋯⋯ ㉠
$a_5+a_6=ar^4+ar^5=r^2(ar^2+ar^3)=21$ ⋯⋯ ㉡
㉡÷㉠에서 $r^2=3$
$\therefore a_7+a_8=ar^6+ar^7=r^2(ar^4+ar^5)=3\cdot21=63$

(7) -3와 24사이에 넣은 2개의 수를 x, y라고 하면
-3, x, y, 24
이 때 첫째항을 a, 공비를 r라고 하면
첫째항은 $a=-3$, 제4항이 24이므로 $a_4=ar^3=24$
$-3r^3=24$, $r^3=-8$ $\therefore r=-2$
$\therefore xy=ar\times ar^2=a^2r^3$
$=(-3)^2\times(-2)^3=-72$

(8) 공비를 r라고 하면 첫째항은 3, 제5항이 108이므로
$a_5=3r^4=108$
$r^4=36$ $\therefore r=\sqrt{6}$ $(\because r>0)$
따라서 $x=3r=3\sqrt{6}$, $y=3r^2=18$, $z=3r^3=18\sqrt{6}$
$\therefore x+z=3\sqrt{6}+18\sqrt{6}=21\sqrt{6}$

06 (1) $x=\pm\sqrt{2\cdot32}=\pm\sqrt{64}=\pm8$

(2) $x=\pm\sqrt{1\cdot9}=\pm\sqrt{9}=\pm3$

(3) $x=\pm\sqrt{(-5)\cdot(-20)}=\pm\sqrt{100}=\pm10$

(4) x는 $-\frac{1}{4}$과 -16의 등비중항이므로
$x=\pm\sqrt{\left(-\frac{1}{4}\right)\cdot(-16)}$, $x=\pm\sqrt{4}$, $\therefore x=\pm2$
-16은 x와 y의 등비중항이므로
$(-16)^2=xy$, $x=\pm2$이므로, $\therefore y=\pm128$

(5) x는 -9와 -1의 등비중항이므로
$x=\pm\sqrt{(-9)\cdot(-1)}$, $x=\pm\sqrt{9}$, $\therefore x=\pm3$
y는 -1과 $-\frac{1}{9}$의 등비중항이므로
$y=\pm\sqrt{(-1)\cdot\left(-\frac{1}{9}\right)}$, $y=\pm\sqrt{\frac{1}{9}}$, $\therefore y=\pm\frac{1}{3}$
$-\frac{1}{9}$는 y와 z의 등비중항이므로

$\left(-\frac{1}{9}\right)^2=yz$, $y=\pm\frac{1}{3}$이므로, $\therefore z=\pm\frac{1}{27}$

07 (1) 8은 a와 $4a$의 등비중항이므로,
$8^2=a\cdot 4a$, $a^2=16$ $\therefore a=\pm 4$
(2) $a+1$은 $a-2$와 $a-5$의 등비중항이므로,
$(a+1)^2=(a-2)(a-5)$
$a^2+2a+1=a^2-7a+10$, $9a=9$ $\therefore a=1$
(3) $a+2$는 $2a$와 $3a-2$의 등비중항이므로,
$(a+2)^2=2a(3a-2)$
$a^2+4a+4=6a^2-4a$,
$5a^2-8a-4=0$, $(a-2)(5a+2)=0$
$\therefore a=2$ 또는 $a=-\frac{2}{5}$
(4) $a-1$은 $-a+3$과 $-2a+2$의 등비중항이므로,
$(a-1)^2=(-a+3)(-2a+2)$
$a^2-2a+1=2a^2-8a+6$,
$a^2-6a+5=0$, $(a-5)(a-1)=0$
$\therefore a=1$ 또는 $a=5$
이 때, $a-1\neq 0$ 이므로 $a=5$

08 x, y, 4 는 등차수열이므로, $2y=x+4$ …… ㉠
6, x, $3y$는 등비수열을 이룰 때 $x^2=18y$ …… ㉡
㉠×9를 하면, $18y=9x+36$ …… ㉢
㉢을 ㉡에 대입하면,
$x^2-9x-36=0$, $(x-12)(x+3)=0$
$\therefore x=12$, $y=8$ ($\because x>0$, $y>0$)
따라서 $x+y=12+8=20$

개념 05 등비수열의 합

132쪽

예 10, 1, 2, 2, 2
예 1, 2^{n-1}, $2^{n-1}-1$, 2^{n-1}

01 (1) 121 (2) 510
(3) 728 (4) -170
02 (1) $\frac{1023}{512}$ (2) $\frac{33}{16}$
(3) $\frac{242}{81}$ (4) $-\frac{55}{16}$
03 (1) 242 (2) $\frac{2059}{64}$
(3) -341
04 (1) 127 (2) 510
05 (1) $a_n=2^{n-1}$ ($n=1, 2, 3, \cdots$)
(2) $a_n=2\cdot 3^{n-1}$ ($n=1, 2, 3, \cdots$)
(3) $a_n=3\cdot 4^{n-1}$ ($n=1, 2, 3, \cdots$)

도전! 1등급 **06** ④

01 (1) $S_5=\frac{1\cdot(3^5-1)}{3-1}=\frac{242}{2}=121$
(2) $S_8=\frac{2\cdot(2^8-1)}{2-1}=510$
(3) $S_6=\frac{2\cdot(3^6-1)}{3-1}=728$
(4) $S_4=\frac{(-2)\cdot(4^4-1)}{4-1}=-170$

02 (1) $S_{10}=\frac{1\cdot\left\{1-\left(\frac{1}{2}\right)^{10}\right\}}{1-\frac{1}{2}}=\frac{\frac{2^{10}-1}{2^{10}}}{\frac{1}{2}}=\frac{2^{10}-1}{2^9}=\frac{1023}{512}$
(2) $S_5=\frac{3\cdot\left\{1-\left(-\frac{1}{2}\right)^5\right\}}{1-\left(-\frac{1}{2}\right)}=\frac{\frac{3(2^5+1)}{2^5}}{\frac{3}{2}}=\frac{2^5+1}{2^4}=\frac{33}{16}$
(3) $S_5=\frac{2\cdot\left\{1-\left(\frac{1}{3}\right)^5\right\}}{1-\frac{1}{3}}=\frac{\frac{2(3^5-1)}{3^5}}{\frac{2}{3}}=\frac{3^5-1}{3^4}=\frac{242}{81}$
(4) $S_5=\frac{(-1)\cdot\left\{1-\left(-\frac{3}{2}\right)^5\right\}}{1-\left(-\frac{3}{2}\right)}=\frac{-\frac{2^5+3^5}{2^5}}{\frac{5}{2}}=-\frac{2^5+3^5}{5\cdot 2^4}$
$=-\frac{275}{80}=-\frac{55}{16}$

03 (1) $a_n=2\cdot 3^{n-1}=162$이면 $3^{n-1}=81$, $n-1=4$, $n=5$
$\therefore S_5=\frac{2\cdot(3^5-1)}{3-1}=242$
(2) $a_n=1\cdot\left(\frac{3}{2}\right)^{n-1}=\frac{729}{64}$이면
$\left(\frac{3}{2}\right)^{n-1}=\frac{729}{64}$, $n-1=6$, $n=7$
$S_7=\frac{1\cdot\left\{\left(\frac{3}{2}\right)^7-1\right\}}{\frac{3}{2}-1}=\frac{\frac{3^7-2^7}{2^7}}{\frac{1}{2}}=\frac{3^7-2^7}{2^6}=\frac{2059}{64}$
(3) $a_n=1\cdot(-2)^{n-1}=-512$이면
$(-2)^{n-1}=-512$, $n-1=9$, $n=10$
$S_{10}=\frac{1\cdot\{1-(-2)^{10}\}}{1-(-2)}=\frac{-1023}{3}=-341$

04 (1) 첫째항을 a, 공비를 r, 첫째항부터 제 n항까지의 합을 S_n이라 하면
$S_2=\frac{a(r^2-1)}{r-1}=96$ … ㉠
$S_4=\frac{a(r^4-1)}{r-1}=\frac{a(r^2-1)(r^2+1)}{r-1}=120$ … ㉡
㉠을 ㉡에 대입하면 $r^2+1=\frac{5}{4}$, $r^2=\frac{1}{4}$,

$\therefore r=\frac{1}{2}(\because r>0)$

$r=\frac{1}{2}$을 ㉠에 대입하면, $a=64$

$$S_7=\frac{64\cdot\left\{1-\left(\frac{1}{2}\right)^7\right\}}{1-\frac{1}{2}}=128\left\{1-\left(\frac{1}{2}\right)^7\right\}=128-1=127$$

(2) 첫째항을 a, 공비를 r, 첫째항부터 제 n항까지의 합을 S_n이라 하면

$S_3=\frac{a(r^3-1)}{r-1}=14$ … ㉠

$S_6=\frac{a(r^6-1)}{r-1}=\frac{a(r^3-1)(r^3+1)}{r-1}=126$ … ㉡

㉠을 ㉡에 대입하면 $r^3+1=9$, $r^3=8$,

$\therefore r=2(\because r$은 실수)

$r=2$를 ㉠에 대입하면, $a=2$

$\therefore S_8=\frac{2\cdot(2^8-1)}{2-1}=510$

05 (1) $a_1=S_1=1$

$a_n=S_n-S_{n-1}=(2^n-1)-(2^{n-1}-1)$

$=2^{n-1}(n=2, 3, 4, \cdots)$

따라서 $a_n=2^{n-1}(n=1, 2, 3, \cdots)$이다.

(2) $a_1=S_1=2$

$a_n=S_n-S_{n-1}=(3^n-1)-(3^{n-1}-1)$

$=2\cdot3^{n-1}(n=2, 3, 4, \cdots)$

따라서 $a_n=2\cdot3^{n-1}(n=1, 2, 3, \cdots)$이다.

(3) $a_1=S_1=3$

$a_n=S_n-S_{n-1}=(4^n-1)-(4^{n-1}-1)$

$=3\cdot4^{n-1}(n=2, 3, 4, \cdots)$

따라서 $a_n=3\cdot4^{n-1}(n=1, 2, 3, \cdots)$이다.

06 $f(7)=1+7+7^2+\cdots+7^{10}=\frac{1\cdot(7^{11}-1)}{7-1}=\frac{7^{11}-1}{6}$

개념 06 등비수열의 활용

134쪽

예 $a(1+2r)$, $a(1+r)^2$

01 $\left(\frac{8}{9}\right)^9$	**02** $9\cdot\left(\frac{2}{3}\right)^{10}$
03 21400대	**04** 160만명
05 (1) 130만 원	(2) 1760만원
06 (1) 113만 원	(2) $13A$원

(3) 87000원

도전! 1등급 **07** ⑤

01 1회 시행 후 남아있는 종이의 넓이는 $1\cdot\frac{8}{9}=\frac{8}{9}$

2회 시행 후 남아있는 종이의 넓이는 $\frac{8}{9}\cdot\frac{8}{9}=\left(\frac{8}{9}\right)^2$

3회 시행 후 남아있는 종이의 넓이는 $\left(\frac{8}{9}\right)^2\cdot\frac{8}{9}=\left(\frac{8}{9}\right)^3$

⋮

n회 시행 후 남아있는 종이의 넓이는

$\left(\frac{8}{9}\right)^{n-1}\cdot\frac{8}{9}=\left(\frac{8}{9}\right)^n$

따라서 9회 시행 후 남아있는 종이의 넓이는 $\left(\frac{8}{9}\right)^9$

02

a_1

a_2

n번 시행한 후 길이의 합을 a_n이라고 하면,

$a_1=\left(1-\frac{1}{3}\right)\times9=6$

$a_2=\frac{2}{3}\cdot a_1=\frac{2}{3}\cdot\left(\frac{2}{3}\times9\right)=9\cdot\left(\frac{2}{3}\right)^2$

$a_3=\frac{2}{3}\cdot a_2=9\cdot\left(\frac{2}{3}\right)^3$

⋮

10회 시행 후 남은 철사의 넓이는 $a_{10}=9\cdot\left(\frac{2}{3}\right)^{10}$

03 n개월째의 주문량을 $1000\times1.1^{n-1}$ 이므로

1년 동안의 총판매량은

$1000+1000\times1.1+1000\times(1.1)^2+\cdots+1000\times(1.1)^{11}$

$=\frac{1000\times(1.1^{12}-1)}{0.1}=\frac{1000\times(3.14-1)}{0.1}=21400$

04 B도시의 올해 인구를 a, 인구의 증가율을 r라 하면, n년 후의 인구는 $a(1+r)^n$(명)

10년 후의 인구가 10만 명이므로

$a(1+r)^{10}=10^5$ … ㉠

20년 후의 인구가 40만 명이므로

$a(1+r)^{20}=4\times10^5$ … ㉡

㉡÷㉠을 하면

$(1+r)^{10}=4$… ㉢

㉢을 ㉠에 대입하면, $a=25\times10^3$

따라서 30년 후의 인구수는

$a(1+r)^{30}=a\{(1+r)^{10}\}^3=25\times10^3\times4^3=16\times10^5$

05 (1) $S=\frac{10(1.01^{12}-1)}{0.01}=\frac{10(1.13-1)}{0.01}$

$=1000\times0.13=130$(만 원)

(2) $S=\dfrac{100(1+0.1)(1.1^{10}-1)}{0.1}=\dfrac{110\times(2.6-1)}{0.1}$

$=1100\times1.6=1760$(만 원)

06 (1) $100(1+0.01)^{12}=100\times1.01^{12}=100\times1.13$

$=113$(만 원)

(2) $S=\dfrac{A(1.01^{12}-1)}{0.01}=\dfrac{A(1.13-1)}{0.01}=13A$(원)

(3) $13A=1130000$, $A=86923.\cdots$(원) $\quad\therefore A=87000$(원)

07 민규가 매달 초 A원씩을 적립한다고 할 때, 1년 후의 적립금의 원리합계

$S=\dfrac{A(1.01)(1.01^{12}-1)}{0.01}=\dfrac{1.01A(1.13-1)}{0.01}$

$=13.13A$(원)

$13.13A=1000000$, $A=76161.\cdots$(원)

따라서 76000원씩 적립하면 된다.

必 개념 정복 136-139쪽

01 (1) 2, 4, 6, 8, 10 (2) -2, -1, 0, 1, 2

(3) $\frac{1}{2}$, $\frac{1}{5}$, $\frac{1}{10}$, $\frac{1}{17}$, $\frac{1}{26}$ (4) $\frac{1}{3}$, $\frac{1}{2}$, $\frac{3}{5}$, $\frac{2}{3}$, $\frac{5}{7}$

(5) 3, 9, 27, 81, 243

02 (1) $d=-2$ (2) $d=3$

(3) $d=\frac{1}{3}$ (4) $d=2\sqrt{2}$

03 (1) $a_n=5n-2$ (2) $a_n=3n-8$

(3) $a_n=-2n+12$ (4) $a_n=-9n+16$

04 (1) 27 (2) 9

(3) -1 (4) 26

05 (1) ① $x=7$, $y=15$

② $x=-10$, $y=-2$

③ $x=-5$, $y=-3$, $z=1$

(2) -2, -5, -8

(3) 10

06 (1) 1275 (2) 1040

(3) -323 (4) 558

07 (1) 3135 (2) -1296

(3) 540 (4) 485

08 (1) 108 (2) 72 (3) -273

09 (1) ① $x=\pm3\sqrt{3}$

② $x=\pm6$

③ $x=14$, $y=\frac{7}{2}$ 또는 $x=-14$, $y=-\frac{7}{2}$

④ $x=1$, $y=9$, $y=-27$ 또는

$x=-1$, $y=-9$, $z=-27$

(2) ±24

(3) 14

10 (1) 0 (2) 765 (3) $-\frac{341}{3}$

(4) -312

11 $4\sqrt{3}\cdot\left(\frac{3}{4}\right)^{20}$

12 (1) ① 1675만 원 ② 1580만 원

(2) ① 6700만 원 ② $16a$(원)

③ 419만 원

(3) 25만 원

02 (1) $d=(-3)-(-1)=(-5)-(-3)$

$=(-7)-(-5)=\cdots=-2$

(2) $d=13-10=16-13=19-16=\cdots=3$

(3) $d=\frac{2}{3}-\frac{1}{3}=1-\frac{2}{3}=\frac{4}{3}-1=\cdots=\frac{1}{3}$

(4) $d=3\sqrt{2}-\sqrt{2}=5\sqrt{2}-3\sqrt{2}=7\sqrt{2}-5\sqrt{2}=\cdots=2\sqrt{2}$

03 (1) $d=5$이므로 $a_n=3+(n-1)\cdot5=5n-2$

(2) $d=3$이므로 $a_n=-5+(n-1)\cdot3=3n-8$

(3) $d=-2$이므로 $a_n=10+(n-1)\cdot(-2)=-2n+12$

(4) $d=-9$이므로 $a_n=7+(n-1)\cdot(-9)=-9n+16$

04 (1) $a_2=a_1+d=a_1+3=6$, $a_1=3$

$\therefore a_n=3+3(n-1)=3n$

$\therefore a_9=3\cdot9=27$

(2) $a_3=a_1+2d=a_1+2\cdot2=-5$, $a_1=-9$

$\therefore a_n=-9+2(n-1)=2n-11$,

$\therefore a_{10}=2\cdot10-11=9$

(3) $a_4=a_1+3d=11$ …… ㉠

$a_{10}=a_1+9d=5$ …… ㉡

㉠, ㉡을 연립하여 풀면 $a_1=14$, $d=-1$

$\therefore a_n=14+(n-1)\cdot(-1)=-n+15$

$\therefore a_{16}=-16+15=-1$

(4) $a_3=a_1+2d=\frac{1}{2}$ …… ㉠

$a_8=a_1+7d=8$ …… ㉡

㉠, ㉡을 연립하여 풀면 $a_1=-\frac{5}{2}$, $d=\frac{3}{2}$

$\therefore a_n=-\frac{5}{2}+\frac{3}{2}(n-1)=\frac{3}{2}n-4$,

$\therefore a_{20}=\frac{3}{2}\cdot20-4=26$

05 (1) ① x는 3과 11의 등차중항이므로 $\therefore x=\dfrac{3+11}{2}=7$

11은 x와 y의 등차중항이므로

$11=\frac{x+y}{2}=\frac{7+y}{2}$, $\therefore y=15$

② y는 -6과 2의 등차중항이므로

$\therefore y=\frac{-6+2}{2}=\frac{-4}{2}=-2$

-6은 x와 y의 등차중항이므로

$-6=\frac{x+y}{2}=\frac{x-2}{2}$, $\therefore x=-10$

③ z는 -1과 3의 등차중항이므로 $z=\frac{-1+3}{2}=1$

-1은 y와 z의 등차중항이므로

$-1=\frac{y+z}{2}=\frac{y+1}{2}$, $\therefore y=-3$

y는 x와 -1의 등차중항이므로

$y=\frac{x+(-1)}{2}$, $-3=\frac{x-1}{2}$ $\therefore x=-5$

(2) 구하는 세 수를 $a-d$, a, $a+d$로 놓으면

$(a-d)+a+(a+d)=-15$ …… ㉠

$(a-d)\times a\times(a+d)=-80$ …… ㉡

㉠에서 $3a=-15$, $\therefore a=-5$

$a=1$을 ㉡에 대입하면

$(-5-d)\times(-5)\times(-5+d)=-80$

$25-d^2=16$, $d^2=9$, $\therefore d=-3$또는 $d=3$

따라서 구하는 세 수는 -2, -5, -8이다.

(3) w, x, y, z은 등차수열이므로

각각 $w=a-3d$, $x=a-d$, $y=a+d$, $z=a+3d$로 놓으면

$(a-3d)+(a-d)+(a+d)+(a+3d)=64$,

$4a=64 \therefore a=16$

$wz=(a-3d)(a+3d)=(16-3d)(16+3d)=220$

$256-9d^2=220$, $d^2=4$, $\therefore d=-2$ 또는 $d=2$

따라서 네 수는 10, 14, 18, 22이고, 가장 작은 수는 10이다.

06 (1) $S_{25}=\frac{25(3+99)}{2}=1275$

(2) $S_{26}=\frac{26(-10+90)}{2}=1040$

(3) $S_{17}=\frac{17\{5+(-43)\}}{2}=-323$

(4) $S_{12}=\frac{12(-3+96)}{2}=558$

07 (1) $206=3+(n-1)\cdot 7$, $206=7n-4$, $n=30$

$S_{30}=\frac{30(3+206)}{2}=3135$

(2) $4=-100+(n-1)\cdot 4$, $4=4n-104$, $n=27$

$S_{27}=\frac{27(-100+4)}{2}=-1296$

(3) $78=12+(n-1)\cdot 6$, $78=6n+6$, $n=12$

$S_{12}=\frac{12(12+78)}{2}=540$

(4) $48=\frac{1}{2}+(n-1)\cdot\frac{5}{2}$, $48=\frac{5}{2}n-2$, $n=20$

$S_{20}=\frac{20\left(\frac{1}{2}+48\right)}{2}=485$

08 (1) 등차수열의 첫째항을 a, 공차를 d, 첫째항부터 제n항까지의 합을 S_n이라고 하면

$S_5=\frac{5(2a+4d)}{2}=5(a+2d)=15$

$\therefore a+2d=3$ …… ㉠

$S_{10}=\frac{10(2a+9d)}{2}=5(2a+9d)=15+25=40$

$\therefore 2a+9d=8$ …… ㉡

㉠, ㉡을 연립하여 풀면 $a=\frac{11}{5}$, $d=\frac{2}{5}$

$S_{15}=\frac{15(2a+14d)}{2}=15(a+7d)$

$=15\left(2\times\frac{11}{5}+7\times\frac{2}{5}\right)=108$

(2) 등차수열의 첫째항을 a, 공차를 d, 첫째항부터 제n항까지의 합을 S_n이라고 하면

$S_9=\frac{9(2a+8d)}{2}=9(a+4d)=18$

$\therefore a+4d=2$ …… ㉠

$a_{19}+\cdots+a_{27}=\frac{9(a+18d+a+26d)}{2}$

$=9(a+22d)=45$

$\therefore a+22d=5$ …… ㉡

㉠, ㉡을 연립하여 풀면 $a=\frac{4}{3}$, $d=\frac{1}{6}$

$a_{37}+\cdots+a_{45}=\frac{9(a+36d+a+44d)}{2}=9(a+40d)$

$=9\left(\frac{4}{3}+40\times\frac{1}{6}\right)=72$

(3) $a_n=-39+3(n-1)=3n-42$이므로

$a_n<0$을 풀면 $3n-42<0$, $\therefore n<14$

따라서 첫째항부터 제 13항까지의 합이 최소가 되므로

S_n의 최솟값은 $S_{13}=\frac{13(-78+3\cdot 12)}{2}=-273$

09 (1) ① $x=\pm\sqrt{3\cdot 9}=\pm\sqrt{27}=\pm 3\sqrt{3}$

② $x=\pm\sqrt{2\cdot 18}=\pm\sqrt{36}=\pm 6$

③ x는 -28와 -7의 등비중항이므로

$x=\pm\sqrt{(-28)(-7)}=\pm\sqrt{196}=\pm 14$

-7은 x와 y의 등비중항이므로

$(-7)^2=xy$, $49=(\pm 14)\cdot y$ $\therefore y=\pm\frac{7}{2}$

④ x는 $-\frac{1}{3}$과 -3의 등비중항이므로

$x=\pm\sqrt{\left(-\frac{1}{3}\right)\cdot(-3)}=\pm1$

-3은 x와 y의 등비중항이므로 $(-3)^2=xy$,

$\therefore y=\pm9$

y는 -3과 z의 등비중항이므로

$y^2=-3z$, $81=-3z$ $\therefore y=-27$

(2) 첫째항은 a, 공비를 r라고 하면

3, x_1, x_2, x_3 48에서

첫째항은 3, 제 5항은 48이므로

$a_5=ar^4=48$, $3r^4=48$, $r^4=16$, $\therefore r=\pm2$

$\therefore x_3=ar^3=3\cdot(\pm2)^3=\pm24$

(3) x, 0, y 는 등차수열이므로, $2\cdot0=x+y$

$y=-x$ …… ㉠

$2y$, x, -7은 등비수열이므로 $x^2=-14y$ …… ㉡

㉠을 ㉡에 대입하면,

$x^2-14x=0$, $x(x-14)=0$, $x=0$ 또는 $x=14$

이 때, $2y$, x, -7은 등비수열을 이루므로 $x\neq0$

$\therefore x=14$, $y=-14$

10 (1) $S_{10}=\dfrac{2\cdot\{1-(-1)^{10}\}}{1-(-1)}=\dfrac{0}{2}=0$

(2) $S_8=\dfrac{3\cdot(2^8-1)}{2-1}=3(2^8-1)=765$

(3) $S_{10}=\dfrac{\frac{1}{3}\cdot\{1-(-2)^{10}\}}{1-(-2)}=\dfrac{\frac{1}{3}\cdot(1-1024)}{1-(-2)}$

$=-\dfrac{1023}{9}=-\dfrac{341}{3}$

(4) $S_4=\dfrac{(-2)\cdot(5^4-1)}{5-1}=\dfrac{(-2)\cdot624}{4}=-312$

11 한 변의 길이가 4인 정삼각형의 넓이는 $\dfrac{\sqrt{3}}{4}\cdot4^2=4\sqrt{3}$

1회 시행 후 남아있는 종이의 넓이는 $4\sqrt{3}\cdot\dfrac{3}{4}$

2회 시행 후 남아있는 종이의 넓이는

$\left(4\sqrt{3}\cdot\dfrac{3}{4}\right)\cdot\dfrac{3}{4}=4\sqrt{3}\cdot\left(\dfrac{3}{4}\right)^2$

⋮

n회 시행 후 남아있는 종이의 넓이는 $4\sqrt{3}\cdot\left(\dfrac{3}{4}\right)^n$

20회 시행 후 남아있는 종이의 넓이는 $4\sqrt{3}\cdot\left(\dfrac{3}{4}\right)^{20}$

12 (1) ① $S=\dfrac{120(1+0.06)(1.06^{10}-1)}{0.06}$

$=2000\times1.06\times0.79=1674.8$

② $S=\dfrac{120(1.06^{10}-1)}{0.06}=2000\times0.79=1580$

(2) ① 정은이가 빌린 돈 1000만원을 연이율 10%, 1년마다 복리로 20년 동안 예금했다면 그 원리합계는

$1000\times(1+0.1)^{20}=1000\times6.7=6700$(만원) … ㉠

② $a+a(1+0.1)+a(1+0.1)^2+\cdots+a(1+0.1)^9$

$=\dfrac{a\times(1.1^{10}-1)}{0.1}=\dfrac{a\times1.6}{0.1}=16a$(만원) … ㉡

③ ㉠, ㉡의 금액이 일치해야 하므로

$16a=6700$ $\therefore a\fallingdotseq419$(만 원)

따라서 매년 419만 원을 갚아야 한다.

(3) 매월 초에 a원씩 월이율 1%, 한 달마다 복리로 5년동안 적립하여 2000만 원을 만들어야 하므로

$a(1+0.01)+a(1+0.01)^2+\cdots$

$+a(1+0.01)^{60}=2000$

$\Rightarrow\dfrac{a(1+0.01)(1.01^{60}-1)}{0.01}=\dfrac{a\times1.01\times0.8}{0.01}=2000$

$\Rightarrow80.8a=2000$, $\therefore a=24.75\cdots\fallingdotseq25$(만 원)

개념 07 합의 기호 Σ

140쪽

예 Σ, n, k, n, k, 1

예 a_1+b_1, a_2+b_2, a_3+b_3, a_n+b_n,

$b_1+b_2+b_3+\cdots+b_n$, $\sum_{k=1}^{n}b_k$

01 (1) $2+4+6+8+10$

(2) $1^2+2^2+3^2+\cdots+10^2$

(3) $3+5+7+\cdots+41$

(4) $\frac{1}{2}+\frac{2}{3}+\frac{3}{4}+\frac{4}{5}+\frac{5}{6}$

(5) $-1+1-1+1-1+1$

02 (1) $\sum_{k=1}^{10}2k$ (2) $\sum_{k=1}^{11}(2k-1)$

(3) $\sum_{k=1}^{20}\frac{1}{k}$ (4) $\sum_{k=1}^{15}2^k$

(5) $\sum_{k=1}^{100}k(k+1)$ (6) $\sum_{k=1}^{18}\frac{1}{k(k+2)}$

(7) $\sum_{k=1}^{50}k^2$

03 (1) ○ (2) ○ (3) ×

(4) × (5) × (6) ○

(7) ○

04 (1) 10, 6 (2) 10, 4 (3) 20, 11

(4) 20, 11 (5) 10, 8

05 (1) 9, $2k-3$ (2) $(k+1)^2$, 6 (3) 9, $\frac{1}{k-1}$

06 (1) 7 (2) -1 (3) 18

(4) -7

07 (1) 20 (2) 15 (3) 100

(4) 1000

08 (1) 5 (2) 55 (3) 50
(4) 30 (5) 115 (6) 85

09 (1) × (2) × (3) ×
(4) ×

도전! 1등급 **10** ⑤ **11** ①

01 (1) $2k$에 $k=1$부터 $k=5$까지 대입한 식을 차례로 더하면 $2+4+6+8+10$이다.

(2) k^2에 $k=1$부터 $k=10$까지 대입한 식을 차례로 더하면 $1^2+2^2+3^2+\cdots+10^2$이다.

(3) $2k+1$에 $k=1$부터 $k=20$까지 대입한 식을 차례로 더하면 $3+5+7+\cdots+41$이다.

(4) $\frac{k}{k+1}$에 $k=1$부터 $k=5$까지 대입한 식을 차례로 더하면 $\frac{1}{2}+\frac{2}{3}+\frac{3}{4}+\frac{4}{5}+\frac{5}{6}$이다.

(5) $(-1)^k$에 $k=1$부터 $k=6$까지 대입한 식을 차례로 더하면 $-1+1-1+1-1+1$이다.

02 (1) 수열 2, 4, 6, …의 일반항은 $2n$이고 첫째항부터 제 10항까지의 합이므로 $\sum_{k=1}^{10}2k$이다.

(2) 수열 1, 3, 5, …의 일반항은 $2n-1$이고 첫째항부터 제 11항까지의 합이므로 $\sum_{k=1}^{11}(2k-1)$이다.

(3) 수열 $1, \frac{1}{2}, \frac{1}{3}, \cdots$의 일반항은 $\frac{1}{n}$이고 첫째항부터 제 20항까지의 합이므로 $\sum_{k=1}^{20}\frac{1}{k}$이다.

(4) 수열 2, 4, 8, …의 일반항은 2^n이고 첫째항부터 제 15항까지의 합이므로 $\sum_{k=1}^{15}2^k$이다.

(5) 수열 $1\cdot2, 2\cdot3, 3\cdot4, \cdots$의 일반항은 $n(n+1)$이고 첫째항부터 제 100항까지의 합이므로 $\sum_{k=1}^{100}k(k+1)$이다.

(6) 수열 $\frac{1}{1\cdot3}, \frac{1}{2\cdot4}, \frac{1}{3\cdot5}, \cdots$의 일반항은 $\frac{1}{n(n+2)}$이고 첫째항부터 제 18항까지의 합이므로 $\sum_{k=1}^{18}\frac{1}{k(k+2)}$이다.

(7) 수열 $1^2, 2^2, 3^2, \cdots$의 일반항은 n^2이고 첫째항부터 제 50항까지의 합이므로 $\sum_{k=1}^{50}k^2$이다.

06 (1) $\sum_{k=1}^{10}(a_k+b_k)=\sum_{k=1}^{10}a_k+\sum_{k=1}^{10}b_k=3+4=7$

(2) $\sum_{k=1}^{10}(a_k-b_k)=\sum_{k=1}^{10}a_k-\sum_{k=1}^{10}b_k=3-4=-1$

(3) $\sum_{k=1}^{10}(2a_k+3b_k)=2\sum_{k=1}^{10}a_k+3\sum_{k=1}^{10}b_k=2\cdot3+3\cdot4=18$

(4) $\sum_{k=1}^{10}(3a_k-4b_k)=3\sum_{k=1}^{10}a_k-4\sum_{k=1}^{10}b_k=3\cdot3-4\cdot4=-7$

08 (1) (주어진 식)$=\sum_{k=1}^{20}a_k+\sum_{k=1}^{20}b_k-20=10+15-20=5$

(2) (주어진 식)$=\sum_{k=1}^{20}a_k-\sum_{k=1}^{20}b_k+60=10-15+60=55$

(3) (주어진 식)$=3\sum_{k=1}^{20}a_k+4\sum_{k=1}^{20}b_k-40$
$=30+60-40=50$

(4) (주어진 식)$=2\sum_{k=1}^{20}a_k-6\sum_{k=1}^{20}b_k+100$
$=20-90+100=30$

(5) (주어진 식)$=\sum_{k=1}^{20}\{(a_k+2b_k)+(b_k+3)\}$
$=\sum_{k=1}^{20}(a_k+3b_k+3)=\sum_{k=1}^{20}a_k+3\sum_{k=1}^{20}b_k+3\cdot20$
$=10+45+60=115$

(6) (주어진 식)$=\sum_{k=1}^{20}\{(5b_k-2a_k+1)-(a_k-1)\}$
$=\sum_{k=1}^{20}(5b_k-3a_k+2)=5\sum_{k=1}^{20}b_k-3\sum_{k=1}^{20}a_k+2\cdot20$
$=75-30+40=85$

10 $\sum_{k=1}^{10}|k-5|=|1-5|+|2-5|+|3-5|+|4-5|+|5-5|$
$+|6-5|+|7-5|+|8-5|+|9-5|$
$+|10-5|$
$=4+3+2+1+0+1+2+3+4+5=25$

11 $\sum_{k=1}^{10}(a_k+1)^2=\sum_{k=1}^{10}(a_k^2+2a_k+1)=\sum_{k=1}^{10}a_k^2+2\sum_{k=1}^{10}a_k+10$
$=10+2\cdot5+10=30$

개념 08 자연수의 거듭제곱의 합

144쪽

예 $10, \frac{10\cdot11}{2}, 55$

예 $6^2, \frac{6\cdot7\cdot13}{6}, 91$

예 $5^3, \left(\frac{5\cdot6}{2}\right)^2, 225$

01 (1) 78 (2) 120 (3) 171
(4) 210

02 (1) 140 (2) 385 (3) 819
(4) 2870

03 (1) 100 (2) 441 (3) 784

04 (1) 276 (2) 1496 (3) 3025

05 (1) 24 (2) 100 (3) 96
(4) 345 (5) 230

도전! 1등급 **06** ③

01 (1) $\sum_{k=1}^{12}k=\frac{12\cdot13}{2}=78$

(2) $\sum_{k=1}^{15} k=\frac{15\cdot16}{2}=120$

(3) $\sum_{k=1}^{18} k=\frac{18\cdot19}{2}=171$

(4) $\sum_{k=1}^{20} k=\frac{20\cdot21}{2}=210$

02 (1) $\sum_{k=1}^{7} k^2=\frac{7\cdot8\cdot15}{6}=140$

(2) $\sum_{k=1}^{10} k^2=\frac{10\cdot11\cdot21}{6}=385$

(3) $\sum_{k=1}^{13} k^2=\frac{13\cdot14\cdot27}{6}=819$

(4) $\sum_{k=1}^{20} k^2=\frac{20\cdot21\cdot41}{6}=2870$

03 (1) $\sum_{k=1}^{4} k^3=\left(\frac{4\cdot5}{2}\right)^2=10^2=100$

(2) $\sum_{k=1}^{6} k^3=\left(\frac{6\cdot7}{2}\right)^2=21^2=441$

(3) $\sum_{k=1}^{7} k^3=\left(\frac{7\cdot8}{2}\right)^2=28^2=784$

04 (1) (주어진 식) $=\sum_{k=1}^{23} k=\frac{23\cdot24}{2}=276$

(2) (주어진 식) $=\sum_{k=1}^{16} k^2=\frac{16\cdot17\cdot33}{6}=1496$

(3) (주어진 식) $=\sum_{k=1}^{10} k^3=\left(\frac{10\cdot11}{2}\right)^2=55^2=3025$

05 (1) (주어진 식) $=2\sum_{k=1}^{6} k-18=2\cdot\frac{6\cdot7}{2}-18=42-18=24$

(2) (주어진 식) $=\sum_{k=1}^{8} k^2-2\sum_{k=1}^{8} k-32$

$=\frac{8\cdot9\cdot17}{6}-2\cdot\frac{8\cdot9}{2}-32$

$=204-72-32=100$

(3) (주어진 식) $=\sum_{k=1}^{9}(k^2-6k+9)=\sum_{k=1}^{9} k^2-6\sum_{k=1}^{9} k+81$

$=\frac{9\cdot10\cdot19}{6}-6\cdot\frac{9\cdot10}{2}+81$

$=285-270+81=96$

(4) (주어진 식) $=\sum_{k=1}^{10}(2k^2-7k-4)=2\sum_{k=1}^{10}k^2-7\sum_{k=1}^{10}k-40$

$=2\cdot\frac{10\cdot11\cdot21}{6}-7\cdot\frac{10\cdot11}{2}-40$

$=770-385-40=345$

(5) (주어진 식) $=\sum_{k=1}^{5}(k^3+1)=\sum_{k=1}^{5} k^3+5=\left(\frac{5\cdot6}{2}\right)^2+5$

$=225+5=230$

06 (주어진 식) $=\sum_{k=1}^{8} k^2+2a\sum_{k=1}^{8} k+8a^2$

$=\frac{8\cdot9\cdot17}{6}+2a\cdot\frac{8\cdot9}{2}+8a^2$

$=8a^2+72a+204=8\left(a+\frac{9}{2}\right)^2+42$

따라서 주어진 식의 최솟값은 42이다.

개념 09 분수 꼴로 나타내어진 수열의 합

146쪽

예 $\frac{1}{k}-\frac{1}{k+1}$, $\frac{1}{10}-\frac{1}{11}$, $1-\frac{1}{11}$, $\frac{10}{11}$

01 (1) $\frac{10}{11}$ (2) $\frac{20}{21}$ (3) $\frac{99}{100}$

02 (1) $\frac{5}{6}$ (2) $\frac{50}{51}$ (3) $\frac{100}{101}$ (4) $\frac{2015}{2016}$

03 (1) $\frac{29}{45}$ (2) $\frac{589}{420}$ (3) $\frac{8}{17}$ (4) $\frac{12}{13}$

04 (1) $\frac{10}{39}$ (2) $\frac{5}{36}$ (3) $\frac{11}{26}$

도전! 1등급 **05** ⑤

01 (1) (주어진 식) $=\left(\frac{1}{1}-\frac{1}{2}\right)+\left(\frac{1}{2}-\frac{1}{3}\right)+\cdots+\left(\frac{1}{10}-\frac{1}{11}\right)$

$=1-\frac{1}{11}=\frac{10}{11}$

(2) (주어진 식) $=\left(\frac{1}{1}-\frac{1}{2}\right)+\left(\frac{1}{2}-\frac{1}{3}\right)+\cdots+\left(\frac{1}{20}-\frac{1}{21}\right)$

$=1-\frac{1}{21}=\frac{20}{21}$

(3) (주어진 식) $=\left(\frac{1}{1}-\frac{1}{2}\right)+\left(\frac{1}{2}-\frac{1}{3}\right)+\cdots+\left(\frac{1}{99}-\frac{1}{100}\right)$

$=1-\frac{1}{100}=\frac{99}{100}$

02 (1) (주어진 식) $=\sum_{k=1}^{5}\left(\frac{1}{k}-\frac{1}{k+1}\right)$

$=\left(\frac{1}{1}-\frac{1}{2}\right)+\left(\frac{1}{2}-\frac{1}{3}\right)+\cdots+\left(\frac{1}{5}-\frac{1}{6}\right)$

$=1-\frac{1}{6}=\frac{5}{6}$

(2) (주어진 식) $=\sum_{k=1}^{50}\left(\frac{1}{k}-\frac{1}{k+1}\right)$

$=\left(\frac{1}{1}-\frac{1}{2}\right)+\left(\frac{1}{2}-\frac{1}{3}\right)+\cdots+\left(\frac{1}{50}-\frac{1}{51}\right)$

$=1-\frac{1}{51}=\frac{50}{51}$

(3) (주어진 식) $=\sum_{k=1}^{100}\left(\frac{1}{k}-\frac{1}{k+1}\right)$

$=\left(\frac{1}{1}-\frac{1}{2}\right)+\left(\frac{1}{2}-\frac{1}{3}\right)+\cdots+\left(\frac{1}{100}-\frac{1}{101}\right)$

$=1-\frac{1}{101}=\frac{100}{101}$

(4) (주어진 식) $=\sum_{k=1}^{2015}\left(\frac{1}{k}-\frac{1}{k+1}\right)$

$=\left(\frac{1}{1}-\frac{1}{2}\right)+\left(\frac{1}{2}-\frac{1}{3}\right)+\cdots+\left(\frac{1}{2015}-\frac{1}{2016}\right)$

$=1-\frac{1}{2016}=\frac{2015}{2016}$

03 (1) (주어진 식) $=\frac{1}{2}\left\{\left(\frac{1}{1}-\frac{1}{3}\right)+\left(\frac{1}{2}-\frac{1}{4}\right)+\left(\frac{1}{3}-\frac{1}{5}\right)+\cdots+\left(\frac{1}{7}-\frac{1}{9}\right)+\left(\frac{1}{8}-\frac{1}{10}\right)\right\}$

$=\frac{1}{2}\left(1+\frac{1}{2}-\frac{1}{9}-\frac{1}{10}\right)$

$=\frac{1}{2}\cdot\frac{90+45-10-9}{90}=\frac{116}{180}=\frac{29}{45}$

(2) (주어진 식) $=\left(\frac{1}{1}-\frac{1}{3}\right)+\left(\frac{1}{2}-\frac{1}{4}\right)+\left(\frac{1}{3}-\frac{1}{5}\right)+\cdots+\left(\frac{1}{18}-\frac{1}{20}\right)+\left(\frac{1}{19}-\frac{1}{21}\right)$

$=1+\frac{1}{2}-\frac{1}{20}-\frac{1}{21}=\frac{420+210-21-20}{420}$

$=\frac{589}{420}$

(3)(주어진 식) $=\frac{1}{2}\left\{\left(\frac{1}{1}-\frac{1}{3}\right)+\left(\frac{1}{3}-\frac{1}{5}\right)+\cdots+\left(\frac{1}{13}-\frac{1}{15}\right)+\left(\frac{1}{15}-\frac{1}{17}\right)\right\}$

$=\frac{1}{2}\left(1-\frac{1}{17}\right)=\frac{1}{2}\cdot\frac{16}{17}=\frac{8}{17}$

(4) (주어진 식) $=\left(\frac{1}{1}-\frac{1}{3}\right)+\left(\frac{1}{3}-\frac{1}{5}\right)+\cdots+\left(\frac{1}{9}-\frac{1}{11}\right)+\left(\frac{1}{11}-\frac{1}{13}\right)$

$=\frac{1}{1}-\frac{1}{13}=\frac{12}{13}$

04 (1) (주어진 식)

$=\sum_{k=1}^{10}\left(\frac{1}{k+2}-\frac{1}{k+3}\right)$

$=\left(\frac{1}{3}-\frac{1}{4}\right)+\left(\frac{1}{4}-\frac{1}{5}\right)+\left(\frac{1}{5}-\frac{1}{6}\right)+\cdots+\left(\frac{1}{12}-\frac{1}{13}\right)$

$=\frac{1}{3}-\frac{1}{13}=\frac{10}{39}$

(2) (주어진 식)

$=\sum_{k=1}^{30}\left(\frac{1}{k+5}-\frac{1}{k+6}\right)$

$=\left(\frac{1}{6}-\frac{1}{7}\right)+\left(\frac{1}{7}-\frac{1}{8}\right)+\left(\frac{1}{8}-\frac{1}{9}\right)+\cdots+\left(\frac{1}{35}-\frac{1}{36}\right)$

$=\frac{1}{6}-\frac{1}{36}=\frac{5}{36}$

(3) (주어진 식)

$=\sum_{k=1}^{9}\left(\frac{1}{k+2}-\frac{1}{k+4}\right)$

$=\left(\frac{1}{3}-\frac{1}{5}\right)+\left(\frac{1}{4}-\frac{1}{6}\right)+\left(\frac{1}{5}-\frac{1}{7}\right)+\cdots+\left(\frac{1}{10}-\frac{1}{12}\right)+\left(\frac{1}{11}-\frac{1}{13}\right)$

$=\frac{1}{3}+\frac{1}{4}-\frac{1}{12}-\frac{1}{13}=\frac{52+39-13-12}{156}=\frac{66}{156}=\frac{11}{26}$

05 주어진 수열의 일반항은

$\frac{1}{1+2+3+\cdots+n}=\frac{1}{\frac{n(n+1)}{2}}=\frac{2}{n(n+1)}$

$\therefore$ (주어진 식) $=\sum_{k=1}^{20}\frac{2}{k(k+1)}=\frac{40}{21}$

개념 10 분수 꼴로 나타내어진 수열의 합

148쪽

01 (1) $\sqrt{11}-1$ (2) $\sqrt{21}-1$

(3) 9 (4) $12\sqrt{14}-1$

02 (1) 3 (2) $\sqrt{31}-1$

(3) $\sqrt{51}-1$ (4) $\sqrt{101}-1$

03 (1) $\frac{1}{2}(2\sqrt{3}+\sqrt{11}-\sqrt{2}-1)$

(2) $\frac{1}{2}(\sqrt{26}-\sqrt{2}+4)$

(3) $8+3\sqrt{11}-\sqrt{3}$

(4) $\sqrt{2017}+12\sqrt{14}-3-2\sqrt{2}$

04 (1) $3\sqrt{2}-\sqrt{3}$

(2) $\frac{1}{3}(2\sqrt{6}+\sqrt{23}+\sqrt{22}-2-\sqrt{3}-\sqrt{2})$

(3) $\sqrt{103}+\sqrt{102}+\sqrt{101}-\sqrt{3}-\sqrt{2}-1$

도전! 1등급 **05** ③

02 (1) (주어진 식) $=\sum_{k=1}^{15}\frac{1}{\sqrt{k+1}+\sqrt{k}}=\sum_{k=1}^{15}(\sqrt{k+1}-\sqrt{k})$

$=\sqrt{16}-1=3$

(2) (주어진 식) $=\sum_{k=1}^{30}\frac{1}{\sqrt{k+1}+\sqrt{k}}=\sum_{k=1}^{30}(\sqrt{k+1}-\sqrt{k})$

$=\sqrt{31}-1$

(3) (주어진 식) $=\sum_{k=1}^{50}\frac{1}{\sqrt{k+1}+\sqrt{k}}=\sum_{k=1}^{50}(\sqrt{k+1}-\sqrt{k})$

$=\sqrt{51}-1$

(4) (주어진 식) $=\sum_{k=1}^{100}\frac{1}{\sqrt{k+1}+\sqrt{k}}=\sum_{k=1}^{100}(\sqrt{k+1}-\sqrt{k})$

$=\sqrt{101}-1$

03 (2) (주어진 식) $=\frac{1}{2}(\sqrt{26}+5-\sqrt{2}-1)$

$=\frac{1}{2}(\sqrt{26}-\sqrt{2}+4)$

(3) (주어진 식) $=10+3\sqrt{11}-2-\sqrt{3}$

$=8+3\sqrt{11}-\sqrt{3}$

04 (1) (주어진 식) $=\sum_{k=1}^{15}(\sqrt{k+3}-\sqrt{k+2})$

$=\sqrt{18}-\sqrt{3}=3\sqrt{2}-\sqrt{3}$

(2) (주어진 식) $=\frac{1}{3}\sum_{k=1}^{20}(\sqrt{k+4}-\sqrt{k+1})$

$=\frac{1}{3}(\sqrt{24}+\sqrt{23}+\sqrt{22}-\sqrt{4}-\sqrt{3}-\sqrt{2})$

$=\frac{1}{3}(2\sqrt{6}+\sqrt{23}+\sqrt{22}-2-\sqrt{3}-\sqrt{2})$

(3) (주어진 식) $=\sum_{k=1}^{100}(\sqrt{k+3}-\sqrt{k})$

$=\sqrt{103}+\sqrt{102}+\sqrt{101}-\sqrt{3}-\sqrt{2}-1$

05 $\sum_{k=1}^{n}\frac{1}{\sqrt{k}+\sqrt{k+1}}=\sqrt{n+1}-1=10$

$\sqrt{n+1}=11$, $n+1=121$

$\therefore n=120$

개념 11 분수 꼴로 나타내어진 수열의 합

150쪽

예 1, 2 / 1, 2, 3 / 1, 2, 3, 4 / 1 / n

$1+2+3+\cdots+n$ / $\frac{n(n+1)}{2}$

01 (1) (1), (1, 2), (1, 2, 3), (1, 2, 3, 4), (1, 2, 3, 4, 5), ⋯

(2) $(1, 2, 3, \cdots, n)$

(3) $\frac{n(n+1)}{2}$

(4) 4

(5) 9

02 (1) (1), (1, 3), (1, 3, 5), (1, 3, 5, 7), (1, 3, 5, 7, 9), ⋯

(2) $(1, 3, 5, \cdots, 2n-1)$

(3) $\frac{n(n+1)}{2}$

(4) 9

(5) 13

03 (1) $(1), \left(\frac{1}{2}, \frac{2}{2}\right), \left(\frac{1}{3}, \frac{2}{3}, \frac{3}{3}\right), \left(\frac{1}{4}, \frac{2}{4}, \frac{3}{4}, \frac{4}{4}\right), \cdots$

(2) $\left(\frac{1}{n}, \frac{2}{n}, \frac{3}{n}, \cdots, \frac{n}{n}\right)$

(3) $\frac{n(n+1)}{2}$

(4) $\frac{4}{10}$

(5) $\frac{3}{16}$

(6) 303

04 (1) $\left(\frac{1}{1}\right), \left(\frac{1}{2}, \frac{2}{1}\right), \left(\frac{1}{3}, \frac{2}{2}, \frac{3}{1}\right), \left(\frac{1}{4}, \frac{2}{3}, \frac{3}{2}, \frac{4}{1}\right), \cdots$

(2) $\left(\frac{1}{n}, \frac{2}{n-1}, \frac{3}{n-2}, \cdots, \frac{n}{1}\right)$

(3) $\frac{7}{1}$

(4) 199

도전! 1등급 **05** ①

01 (3) $1+2+3+\cdots+n=\frac{n(n+1)}{2}$

(4) 제1군부터 제4군까지의 항의 개수는 $\frac{4\cdot5}{2}=10$이므로 제10항은 제4군의 끝항인 4이다.

(5) 제1군부터 제13군까지의 항의 개수는 $\frac{13\cdot14}{2}=91$이므로 제100항은 제14군의 제 9항인 9이다.

02 (3) $1+2+3+\cdots+n=\frac{n(n+1)}{2}$

(4) 제1군부터 제5군까지의 항의 개수는 $\frac{5\cdot6}{2}=15$이므로 제10항은 제5군의 끝항인 9이다.

(5) 제1군부터 제10군까지의 항의 개수는 $\frac{10\cdot11}{2}=55$이므로 제62항은 제 11군의 제 7항인 $2\cdot7-1=13$이다.

03 (3) $1+2+3+\cdots+n=\frac{n(n+1)}{2}$

(4) 제1군부터 제9군까지의 항의 개수는 $\frac{9\cdot10}{2}=45$이므로 제49항은 제10군의 제4항인 $\frac{4}{10}$이다.

(5) 제1군부터 제15군까지의 항의 개수는 $\frac{15\cdot16}{2}=120$이므로 제123항은 제16군의 제 3항인 $\frac{3}{16}$이다.

(6) 분모가 25이므로 제25군에 속하고 분자가 3이므로 제25군의 제3항이다.

$\therefore n=\frac{24\cdot25}{2}+3=303$

04 (3) 제 1군부터 제 7군까지의 항의 개수는 $\frac{7\cdot8}{2}=28$이므로 제28항은 제7군의 끝항인 $\frac{7}{1}$이다.

(4) 분모와 분자의 합이 21이므로 제 20군에 속하고 분자가

9이므로 제 20군의 제 9항이다.

$\therefore n=\dfrac{19\cdot 20}{2}+9=199$

05 표의 맨 왼쪽 칸에 있는 수들을 나열하면 1, 4, 9, 16, …이므로 제 n항은 n^2이다.
위부터 10번째 줄의 맨 왼쪽 칸의 수는 $10^2=100$이므로 이 줄의 왼쪽부터 5번째에 있는 수는 $100-4=96$이다.

必 개념 정복

152-153쪽

01 (1) $\sum_{k=1}^{10}4k$ (2) $\sum_{k=1}^{17}(2k-1)$
(3) $\sum_{k=1}^{19}\dfrac{k}{k+1}$ (4) $\sum_{k=1}^{2018}2^{k-1}$

02 (1) -2 (2) 37
(3) 200 (4) 30

03 (1) 325 (2) 1240
(3) 80 (4) 393
(5) ① $a_n=n(n+1)$
② $k(k+1)$, k, $\dfrac{n(n+1)}{2}$, $n(n+1)$, $(n+2)$

04 (1) $\dfrac{8}{9}$ (2) $\dfrac{29}{45}$ (3) $\dfrac{28}{45}$
(4) $\dfrac{20}{41}$ (5) $\dfrac{2}{25}$

05 (1) $\dfrac{1}{2}(\sqrt{14}+\sqrt{13}-\sqrt{2}-1)$
(2) $9+3\sqrt{11}-\sqrt{2}$
(3) $\dfrac{1}{2}(\sqrt{55}+3\sqrt{6}-2-\sqrt{3})$

06 (1) (1), $\left(\dfrac{2}{1}, \dfrac{2}{2}\right)$, $\left(\dfrac{3}{1}, \dfrac{3}{2}, \dfrac{3}{3}\right)$, $\left(\dfrac{4}{1}, \dfrac{4}{2}, \dfrac{4}{3}, \dfrac{4}{4}\right)$, …
(2) $\left(\dfrac{n}{1}, \dfrac{n}{2}, \dfrac{n}{3}, \cdots, \dfrac{n}{n}\right)$ (3) $\dfrac{n(n+1)}{2}$
(4) $\dfrac{7}{4}$ (5) 4983

01 (1) 수열 4, 8, 12, …의 일반항은 $4n$이고 첫째항부터 제 10항까지의 합이므로 $\sum_{k=1}^{10}4k$이다.
(2) 수열 1, 3, 5, …의 일반항은 $2n-1$이고 첫째항부터 제 17항까지의 합이므로 $\sum_{k=1}^{17}(2k-1)$이다.
(3) 수열 $\dfrac{1}{2}$, $\dfrac{2}{3}$, $\dfrac{3}{4}$, …의 일반항은 $\dfrac{n}{n+1}$이고 첫째항부터 제 19항까지의 합이므로 $\sum_{k=1}^{19}\dfrac{k}{k+1}$이다.
(4) 수열 1, 2, 2^2, …의 일반항은 2^{n-1}이고, 첫째항부터 제 2018항까지의 합이므로 $\sum_{k=1}^{2018}2^{k-1}$

02 (1) (주어진 식) $=\sum_{k=1}^{10}a_k-2\cdot\sum_{k=1}^{10}b_k+10=8-20+10=-2$
(2) (주어진 식) $=\sum_{k=1}^{5}(4a_k^2-12a_k+9)$
$=4\cdot\sum_{k=1}^{5}a_k^2-12\cdot\sum_{k=1}^{5}a_k+9\cdot 5$
$=16-24+45=37$
(3) (주어진 식) $=\sum_{k=1}^{20}(k^2+5-k^2+5)=\sum_{k=1}^{20}10=200$
(4) (주어진 식) $=\sum_{k=1}^{4}k^2=\dfrac{4\cdot 5\cdot 9}{6}=30$

03 (1) (주어진 식) $=\sum_{k=1}^{25}k=\dfrac{25\cdot 26}{2}=325$
(2) (주어진 식) $=\sum_{k=1}^{15}k^2=\dfrac{15\cdot 16\cdot 31}{6}=1240$
(3) (주어진 식) $=\sum_{k=1}^{5}(3k^2-5k-2)$
$=3\cdot\dfrac{5\cdot 6\cdot 11}{6}-5\cdot\dfrac{5\cdot 6}{2}-2\cdot 5$
$=165-75-10=80$
(4) (주어진 식) $=\sum_{k=1}^{6}(k^3-8)=\left(\dfrac{6\cdot 7}{2}\right)^2-6\cdot 8$
$=441-48=393$
(5) ① 두 수의 곱 중 앞의 수를 1, 2, 3, …, n이라 하면 뒤의 수는 2, 3, 4, 5, …, $n+1$이므로 $a_n=n(n+1)$

04 (1) 주어진 식) $=\sum_{k=1}^{8}\left(\dfrac{1}{k}-\dfrac{1}{k+1}\right)$
$=\left(\dfrac{1}{1}-\dfrac{1}{2}\right)+\left(\dfrac{1}{2}-\dfrac{1}{3}\right)+\cdots$
$+\left(\dfrac{1}{8}-\dfrac{1}{9}\right)=1-\dfrac{1}{9}=\dfrac{8}{9}$
(2) (주어진 식) $=\dfrac{1}{2}\sum_{k=1}^{8}\left(\dfrac{1}{k}-\dfrac{1}{k+2}\right)$
$=\dfrac{1}{2}\left\{\left(\dfrac{1}{1}-\dfrac{1}{3}\right)+\left(\dfrac{1}{2}-\dfrac{1}{4}\right)+\left(\dfrac{1}{3}-\dfrac{1}{5}\right)+\cdots\right.$
$\left.+\left(\dfrac{1}{7}-\dfrac{1}{9}\right)+\left(\dfrac{1}{8}-\dfrac{1}{10}\right)\right\}$
$=\dfrac{1}{2}\left(1+\dfrac{1}{2}-\dfrac{1}{9}-\dfrac{1}{10}\right)=\dfrac{1}{2}\cdot\dfrac{116}{90}=\dfrac{29}{45}$
(3) (주어진 식) $=\sum_{k=1}^{7}\left(\dfrac{1}{k+1}-\dfrac{1}{k+3}\right)$
$=\left(\dfrac{1}{2}-\dfrac{1}{4}\right)+\left(\dfrac{1}{3}-\dfrac{1}{5}\right)+\left(\dfrac{1}{4}-\dfrac{1}{6}\right)+\cdots$
$+\left(\dfrac{1}{7}-\dfrac{1}{9}\right)+\left(\dfrac{1}{8}-\dfrac{1}{10}\right)$
$=\dfrac{1}{2}+\dfrac{1}{3}-\dfrac{1}{9}-\dfrac{1}{10}=\dfrac{56}{90}=\dfrac{28}{45}$
(4) (주어진 식) $=\dfrac{1}{2}\sum_{k=1}^{20}\left(\dfrac{1}{2k-1}-\dfrac{1}{2k+1}\right)$

$=\frac{1}{2}\left\{\left(\frac{1}{1}-\frac{1}{3}\right)+\left(\frac{1}{3}-\frac{1}{5}\right)+\cdots+\left(\frac{1}{39}-\frac{1}{41}\right)\right\}$

$=\frac{1}{2}\cdot\left(1-\frac{1}{41}\right)=\frac{20}{41}$

(5) (주어진 식) $=\frac{1}{2}\sum_{k=1}^{10}\left(\frac{1}{2k+3}-\frac{1}{2k+5}\right)$

$=\frac{1}{2}\left\{\left(\frac{1}{5}-\frac{1}{7}\right)+\left(\frac{1}{7}-\frac{1}{9}\right)+\cdots+\left(\frac{1}{23}-\frac{1}{25}\right)\right\}$

$=\frac{1}{2}\cdot\left(\frac{1}{5}-\frac{1}{25}\right)=\frac{2}{25}$

06 (3) $1+2+3+\cdots+n=\frac{n(n+1)}{2}$

(4) 제1군부터 제6군까지의 항의 개수는

$\frac{6\cdot7}{2}=21$(개)이므로 제25항은 제7군의 제4항인 $\frac{7}{4}$이다.

(5) 분자가 100이므로 제100군에 속하고 분모가 33이므로 제100군의 제33항이다.

$\therefore n=\frac{99\cdot100}{2}+33=4983$

개념 12 수열의 귀납적 정의

154쪽

예 1, a_n+3

예 3, $2a_n$

01 (1) 29 (2) 8 (3) $\frac{1}{5}$

02 (1) $a_1=1,\ a_{n+1}=a_n+2\ (n=1,\ 2,\ 3,\ \cdots)$

(2) $a_1=3,\ a_{n+1}=a_n+4\ (n=1,\ 2,\ 3,\ \cdots)$

(3) $a_1=4,\ a_{n+1}=a_n-3\ (n=1,\ 2,\ 3,\ \cdots)$

03 (1) ① $a_n=2n+3$

② $a_n=3n-5$

③ $a_n=-5n+4$

(2) ① $a_n=3n$

② $a_n=7n-9$

(3) ① $a_n=2n-1$

② $a_n=-6n+11$

04 (1) $a_1=1,\ a_{n+1}=2a_n\ (n=1,\ 2,\ 3,\ \cdots)$

(2) $a_1=3,\ a_{n+1}=4a_n\ (n=1,\ 2,\ 3,\ \cdots)$

(3) $a_1=2,\ a_{n+1}=\frac{1}{3}a_n\ (n=1,\ 2,\ 3,\ \cdots)$

05 (1) ① $a_n=3\cdot2^{n-1}$

② $a_n=-2\cdot\left(\frac{1}{3}\right)^{n-1}$

③ $a_n=8\cdot\left(-\frac{1}{2}\right)^{n-1}$

(2) ① $a_n=2^n$

② $a_n=3\cdot(-4)^{n-1}$

(3) ① $a_n=-(-5)^{n-1}$

② $a_n=4\cdot\left(\frac{1}{8}\right)^{n-1}$

도전! 1등급 **06** ②, ⑤

01 (1) $a_2=a_1+7=1+7=8,\ \ a_3=a_2+7=8+7=15$

$a_4=a_3+7=15+7=22,\ \ a_5=a_4+7=22+7=29$

(2) $a_3=a_2+a_1=2+1=3,\ \ a_4=a_3+a_2=3+2=5$

$a_5=a_4+a_3=5+3=8$

(3) $a_2=\frac{1}{2}a_1=\frac{1}{2},\ \ a_3=\frac{2}{3}a_2=\frac{2}{3}\cdot\frac{1}{2}=\frac{1}{3}$

$a_4=\frac{3}{4}a_3=\frac{3}{4}\cdot\frac{1}{3}=\frac{1}{4},\ \ a_5=\frac{4}{5}a_4=\frac{4}{5}\cdot\frac{1}{4}=\frac{1}{5}$

03 (1) ① $a_n=5+(n-1)\cdot2=2n+3$

② $a_n=-2+(n-1)\cdot3=3n-5$

③ $a_n=-1+(n-1)\cdot(-5)=-5n+4$

(2) ① $d=a_2-a_1=6-3=3,\ a_n=3+(n-1)\cdot3=3n$

② $d=a_2-a_1=5-(-2)=7,$

$a_n=-2+(n-1)\cdot7=7n-9$

(3) ① $d=a_2-a_1=3-1=2,\ a_n=1+(n-1)\cdot2=2n-1$

② $d=a_2-a_1=-1-5=-6,$

$a_n=5+(n-1)\cdot(-6)=-6n+11$

05 (2) ① $r=\frac{a_2}{a_1}=2,\ \ a_n=2\cdot2^{n-1}=2^n$

② $r=\frac{a_2}{a_1}=-4,\ \ a_n=3\cdot(-4)^{n-1}$

(3) ① $r=\frac{a_2}{a_1}=-5,\ \ a_n=(-1)\cdot(-5)^{n-1}=-(-5)^{n-1}$

② $r=\frac{a_2}{a_1}=\frac{\frac{1}{2}}{4}=\frac{1}{8},\ \ a_n=4\cdot\left(\frac{1}{8}\right)^{n-1}$

개념 13 여러 가지 수열의 귀납적 정의

156쪽

예 1, 2, 1, 2, 등비

01 (1) $a_n=\frac{n^2-n+2}{2}$ (2) $a_n=n^2-n+3$

(3) $a_n=2^n-1$ (4) $a_n=\frac{3^n-1}{2}$

(5) $a_n=2-\frac{1}{n}$

(6) $a_n=\frac{2n^3-3n^2+n+12}{6}$

02 (1) $a_n=\frac{1}{n}$ (2) $a_n=\frac{4}{n+1}$

(3) $a_n=2^{\frac{n(n-1)}{2}}$ (4) $a_n=3^{\frac{n(n-1)}{2}}$

(5) $a_n=3\sqrt{n}$

03 (1) $a_n=5\cdot2^{n-1}-3$ (2) $a_n=3^{n-1}+1$
(3) $a_n=3\cdot4^{n-1}-2$

도전! 1등급 **04** ③

01 (1) $a_n=1+(1+2+3+\cdots+n-1)$

$=1+\frac{(n-1)\cdot n}{2}=\frac{n^2-n+2}{2}$

(2) $a_n=3+\{2+4+6+\cdots+(2n-2)\}$
$=3+2(1+2+3+\cdots+n-1)$
$=3+2\cdot\frac{(n-1)\cdot n}{2}=n^2-n+3$

(3) $a_n=1+(2+4+8+\cdots+2^{n-1})$
$=\frac{1\cdot(2^n-1)}{2-1}=2^n-1$

(4) $a_n=1+(3+9+27+\cdots+3^{n-1})$
$=\frac{1\cdot(3^n-1)}{3-1}=\frac{3^n-1}{2}$

(5) $a_n=1+\left\{\frac{1}{1\cdot2}+\frac{1}{2\cdot3}+\frac{1}{3\cdot4}+\cdots+\frac{1}{(n-1)\cdot n}\right\}$
$=1+\left(\frac{1}{1}-\frac{1}{2}\right)+\left(\frac{1}{2}-\frac{1}{3}\right)+\left(\frac{1}{3}-\frac{1}{4}\right)+\cdots$
$+\left(\frac{1}{n-1}-\frac{1}{n}\right)$
$=1+1-\frac{1}{n}=2-\frac{1}{n}$

(6) $a_n=2+\{1^2+2^2+3^2+\cdots+(n-1)^2\}$
$=2+\frac{(n-1)\cdot n\cdot(2n-1)}{6}=\frac{2n^3-3n^2+n+12}{6}$

02 (1) $a_n=1\cdot\frac{1}{2}\cdot\frac{2}{3}\cdot\frac{3}{4}\cdot\ \cdots\ \cdot\frac{n-1}{n}=\frac{1}{n}$

(2) $a_n=2\cdot\frac{2}{3}\cdot\frac{3}{4}\cdot\frac{4}{5}\cdot\ \cdots\ \cdot\frac{n}{n+1}=\frac{4}{n+1}$

(3) $a_n=1\cdot2^1\cdot2^2\cdot2^3\cdot\ \cdots\ \cdot2^{n-1}=2^{1+2+3+\cdots+(n-1)}=2^{\frac{n(n-1)}{2}}$

(4) $a_n=1\cdot3^1\cdot3^2\cdot3^3\cdot\ \cdots\ \cdot3^{n-1}=3^{1+2+3+\cdots+(n-1)}=3^{\frac{n(n-1)}{2}}$

(5) $a_n=3\cdot\frac{\sqrt{2}}{\sqrt{1}}\cdot\frac{\sqrt{3}}{\sqrt{2}}\cdot\frac{\sqrt{4}}{\sqrt{3}}\cdot\ \cdots\ \cdot\frac{\sqrt{n}}{\sqrt{n-1}}=3\sqrt{n}$

03 (1) $a_{n+1}+3=2(a_n+3)$, $a_n+3=(a_1+3)\cdot2^{n-1}$
$\therefore\ a_n=5\cdot2^{n-1}-3$

(2) $a_{n+1}-1=3(a_n-1)$, $a_n-1=(a_1-1)\cdot3^{n-1}$
$\therefore\ a_n=3^{n-1}+1$

(3) $a_{n+1}+2=4(a_n+2)$, $a_n+2=(a_1+2)\cdot4^{n-1}$
$\therefore\ a_n=3\cdot4^{n-1}-2$

04 $a_{n+1}-2=\frac{1}{2}(a_n-2)$, $a_n-2=6\cdot\left(\frac{1}{2}\right)^{n-1}$

$\therefore a_n=6\cdot\left(\frac{1}{2}\right)^{n-1}+2$

따라서 $p=6$, $q=\frac{1}{2}$, $r=2$이므로 $p+2q+r=9$이다.

개념 14 수학적 귀납법

158쪽

01 (1) ○ (3) ○ (4) ○

02 (2) ○ (4) ○ (6) ○

03 (1) (i) 1, 1
(ii) k, $\frac{k(k+1)}{2}$, $k+1$, $k+1$, $k+1$,
$\frac{(k+1)(k+2)}{2}$, $k+1$

(2) (i) 1, 1
(ii) $2k-1$, k^2, $2k+1$, $2k-1$, $2k+1$,
$(k+1)^2$, $k+1$

(3) ③

04 (1) 30 (2) 198
(3) ① $f(k)=\frac{1}{(2k+1)(2k+3)}$, $g(k)=\frac{k+1}{2k+3}$
② $\frac{1}{45}$

05 (1) (ii) 2, 2^{k+1}, $k-1$, $k+1$
(2) (ii) $1+h$, $1+h$, $k+1$, $k+1$

도전! 1등급 **06** ④

01 (1) $p(1)$이 참 → $p(2)$가 참 → $p(4)$가 참 → $p(8)$이 참
→ $p(16)$이 참 → $p(32)$가 참 → ⋯
따라서 모든 2의 거듭제곱수 n에 대하여 $p(n)$이 참이다.

02 (1) $p(1)$이 참 → $p(3)$이 참 → $p(5)$가 참 → $p(7)$이 참
→ $p(9)$가 참 → $p(11)$이 참 → ⋯
따라서 모든 홀수 n에 대하여 $p(n)$이 참이다.

04 (1) $f(k)=(k+1)^2$, $g(k)=\frac{(k+1)(k+2)(2k+3)}{6}$
$\therefore f(3)+g(2)=16+14=30$

(2) $f(k)=(k+1)(k+2)$,
$g(k)=\frac{(k+1)(k+2)(k+3)}{3}$
$\therefore f(4)+g(6)=5\cdot6+\frac{7\cdot8\cdot9}{3}=198$

(3) ② $\therefore f(4)\cdot\frac{1}{g(4)}=\frac{1}{9\cdot11}\times\frac{11}{5}=\frac{1}{45}$

06 $f(k)=\frac{1}{(k+1)^2}$, $g(k)=\frac{1}{k+1}$이므로
$\therefore g(3)\cdot\frac{1}{f(5)}=\frac{1}{4}\cdot36=9$

必 개념 정복

162-163쪽

01 (1) $a_1=10$, $a_{n+1}=a_n-3$ ($n=1, 2, 3, \cdots$)
(2) $a_1=4$, $a_{n+1}=a_n+1$ ($n=1, 2, 3, \cdots$)

(3) $a_1=-5,\ a_{n+1}=a_n-4\ (n=1,\ 2,\ 3,\ \cdots)$

02 (1) $a_n=-4n+6$ (2) $a_n=2n$
(3) $a_n=-3n+8$ (4) $a_n=3\cdot 2^n$
(5) $a_n=4\cdot(-3)^{n-1}$

03 (1) $a_n=-2^{n-1}+2$ (2) $a_n=6\cdot 5^{n-1}-3$
(3) $a_n=2n^2-2n+5$ (4) $a_n=\dfrac{n(2n^2-3n+7)}{6}$

04 (1) 21 (2) 5^{55}
(3) 63 (4) -18

05 (1) ○ (3) ○ (5) ○

06 ① $f(k)=\dfrac{1}{k+1},\ g(k)=\dfrac{2(k+1)}{k+2}$ ② $\dfrac{1}{4}$

03 (1) $a_{n+1}-2=2(a_n-2),\ a_n-2=(-1)\cdot 2^{n-1}$
$\therefore a_n=-2^{n-1}+2$
(2) $a_{n+1}+3=5(a_n+3),\ a_n+3=6\cdot 5^{n-1}$
$\therefore a_n=6\cdot 5^{n-1}-3$
(3) $a_{n+1}=a_n+4n$에서 n대신 1, 2, 3, $\cdots$ $(n-1)$을 대입하여 같은 변끼리 더하면,
$\therefore a_n=5+\sum_{k=1}^{n-1}4k=5+4\cdot\dfrac{(n-1)n}{2}=2n^2-2n+5$
(4) $a_{n+1}=a_n+n^2+1$에서 n대신 1, 2, 3, $\cdots$ $(n-1)$을 대입하여 같은 변끼리 더하면,
$\therefore a_n=1+\sum_{k=1}^{n-1}(k^2+1)$
$=1+\dfrac{(n-1)n(2n-1)}{6}+(n-1)$
$=\dfrac{(n-1)n(2n-1)+6n}{6}=\dfrac{n(2n^2-3n+7)}{6}$

04 (1) $a_{n+1}=\dfrac{n+2}{n+1}a_n$에서 n대신 1, 2, 3, $\cdots$ 19를 대입하여 같은 변끼리 곱하면,
$\therefore a_n=2\times\dfrac{3}{2}\times\dfrac{4}{3}\times\dfrac{5}{4}\times\cdots\times\dfrac{21}{20}=21$
(2) $a_{n+1}=5^n a_n$에서 n대신 1, 2, 3, $\cdots$ 10을 대입하여 같은 변끼리 곱하면,
$\therefore a_{11}=a_1\times 5\times 5^2\times\cdots\times 5^{10}=5^{55}$
(3) $a_2=2a_1+1=2\cdot 3+1=7$,
$a_3=2a_2+1=2\cdot 7+1=15$
$a_4=2a_3+1=2\cdot 15+1=31$,
$a_5=2a_4+1=2\cdot 31+1=63$
[또 다른 방법]
$a_{n+1}+1=2(a_n+1)$
$a_n+1=(a_1+1)\cdot 2^{n-1}$
$a_n=4\cdot 2^{n-1}-1$
$\therefore a_5=4\cdot 2^4-1=63$
(4) $a_{n+1}-\dfrac{1}{2}=-3\left(a_n-\dfrac{1}{2}\right)$
$a_n-\dfrac{1}{2}=\left(a_1-\dfrac{1}{2}\right)\cdot(-3)^{n-1}$
$a_n=\dfrac{1}{2}\cdot(-3)^{n-1}+\dfrac{1}{2}$
$\therefore a_4-a_3=\left(-\dfrac{27}{2}+\dfrac{1}{2}\right)-\left(\dfrac{9}{2}+\dfrac{1}{2}\right)=-18$

05 (1) $p(1)$이 참 → $p(4)$가 참 → $p(7)$이 참 → $p(10)$이 참 → $p(13)$이 참 → $p(16)$이 참 → $\cdots$
따라서 3으로 나눈 나머지가 1인 자연수 n에 대하여 $p(n)$이 참이다.

06 ② $\therefore f(5)\cdot g(2)=\dfrac{1}{6}\cdot\dfrac{2\cdot 3}{4}=\dfrac{1}{4}$

必 내신 정복

164~166쪽

01 ① **02** ④
03 ② **04** ②
05 ③ **06** ③
07 ① **08** ⑤
09 ②
10 (1) 7500(만 원) (2) $30a$(만 원)
(3) 250
11 ④ **12** ⑤
13 7 **14** ②
15 (1) ③ (2) 7

01 두 수열 $\{a_n\}$, $\{b_n\}$은 n의 일차식이므로 등차수열이고 각각의 공차는 n의 계수와 같으므로 공차의 합은
$3+(-5)=-2$

02 첫째항을 a, 공차를 d라고 하면
$a_5=a+4d=58$ $\cdots$ ㉠
$a_9=a+8d=42$ $\cdots$ ㉡
㉡$-$㉠에서 $4d=-16$, $\therefore d=-4$
㉠에서 $a+4\times(-4)=58$ $\therefore a=74$
$a_n=74+(n-1)\times(-4)=-4n+78$
양수가 아닌 항이 되기 위해서는
$-4n+78\le 0$, $\therefore n\ge 19.5$
따라서 구하는 항은 제20항이다.

03 $a_1+a_2+a_3+a_4=26$, $a_{n-3}+a_{n-2}+a_{n-1}+a_n=134$이므로
$a_1+a_2+a_3+a_4+a_{n-3}+a_{n-2}+a_{n-1}+a_n=160$
$4(a_1+a_n)=160$ $\therefore a_1+a_n=40$

이 때, 첫째항부터 제 n항까지의 합을 S_n라고하면

$S_n=\frac{n(a_1+a_n)}{2}=260,\ 20n=260\ \therefore n=13$

04 첫째항이 3, 끝항이 30인 등차수열의 첫째항부터 제 10항까지의 합을 구하면

$S_{10}=\frac{10(3+30)}{2}=165$

05 $f(5)=1+5+5^2+\cdots+5^{20}=\frac{1\cdot(5^{21}-1)}{5-1}=\frac{5^{21}-1}{4}$

06 첫째항을 a, 공비를 r, 첫째항부터 제 n항까지의 합을 S_n라고 하면

$S_4=\frac{a(r^4-1)}{r-1}=2\cdots$ ㉠

$S_8=\frac{a(r^8-1)}{r-1}=\frac{a(r^4-1)(r^4+1)}{r-1}=2+6=8\cdots$ ㉡

㉠을 ㉡에 대입하면 $2(r^4+1)=8$

$\therefore r^4=3$

㉠과 공비를 이용하여,

$\therefore S_{12}=\frac{a(r^{12}-1)}{r-1}=\frac{a(r^4-1)(r^8+r^4+1)}{r-1}$

$=2(3^2+3+1)=26$

07 공비를 r라고 하면 첫째항은 2, 제8항은 18이므로

$a_8=2r^7=18\quad\therefore r^7=9$

따라서

$x_1=2r,\ x_2=2r^2,\ x_3=2r^3,\ x_4=2r^4\ x_5=2r^5\ x_6=2r^6,$

이므로

$\therefore x_1x_2x_3x_4x_5\,x_6=2^6\cdot r^{1+2+\cdots+6}$

$=2^6\cdot r^{21}=2^6\cdot(r^7)^3=2^6\cdot 9^3=6^6$

08 $a,\ a+b,\ 2a-b$는 등차수열이므로,

$2(a+b)=a+(2a-b),\ 2a+2b=3a-b$

$3b=a\cdots$ ㉠

$1,\ a-1,\ 3b+1$는 등비수열을 이룰 때,

$(a-1)^2=1\cdot(3b+1)\cdots$ ㉡

㉠을 ㉡에 대입하면, $(a-1)^2=a+1,\ a(a-3)=0$

$a=0$또는 $a=3$

이 때, 공비가 양수이므로, $\therefore a=3$

a값을 ㉠에 대입하면, $\therefore b=1$

따라서 $a^2+b^2=10$

09 S_n의 상수항이 0이어야 하므로

$k^2-k-2=0,\ (k-2)(k+1)=0,\ k=2$ 또는 $k=-1$

이 때, k는 양수이므로 $\therefore k=2$

10 (1) 3000만원을 연이율 5%, 1년마다 복리로 19년 동안 예금했다면 그 원리합계는

$3000\times(1+0.05)^{19}=3000\times2.5=7500$(만 원) $\cdots$ ㉠

(2) $a+a(1+0.05)+a(1+0.05)^2+\cdots+a(1+0.05)^{18}$

$=\frac{a(1.05^{19}-1)}{0.05}=\frac{a\times1.5}{0.05}=30a$(만 원) $\cdots$ ㉡

(3) ㉠, ㉡의 금액이 일치해야 하므로

$30a=7500\quad\therefore a=250$(만 원)

따라서 매년 250만 원씩 받는다.

11 주어진 수열의 일반항은

$\frac{1}{1+2+3+\cdots+n}=\frac{1}{\frac{n(n+1)}{2}}=\frac{2}{n(n+1)}$

$\therefore$ (주어진 식) $=\sum_{k=1}^{30}\frac{2}{k(k+1)}=\frac{60}{31}$

12 $\sum_{k=1}^{n}\frac{1}{\sqrt{k+1}+\sqrt{k}}=\sqrt{n+1}-1=20$

$\sqrt{n+1}=21,\ n+1=441$

$\therefore n=440$

13 $f(x)=\sum_{k=1}^{5}(k^2+2xk+x^2)$

$=\sum_{k=1}^{5}k^2+2x\sum_{k=1}^{5}k+\sum_{k=1}^{5}x^2$

$=\frac{5\cdot6\cdot11}{6}+2x\cdot\frac{5\cdot6}{2}+x^2\cdot5$

$=5x^2+30x+55$

$=5(x+3)^2+10$

따라서 함수 $f(x)$는 $x=-3$일 때 최솟값 10을 갖는다.

$\therefore -3+10=7$

14 $a_{n+1}-4=-\frac{1}{2}(a_n-4),\ a_n-4=1\cdot\left(-\frac{1}{2}\right)^{n-1}$

$\therefore a_n=\left(-\frac{1}{2}\right)^{n-1}+4$

따라서 $p=1,\ q=-\frac{1}{2},\ r=4$이므로

$3p+2q+r=6$이다.

15 (2) (나) $=f(k)=k+1$, (다) $=g(k)=a^{k+1}+b^{k+1}$

$\therefore \frac{g(2)}{f(4)}=\frac{2^3+3^3}{4+1}=\frac{8+27}{5}=\frac{35}{5}=7$

선행학습 · 보충학습의 강자!

자신감